Dr Peter J. D'Adamo
i Catherine Whitney

JEDZ ZGOD...
ZE SWOJĄ GRUPĄ KRWI

Cztery grupy krwi, cztery diety

Poradnik dietetyczny dla każdego z nas, jak być zdrowym, żyć dłużej, utrzymać idealną wagę

Piotr A Rh+

Magda A Rh+

MADA Warszawa 2002

Tytuł oryginału: 4 Blood Types, 4 Diets
Eat Right for 4 Your Type

The Individualized Diet Solution to Staying Healthy,
Living Longer & Achieving Your Ideal Weight

Tłumaczyli: Paweł Boniewicz i Marek Sobótka

Opracowanie graficzne: Renata Gabrycka

Wydanie II poprawione

ISBN 83-86170-44-1

Skład: FOTOSKŁAD
Al. Ujazdowskie 20 m 38
00-470 Warszawa

Ku pamięci mojego dobrego przyjaciela
Johna J. Mosko (1919–1992)

Podziękowania

Jest wielu ludzi, którym dziękuję za pomoc, ponieważ żadna praca naukowa nie powstaje wysiłkiem jednego człowieka. Inspirowało i wspierało mnie wielu ludzi, którzy obdarzyli mnie zaufaniem. Szczególnie gorące podziękowania składam żonie, Marcie Mosko D'Adamo, za jej miłość i przyjaźń; rodzicom, Jamesowi Seniorowi i Christianie D'Adamo, za nauczenie mnie ufania intuicji oraz mojemu bratu, Jamesowi D'Adamo Juniorowi, za wiarę we mnie.

Jestem także bardzo wdzięczny: Josephowi Pizzorno za skierowanie moich zainteresowań ku medycynie naturalnej; Catherinie Whitney, mojej pisarce, która nadawała styl i właściwe znaczenie słów surowemu materiałowi; Gailowi Winstonowi, wydawcy, który dawno temu zadzwonił do mnie i zapytał, czy chcę napisać książkę o medycynie naturalnej; mojej agentce literackiej, Janis Valley, która zobaczyła, jak obiecująca jest moja praca i nie pozwoliła jej zmarnieć gdzieś na zakurzonej półce w archiwum; Amy Hertz, mojemu wydawcy w Riverhead/Putnam, której wizja zmieniła rękopis w bogate i ważne dzieło, którym, jak mniemam, stało się obecnie.

Jestem także wdzięczny: Dorothy Mosko za jej nieocenioną pomoc w przygotowaniu początkowej wersji rękopisu; Scottowi Carlsonowi, mojemu poprzedniemu asystentowi, który nigdy nie szczędził mi krytyki; Carolyn Knight, mojej prawej ręce i ekspertowi od flebotomistyki; Jane Dystel, literackiemu agentowi Catherine, której rada zawsze dobrze mi służyła; Paulowi Krafin, który użyczał swojego ostrego pióra i umiejętności redakcyjnych procesowi sprawdzania; dr Dinie Khader, która pomogła przy opracowaniu przepisów kulinarnych i planowaniu posiłków; Johnowi Schuler, który zaprojektował ilustracje.

Chciałbym także podziękować studentom z Uniwersytetu w Bastyr, którzy umiejętnie przesiali szeroką literaturę medyczną dotyczącą grup krwi, pomagając w uczynieniu tej książki pozycją tak w pełni wyczerpującą temat, jak to tylko możliwe.

Dziękuję też wszystkim cudownym pacjentom, którzy w swoim dążeniu do zdrowia i szczęścia uczynili mi zaszczyt swoim zaufaniem.

Ważna uwaga:

Książka ta nie jest pomyślana jako alternatywa wobec zaleceń lekarzy medycyny. Jej celem jest raczej dostarczenie informacji, aby pomóc Czytelnikowi współpracować z lekarzami, by dążyć wspólnie do osiągnięcia optymalnie dobrego zdrowia i samopoczucia każdego z nas. Tożsamość ludzi opisanych w przypadkach chorobowych została zmieniona, aby chronić kredyt zaufania pacjentów.

Wydawca i autor nie ponoszą odpowiedzialności za żadne dobra i/lub usługi oferowane lub oparte na tej książce i wyraźnie odcinają się od jakichkolwiek zobowiązań w powiązaniu ze spełnianiem zamówień na takie dobra i/lub usługi i w związku z jakimikolwiek szkodami, stratami lub kosztami w stosunku do osób lub majątku spowodowanych powyższym.

Wstęp

Praca dwóch pokoleń

Wierzyłem, że na ziemi nie ma dwóch ludzi, którzy byliby identyczni; dwóch ludzi o takich samych odciskach palców, zarysie ust lub brzmieniu głosu. Podobnie jak nie ma dwóch identycznych ździebeł trawy lub płatków śniegu. I dlatego, iż czułem, że wszyscy ludzie różnią się od siebie, nie przychodził mi do głowy żaden logiczny powód, dla którego powinni jeść takie same pokarmy. Stało się dla mnie jasne, że skoro każdy mieści się w niepowtarzalnym ciele o różnej sile, słabości i upodobaniu do określonego jedzenia, to jedynym sposobem na zachowanie zdrowia lub leczenie choroby jest dostosowanie się do tych specyficznych potrzeb każdego pacjenta.

James D'Adamo,
mój ojciec

Grupa krwi jest kluczem, który otwiera drzwi do tajemnic zdrowia, choroby, długowieczności, witalności i odporności psychicznej. Decyduje o podatności na choroby, o upodobaniu do żywności i nawet o rodzaju wykonywanych ćwiczeń. Jest jednym z głównych czynników wpływających na twój bilans energetyczny, na skuteczność, z jaką spalasz kalorie, na reakcje na stres i może nawet na osobowość.

Powiązania między grupą krwi a dietą mogą wydawać się niedorzeczne, ale tak nie jest. Od dawna wiemy, że istnieje ogniwo łączące proces, który prowadzi albo do ścieżki zdrowia, albo do ponurego szlaku chorobowego. Musiał istnieć jakiś powód, dla którego badania dietetyczne i studia nad mechanizmami przezwyciężania chorób napotykały tak wiele sprzeczności. Musiało także istnieć wytłumaczenie, dlaczego niektórzy ludzie tracą na wadze stosując konkretne diety, podczas gdy inni nie; dlaczego niektórzy pozostają witalni przez całe życie, podczas gdy u innych z czasem następuje pogorszenie intelektu i stanu psychicznego. Analiza grup krwi pozwala nam wyjaśnić te paradoksy. Im bardziej zagłębiamy się w te powiązania, tym bardziej stają się one ważne.

W mistrzowskiej logice przyrody grupy krwi wyznaczają nieprzerwany szlak od najwcześniejszego etapu stworzenia człowieka do dnia dzisiejszego. Są one niczym podpis naszych przodków na niezniszczalnym pergaminie historii. Obecnie zaczynamy odkrywać, jak wykorzystywać grupę krwi jako swego rodzaju komórkowy odcisk palca, który ujawnia wiele z wielkich tajemnic okrywających nasze poszukiwanie dróg prowadzących do dobrego zdrowia.

Praca ta jest rozszerzeniem ostatnich przełomowych odkryć dotyczących ludzkiego DNA. Nasze rozumienie grupy krwi przesuwa naukę genetyki znacznie do przodu poprzez jednoznaczne stwierdzenie, że każdy byt ludzki jest całkowicie inny. Nie ma właściwego lub złego stylu życia lub diety; są tylko właściwe lub niewłaściwe wybory, których dokonujemy w zależności od naszych indywidualnych kodów genetycznych.

Jak odkryłem brakujące ogniwo grupy krwi

Moja praca w dziedzinie analizy grup krwi jest ukoronowaniem życiowych poszukiwań – nie tylko własnych, ale także mojego ojca. Należę do drugiego pokolenia lekarzy medycyny naturalnej. Dr James D'Adamo, mój ojciec, ukończył w 1957 r. czteroletnie studia podyplomowe z medycyny naturalnej, a później jeszcze prowadził badania w Europie w kilku wielkich ośrodkach medycznych. Zauważył on, że chociaż wielu pacjentom dobrze służyły ściśle wegetariańskie i niskotłuszczowe diety, które stanowią filar „kuchni kuracyjnej", to jednak u pewnej liczby pacjentów nie nastąpiła poprawa, a u kilku zanotowano nawet pogorszenie stanu zdrowia. Mój ojciec, człowiek wrażliwy, o przenikliwych zdolnościach dedukcyjnych i intuicji, doszedł do wniosku, że istnieje pewien rodzaj matrycy, którą można wykorzystać do określenia różnic w potrzebach żywieniowych pacjentów. Uważał, że skoro krew jest fundamentalnym nośnikiem składników odżywczych dla organizmu, to może istnieć jakiś jej element, który mógłby pomóc w identyfikacji tych różnic. Poddał tę teorię testowaniu poprzez oznaczanie grupy krwi u swoich pacjentów i obserwowanie indywidualnych reakcji na przepisane im różne diety.

Po latach i po doświadczeniach z mnóstwem pacjentów wzorzec zaczął się wyłaniać. Mój ojciec zauważył, że pacjentom z grupą krwi A nie odpowiadały diety wysokobiałkowe, złożone z solidnych porcji mięsa, natomiast dobrze służyły im proteiny roślinne, takie jak soja i tofu. Produkty mleczne zaś wpływały na wytwarzanie zbyt dużych ilości wydzieliny śluzowej w zatokach i drogach oddechowych. Kiedy poradzono im, by zwiększyli aktywność fizyczną, zwykle czuli się zmęczeni i niezdrowi; kiedy wykonywali lżejsze ćwiczenia, takie jak joga, byli pobudzeni i naładowani energią.

Z drugiej strony pacjenci z grupą krwi 0 rozkwitali na dietach wysokobiałkowych i nabierali wigoru po intensywnych ćwiczeniach fizycznych, takich jak jogging i aerobik. Im mój ojciec wnikliwiej badał różne grupy krwi, tym nabierał większego przekonania, że każdy z pacjentów – w zależności od grupy krwi – kroczył własną ścieżką ku zdrowiu.

Zainspirowany powiedzeniem: „To, co jest żywnością dla jednego człowieka, może być dla drugiego trucizną", mój ojciec zebrał wyniki swoich obserwacji i zalecenia dietetyczne w książce zatytułowanej *One Man's Food*. Kiedy pracę tę opublikowano w 1980 roku, byłem na trzecim roku studiów medycyny naturalnej w John Bastyr College w Seattle. W tym czasie w nauczaniu medycyny naturalnej zaszły przełomowe zmiany. Celem Bastyr College było wykształcenie lekarza intelektualnie i naukowo równego klasycznemu interniście, ale mającego do tego specjalistyczne przygotowanie w dziedzinie medycyny naturalnej. Po raz pierwszy techniki, procedury i zasady medycyny naturalnej mogły być naukowo analizowane przy pomocy nowoczesnej technologii. Czekałem na okazję, aby zbadać teorię grup krwi mojego ojca. Chciałem się sam upewnić, czy miała ona wartość naukową. Szansę przyniósł mi 1982 rok. Byłem wtedy na ostatnim roku studiów. Dla celów klinicznych zacząłem studiować literaturę medyczną, aby sprawdzić, czy istnieją jakieś powiązania między grupami krwi a skłonnościami do pewnych chorób i czy przydatna jest teoria diet opracowana przez mojego ojca. Ponieważ książka ojca oparta była raczej na jego subiektywnych wrażeniach dotyczących grup krwi niż na obiektywnej metodzie oceny, nie byłem pewny, czy będę mógł znaleźć jakiekolwiek podstawy naukowe potwierdzające jego teorię. A jednak zdumiało mnie to, co odkryłem.

Pierwszy przełom nastąpił wraz z odkryciem, że dwie główne choroby żołądka były związane z określoną grupą krwi. Jedna to wrzód żołądka, często związany z wyższymi od średniej poziomami kwasów żołądkowych. Ta choroba była często wymieniana jako najbardziej powszechna u ludzi z grupą krwi 0. Byłem tym bardzo zaintrygowany, gdyż mój ojciec zaobserwował, że pacjentom z grupą krwi 0 dobrze służyły produkty zwierzęce i diety białkowe, które wymagają więcej kwasu żołądkowego do właściwego trawienia.

Drugi to związek grupy krwi A z rakiem żołądka. Rak żołądka był często łączony z niskim poziomem produkcji kwasu żołądkowego, tak jak anemia złośliwa, kolejna choroba częściej występująca u osób z grupą krwi A. Anemia złośliwa związana jest z brakiem witaminy B_{12}, która wymaga odpowiedniej ilości kwasu żołądkowego do jej absorpcji.

Gdy analizowałem te fakty, zrozumiałem, że z jednej strony krew grupy krwi 0 predysponowała ludzi do choroby związanej ze zbyt dużą ilością kwasu żołądkowego, podczas gdy z drugiej strony krew grupy A predysponowała ludzi do dwóch chorób wiążących się ze zbyt małą ilością kwasu żołądkowego.

To było ogniwo, którego szukałem. A więc istniały podstawy naukowe potwierdzające obserwację mojego ojca. I tak się zaczęła moja przygoda z nauką i antropologią grup krwi. Z czasem stwierdziłem, że pionierska praca ojca na temat korelacji między grupą krwi, dietą i zdrowiem była dużo bardziej znacząca, niż nawet on sam sobie wyobrażał.

Cztery proste klucze otwierające tajemnice życia

Dorastałem w rodzinie, której członkowie mieli przeważnie krew grupy A. Pod wpływem mojego ojca odżywialiśmy się wegetariańsko, jedząc głównie tofu, warzywa gotowane na parze i sałatki. Jako dziecko często bywałem zakłopotany i czułem się nieco pokrzywdzony, ponieważ żaden z moich przyjaciół nie jadał czegoś tak okropnego jak tofu. Przeciwnie, zostali oni zaangażowani w inny rodzaj „rewolucji dietetycznej" charakterystycznej dla lat pięćdziesiątych. Jadali głównie hamburgery, hot dogi, tłuste ciastka francuskie, czekoladę, lody i pili duże ilości napojów gazowanych. Dzisiaj wciąż jadam tak jak w latach dzieciństwa i uwielbiam to. Każdego dnia jadam to, za czym tęskni moja krew grupy A. Jestem niezmiernie z tego zadowolony i szczęśliwy.

W tej książce przedstawię fundamentalną zależność między grupą krwi a wyborem diety i stylu życia, co pomoże ci żyć w możliwie najlepszy sposób. Sedno powiązań grupy krwi opiera się na tych faktach:

• Grupa krwi – 0, A, B lub AB – jest potężnym genetycznym odciskiem palca, która identyfikuje cię równie pewnie jak DNA.

• Gdy będziesz traktował zindywidualizowaną charakterystykę swojej grupy krwi jako drogowskaz do odpowiedniego jedzenia i stylu życia, będziesz szczęśliwszy, osiągniesz w sposób naturalny właściwą wagę i zwolnisz proces starzenia się organizmu.

• Grupa krwi o wiele bardziej wpływa na twoją tożsamość niż rasa, kultura czy geografia; jest genetyczną matrycą decydującą o tym, kim jesteś; przewodnikiem, w jaki sposób żyć najzdrowiej.

• Klucz do zrozumienia znaczenia grupy krwi można znaleźć w historii ewolucji człowieka: grupa krwi 0 jest najstarsza; grupa A rozwinęła się w społeczności rolniczej; grupa B wyłoniła się, kiedy ludzie migrowali na północ, na chłodniejsze, surowsze terytoria; zaś grupa AB jest dokładnie współczesną adaptacją, wynikiem przemieszania się zasadniczo odmiennych grup. Ta ewolucyjna droga wiąże się bezpośrednio z zapotrzebowaniami dietetycznymi każdej z grup krwi obecnie.

Czym jest więc ten tak ważny czynnik, grupa krwi?

Grupa krwi jest jednym z kilkunastu medycznie uznanych wyróżników, tak jak kolor włosów czy oczu. Wiele z nich, np. wzorce odcisków palców, a ostatnio analiza DNA, stosowanych jest szeroko w sądownictwie i kryminologii, ale również w medycynie w badaniach przyczyn i sposobów leczenia chorób. Grupa krwi jest równie ważna jak inne wyróżniki; w wielu przypadkach jest miarą nawet bardziej użyteczną. Analiza grupy krwi jest systemem logicznym, gdyż informacja otrzymana w prosty sposób pozwala na określenie toku dalszego postępowania. Nauczyłem tego systemu wielu lekarzy, którzy zapewniają mnie, że uzyskują dobre wyniki u pacjentów, gdy ci postępują zgodnie z ich wytycznymi. Teraz chcę nauczyć tego Ciebie. Dzięki zrozumieniu zasad analizy grupy krwi będziesz mógł wybrać optymalną dietę dla siebie i członków rodziny. Zdołasz ustalić, **jaka żywność ci szkodzi, jaka przyczynia się do wzrostu wagi i prowadzi do chronicznej choroby**.

Dość wcześnie zrozumiałem, że analiza grupy krwi oferuje duże możliwości interpretacji indywidualnych wyróżników zdrowia i choroby. Biorąc pod uwagę liczbę dostępnych danych badawczych, zadziwiające jest, że wpływowi grupy krwi na nasze zdrowie nie poświęcono tyle uwagi, na jaki on zasługuje. Ale teraz jestem już przygotowany, aby uczynić tę informację dostępną – i to nie dla moich kolegów naukowców i innych członków społeczności medycznej, lecz właśnie dla Ciebie.

Na pierwszy rzut oka nauka o grupie krwi może się wydawać zniechęcająca, ale zapewniam cię, że jest tak prosta i podstawowa jak samo życie. Opowiem ci o szlaku ewolucji grup krwi (tak porywającym jak historia człowieka) i odsłonię tajemnice, jakimi była okryta nauka o grupach krwi, aby dostarczyć ci jasny i prosty plan, według którego będziesz mógł postępować.

Zdaję sobie sprawę, że jest to prawdopodobnie całkowicie nowa idea dla Ciebie. Niewielu ludzi kiedykolwiek nawet myśli o implikacjach wynikających z posiadanej grupy krwi, chociaż jest ona potężną siłą genetyczną. Możesz nie mieć chęci do zapuszczania się w to nieznane terytorium, nawet jeśli argumenty naukowe wydają się przekonywające. Poproszę Cię o zrobienie tylko trzech rzeczy: porozmawiaj najpierw ze swoim lekarzem, dowiedz się, jaką masz grupę krwi, jeśli tego jeszcze nie wiesz, i wypróbuj dietę dla swojej grupy krwi przez co najmniej dwa tygodnie. Większość moich pacjentów doświadcza pewnych rezultatów już po takim okresie – zauważają u siebie zwiększoną energię, utratę wagi, zmniejszenie kłopotów z trawieniem i poprawę chronicznych dolegliwości takich jak astma, bóle głowy czy zgaga. Daj diecie określonej dla danej grupy krwi szansę przyniesienia ci korzyści, co widziałem u ponad czterech tysięcy ludzi, których do tej diety przekonałem. Zobaczysz sam, że krew nie tylko dostarcza organizmowi najbardziej witalnego pożywienia, ale okazuje się być wehikułem prowadzącym do przyszłej pomyślności.

CZĘŚĆ I
Tożsamość grupy krwi

1

Grupa krwi: rzeczywista rewolucja ewolucji

Krew sama w sobie jest życiem. Jest siłą, źródłem mocy i tajemnicy urodzin, koszmarów choroby, wojny i gwałtownej śmierci. Całe cywilizacje zostały zbudowane na więzach krwi. Plemiona, klany i monarchie zależą od nich. Nie możemy istnieć bez krwi, dosłownie i w przenośni.

Krew jest magiczna. Krew jest mistyczna. Krew jest alchemiczna. Przejawia się w całej historii człowieka jako głęboki symbol religijny i kulturalny. Starożytni mieszali ją i pili, aby podkreślić jedność i przynależność do grupy. Od najdawniejszych czasów łowcy odprawiali rytuały – aby ułagodzić duchy zwierząt, które zabili – przez składanie ofiary z krwi zwierzęcej i rozsmarowywanie jej na twarzach i ciałach. Krew jagnięcia była umieszczana jako znak na domostwach Żydów będących w niewoli w Egipcie, żeby anioł śmierci je omijał. Mówi się, że Mojżesz zamienił wody Egiptu w krew, aby uwolnić swoich ludzi. Symboliczna krew Jezusa Chrystusa jest od dwóch tysięcy lat przedmiotem najświętszego obrządku chrześcijan.

Krew prowokuje tak bogate i święte wyobrażenia, ponieważ w istocie jest tak nadzwyczajna. Nie tylko zapewnia organizmowi dostawę pożywienia i wzmacnia układ obronny, ale stanowi klucz do badania dziejów człowieka, szkło powiększające, przez które możemy wyśledzić nikłe ślady naszej podróży przez tysiąclecia.

W ciągu ostatnich czterdziestu lat nauczyliśmy się stosować markery biologiczne, takie jak grupa krwi, do stworzenia mapy przemieszczeń i grupowania się naszych przodków. Przez poznanie sposobu, w jaki ci pierwsi ludzie adaptowali się do wyzwań stawianych im przez ciągłe zmiany klimatu, coraz nowe zarazki i inne rodzaje pożywienia, czerpiemy wiedzę o nas samych. Zmiany klimatu i dostępnej żywności wytworzyły nowe grupy krwi. Grupa krwi jest nierozerwalnym łańcuchem, który nas wiąże ze sobą.

Różnice w grupie krwi odzwierciedlają zdolność człowieka do przystosowania się do różnych wyzwań środowiskowych. W większości te wyzwania wywarły wpływ na układy trawienny i immunologiczny; zjedzenie kawałka zepsutego mięsa mogłoby nas zabić; skaleczenie lub zadrapanie mogłoby się rozwinąć w śmiertelną infekcję. A jednak ludzkość przeżyła. Ta historia przeżycia jest nierozłącznie związana z naszymi układami trawiennym i odpornościowym. To są właśnie obszary, w których znaleziono największe różnice między grupami krwi.

Historia człowieka

Historia ludzkości jest historią przetrwania. Dokładniej – jest to historia tego, gdzie ludzie żyli, co tam jedli. Historia o szukaniu pożywienia i przemieszczaniu się w celu jego znalezienia. Nie wiemy na pewno, kiedy zaczęła się ewolucja człowieka. Neandertalczycy, zapewne pierwsi humanoidzi, prawdopodobnie rozwinęli się 500 tysięcy lat temu, a być może jeszcze wcześniej.

Wiemy jednak, że prehistoria człowieka zaczęła się w Afryce, od rozwoju człowieka z istot człekopodobnych. Początkowo życie człowieka było krótkie, okropne i brutalne. Ludzie umierali z tysiąca różnych powodów: przypadkowych infekcji, pasożytów, ataków zwierząt, złamań kończyn, rodzenia dzieci, i to umierali młodo. Pierwsi ludzie musieli przeżywać straszne katusze, walcząc o swój byt w tym dzikim środowisku. Ich zęby były krótkie i tępe, źle przystosowane do ataku. W przeciwieństwie do większości tych, z którymi współzawodniczyli w łańcuchu pokarmowym, nie mieli specjalnych zdolności, jeśli chodzi o szybkość, siłę i zręczność. Początkowo główną zaletą ludzi była wrodzona przebiegłość, która później przerodziła się w myślenie.

Neandertalczycy prawdopodobnie spożywali surowe pokarmy, złożone z dzikich roślin, larw i resztek padliny. Byli oni bardziej ofiarami niż drapieżnikami, zwłaszcza gdy dochodziło do infekcji i schorzeń pasożytniczych. (Wiele z pasożytów, robaków, przywr i mikroorganizmów powodujących infekcję, a żyjących w Afryce, nie stymuluje układu immunologicznego do wytwarzania specyficznych przeciwciał, prawdopodobnie dlatego, że ludzie z wczesną grupą krwi 0 mieli już ochronę w postaci wrodzonych przeciwciał).

Ludzie przemieszczając się musieli w nowych warunkach przystosować się do innego pożywienia. Nowa dieta powodowała zmiany w przewodzie pokarmowym i w układzie odpornościowym, tak by człowiek mógł przede wszystkim przetrwać, a później rozkwitnąć w danym środowisku. Te zmiany znalazły swoje odzwierciedlenie w rozwoju grup krwi, które – jak się wydaje – pojawiły się w przełomowych chwilach rozwoju człowieka takich jak:

1. Wzniesienie się ludzkości na szczyt łańcucha pokarmowego (ewolucja grupy krwi 0 do jej najpełniejszego wyrazu).
2. Zmiana roli z myśliwego – zbieracza, przejście na bardziej osiadły, rolniczy styl życia (pojawienie się grupy krwi A).
3. Zlewanie się i migracja ras z Afryki do Europy, Azji i obu Ameryk (rozwój grupy krwi B).
4. Współczesne wymieszanie się zasadniczo odmiennych grup (pojawienie się grupy krwi AB).

Każda grupa krwi zawiera przekaz genetyczny mówiący o odżywianiu i zachowaniach naszych przodków. Wprawdzie przebyliśmy daleką drogę od wczesnej historii, ale wiele z dawnych cech wciąż na nas wpływa. Znajomość tych predyspozycji pomaga zrozumieć logikę dopasowania odżywiania do grup krwi.

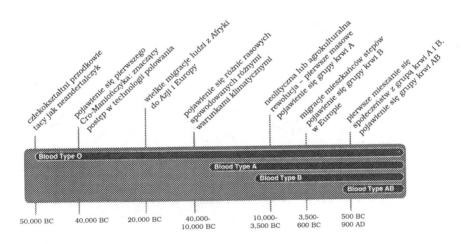

Linia czasowa antropologii grupy krwi. Poczynając od najdawniejszych czasów, diagram uwypukla różne drogi rozwoju człowieka w powiązaniu z daną grupą krwi. Co ciekawe, ewolucyjne zmiany w grupie krwi mają prawie biblijne ramy. Póki wszyscy mieli grupę krwi 0 (najdłuższy okres) i zajmowali ograniczoną przestrzeń życiową, jedli to samo i oddychali tym samym powietrzem, jakiekolwiek dalsze zmiany nie były potrzebne. Jednak wzrost populacji i późniejsze migracje przyspieszyły zmiany. Kolejne grupy krwi – A i B – mają nie więcej niż 15 000 do 25 000 lat, a grupa AB jest jeszcze dużo późniejsza.

Nasi przodkowie – ludzie Cro-Magnon, którzy pojawili się około 40 tysięcy lat p.n.e., wprowadzili gatunek ludzki na szczyt łańcucha pokarmowego, czyniąc go najbardziej niebezpiecznym z drapieżników na ziemi. Ludzie zaczęli polować w zorganizowanych grupach; dość szybko nauczyli się wytwarzać broń i używać narzędzi. Te osiągnięcia dały im siłę i wyższość, wykraczające poza ich normalne fizyczne możliwości.

Zręczni i wspaniali myśliwi Cro-Magnon wkrótce nie mieli się prawie czego obawiać ze strony zwierzęcych rywali. Kiedy nie było więc naturalnych wrogów, populacja ludzka eksplodowała. Białko – mięso – było ich paliwem i to był okres, w którym cechy trawienne właściwe grupie krwi 0 osiągnęły swój najpełniejszy wyraz. Ludzie rozkwitali jedząc mięso. Wybicie grubej zwierzyny w granicach własnego rejonu łowieckiego zabrało im naprawdę niewiele czasu. Trzeba było wyżywić coraz więcej ludzi, tak więc współzawodnictwo w zdobywaniu mięsa stało się dramatyczne.

Myśliwi zaczęli walczyć i zabijać innych w obronie terenów łowieckich. Jak zawsze, istoty ludzkie okazały się wobec siebie największym wrogiem. Opustoszały bogate dotąd tereny łowieckie, co zmusiło ludzi do dalekich wędrówek.

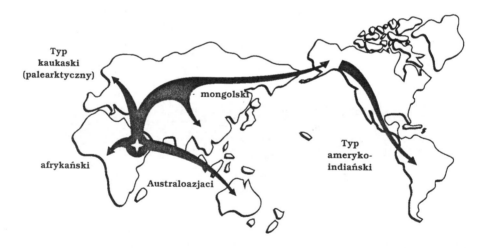

Ze swojej bazy w pradawnej ojczyźnie w Afryce wcześni myśliwi-zbieracze z grupą krwi 0 przewędrowali Afrykę i dotarli do Europy i Azji w poszukiwaniu nowych zapasów grubego zwierza. W nowych, zupełnie innych warunkach środowiskowych, zaczęły rozwijać się współczesne grupy rasowe.

Do 30 000 roku p.n.e. grupy myśliwych zapuszczały się coraz dalej i dalej w poszukiwaniu mięsa. Kiedy zmiana kierunku pasatów wysuszyła zasobne dotąd tereny łowieckie na dzisiejszej Saharze i gdy poprzednio pokryte lodem obszary północne stały się cieplejsze, ludzie wyruszyli z Afryki do Europy i Azji. To przemieszczenie dało podwaliny zasadniczej populacji planety, która miała grupę krwi 0, grupę krwi dominującą nawet dzisiaj.

Do 20 000 roku p.n.e. lud Cro-Magnon opanował Europę i Azję, dziesiątkując rozległe stada grubej zwierzyny do takiego stopnia, że trzeba było szukać innej żywności. Mięsożerni szybko stali się wszystkożernymi, spożywając jagody, larwy, orzechy, korzenie i mięso małych zwierząt. Populacje rozwijały się także wzdłuż linii brzegowych jezior i rzek, gdzie ryb i innego pożywienia było pod dostatkiem. Do 10 000 roku p.n.e. ludzie skolonizowali każdy główny ląd na planecie, oprócz Antarktydy.

Przemieszczenie się ludzi w strefy klimatyczne o niższych temperaturach wpłynęło na to, iż mieli coraz jaśniejszą skórę, mniej masywny kościec i prostsze włosy. W ciągu wieków natura dostosowała ludzi do określonych warunków charakterystycznych dla danych regionów ziemi, które zamieszkiwali. Gdy ludzie ruszyli na północ, rozwinęła się jaśniejsza skóra, która lepiej chroniła przed odmrożeniem niż skóra ciemna. Jaśniejsza skóra także lepiej metabolizowała witaminę D na lądzie o krótszych dniach i dłuższych nocach.

Lud Cro-Magnon ostatecznie sam się zniszczył; jego początkowy sukces zmienił się w klęskę. Zbyt liczna populacja wkrótce wyczerpała dostępne tereny łowieckie, wybijając wydawało się nieprzebrane zapasy grubej zwierzyny. Doprowadziło to do zwiększonego współzawodnictwa o pozostałe mięso. Współzawodnictwo prowadziło do wojny, a wojna do dalszej migracji.

A – znaczy: rolnicza

Nowe warunki środowiskowe były zapewne przyczyną pojawienia się w Azji lub na Bliskich Wschodzie gdzieś między 25 000 a 15 000 rokiem p.n.e. osób z grupą krwi A. Grupa ta wyłoniła się w szczytowym okresie neolitu lub nowym wieku kamienia łupanego, który nastąpił po starym wieku kamienia łupanego lub okresie paleolitu myśliwych Cro-Magnon. Rolnictwo i udomowione zwierzęta stały się cechami charakterystycznymi kultury ówczesnej populacji. Rolnictwo i hodowla zmieniły wszystko. Będąc w stanie zrezygnować z uprzedniego trybu życia polegającego na jedzeniu wszystkiego, co wpadnie im w rękę, na rzecz świadomego planowania zbiorów, ludzie łączyli się we wspólnoty i zaczynali prowadzić osiadły tryb życia. Ten radykalnie odmienny styl życia, zasadnicza zmiana diety i środowiska spowodowały zmianę przewodu pokarmowego i układu immunologicznego ludzi neolitu. Zmiany te pozwoliły lepiej tolerować i wchłaniać uprawiane ziarna i inne produkty rolnicze. Wyłoniła się grupa krwi A.

Osiadły, rolniczy tryb życia postawił nowe wyzwania. Umiejętności niezbędne do wspólnego polowania ustąpiły miejsca nowym wyzwaniom. Młynarz był zależny od tego, czy rolnik przyniesie swoje zbiory; rolnik stał się zależny od tego, czy młynarz zmiele jego ziarno. Nikt już nie traktował żywności jedynie jako źródła natychmiastowego pożywienia lub jako rzeczy tymczasowej. Pola trzeba było obsiewać i uprawiać w oczekiwaniu na przyszłą nagrodę. Planowanie i podział pracy z innymi stały się porządkiem dnia.

Gen dla grupy A zaczął się rozwijać we wczesnych społecznościach rolniczych. Mutacja genetyczna, która wytworzyła grupę krwi A z grupy 0, nastąpiła gwałtownie, tak gwałtownie, że prędkość mutacji była cztery razy szybsza niż u *Drosophilii*, powszechnie znanej muszki owocowej (obecnej rekordzistki).

Co mogło być przyczyną tej nadzwyczajnej prędkości mutacji ludzkiej z grupy krwi 0 w grupę A? To było dążenie do przetrwania w warunkach życia w zatłoczonej społeczności. Ponieważ grupa krwi A wyłoniła się jako bardziej odporna na infekcje typowe dla gęsto zaludnionych obszarów, miejskie, uprzemysłowione społeczności szybko posiadły grupę krwi A. Nawet dzisiaj ci, którzy przeżyli zarazę, cholerę czy ospę, wykazują dominację grupy krwi A nad grupą 0.

Ostatecznie gen grupy krwi A rozprzestrzenił się poza Azję i Bliski Wschód do zachodniej Europy, przenoszony przez Indoeuropejczyków, którzy głęboko spenetrowali populacje przedneolityczne. Hordy indoeuropejskie początkowo pojawiły się w południowo-środkowej Rosji i pomiędzy 3500 i 2000 rokiem p.n.e. parły na południe do południowo-zachodniej Azji, tworząc populacje ludów Iranu i Afganistanu. Szybko się rozwijając, ruszyły one dalej na zachód, do Europy. Inwazja indoeuropejska w rzeczywistości była oryginalną „rewolucją dietetyczną". Wprowadziła ona nowe rodzaje żywności i styl życia do prostszych układów odpornościowych i przewodów pokarmowych wczesnych myśliwych-zbieraczy. Te zmiany były tak głębokie, że wytworzyły stres środowiskowy, niezbędny do rozprzestrzenienia się genu grupy krwi A. Z czasem przewód pokarmowy myśliwych-zbieraczy utracił zdolność do trawienia przedrolniczego pożywienia mięsnego.

Obecnie krew grupy A najbardziej rozpowszechniona jest wśród zachodnich Europejczyków. Częstotliwość występowania grupy krwi A zmniejsza się, gdy kierujemy się z zachodniej Europy na wschód, cofając się po śladach starożytnej migracji. Ludzie z grupą krwi A są wyraźnie skoncentrowani na obszarach śródziemnomorskim, adriatyckim i w basenie Morza Egejskiego, szczególnie na Korsyce, Sardynii, w Turcji i na Bałkanach. We wschodniej Azji najwyższa koncentracja ludzi z grupą A ma miejsce w Japonii, tam też występuje stosunkowo dużo osób z grupą krwi B.

Grupa krwi A wytworzyła się z grupy 0 w odpowiedzi na niezliczoną liczbę infekcji prowokowanych przez zwiększoną populację i zasadnicze zmiany w odżywianiu. Ale z grupą krwi B było już inaczej.

B – znaczy: równowaga

Grupa krwi B rozwinęła się gdzieś między 10 000 a 15 000 rokiem p.n.e. w rejonie Himalajów. Jej powstanie wiązało się z wymuszoną migracją części ludzi z gorącej, bujnej sawanny Afryki wschodniej w zimne, nieurodzajne obszary Himalajów. Grupa krwi B prawdopodobnie powstała więc w wyniku mutacji będącej odpowiedzią organizmu na zmiany klimatyczne. Najpierw pojawiła się w Indiach lub w azjatyckim regionie Uralu wśród plemion kaukaskich i mongolskich. Ta nowa grupa krwi stała się wkrótce charakterystyczna dla wielkich plemion zamieszkujących stepy, które w tych czasach dominowały na równinach euroazjatyckich.

Kiedy Mongołowie rozprzestrzenili się po Azji, gen krwi grupy B umocnił się na dobre. Mongołowie dotarli na północ, tworząc społeczność zależną od udomowionych i połączonych w wielkie stada zwierząt. Znalazło to odzwierciedlenie w ich sposobie odżywiania opartego na mięsie i produktach mlecznych.

Rozwinęły się dwie podgrupy krwi B: rolnicza wśród względnie osiadłych grup na południu i wschodzie i nomadyczna wśród wojowniczych społeczności, zdobywająca północ i zachód. Nomadowie byli dobrymi hodowcami koni; przeniknęli daleko do wschodniej Europy, a gen grupy krwi B jest obecnie powszechny w wielu wschodnich populacjach.

Tymczasem plemiona rolnicze rozprzestrzeniły się w Chinach i południowo-wschodniej Azji. Z powodu właściwości ziemi, którą wybrali do uprawy oraz panującego tam swoistego klimatu, ludzie ci stworzyli i stosowali wymyślne techniki melioracji i uprawy, które ujawniły zadziwiające połączenie pomysłowości, inteligencji i inżynierii.

Rozłam między wojowniczymi plemionami na północy i pokojowymi rolnikami na południu był tak głęboki, że jego pewne pozostałości trwają do dziś, co widać choćby w kuchni południowoazjatyckiej, w której używa się mało, jeśli w ogóle, produktów mlecznych. W przekonaniu Azjatów produkty mleczne to żywność barbarzyńska, aczkolwiek przejęty przez nich sposób odżywiania również nie służy grupie krwi B.

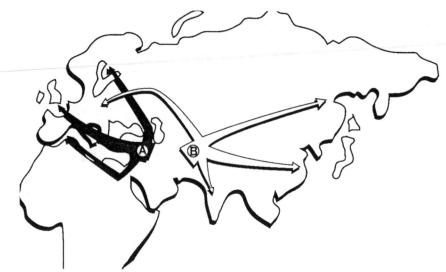

Pierwotne siedziby i przemieszczanie się grup krwi A i B. Z Azji i Bliskiego Wscho-
du gen grup A został przeniesiony przez Indoeuropejczyków do zachodniej i północ-
nej Europy. Inne migracje ludzi z grupą krwi A dotarły do północnej Afryki. Ze swoich
siedzib w zachodnich Himalajach grupa krwi B została przeniesiona przez ludy mon-
golskie do południowo-wschodniej Azji i na azjatyckie równiny lub stepy. Inna popu-
lacja ludzi z grupą krwi B dotarła do Europy wschodniej. Do tego czasu poziom mórz
na ziemi podniósł się zalewając pomost lądowy między Ameryką Północną a Azją. To
przeszkodziło jakiemukolwiek przemieszczaniu się grupy B do Ameryki Północnej,
gdzie wcześniejsze populacje z grupą krwi 0 nadal dominują.

W porównaniu z innymi grupa B ma najwyraźniej określony rozkład geograficzny. Rozciąga się jak wielki pas poprzez równiny euro-
azjatyckie i w dół do subkontynentu Indii. Grupa krwi B jest charakterystyczna dla mieszkańców Japonii, Mongolii, Chin i Indii, aż do
Uralu. Im dalej na zachód, jej udział procentowy spada, aż do najmniejszego na zachodnim krańcu Europy.

Niewielka populacja ludzi z grupą krwi B wśród zachodnich Europejczyków odzwierciedla zasięg migracji azjatyckich ludów nomadyj-
skich na zachód. Najlepiej to widać na przykładzie Niemców i Au-
striaków, najbardziej na wschód wysuniętych zachodnich Europejczyków, mających nadspodziewanie duży udział osób z grupą krwi B,
w porównaniu z ich zachodnimi sąsiadami. Najczęściej grupa B występuje u Niemców na obszarze wokół górnego i środkowego biegu
Łaby, którą uważa się za linię graniczną między cywilizacją i barba-
rzyństwem w dawnych wiekach.

Wśród współczesnych Hindusów czy ludów kaukaskich jest pro-
centowo najwięcej osób z grupą krwi B na świecie. Północni Chińczycy i Koreańczycy mają także bardzo wysoki procent osób z grupą
krwi B, ale i bardzo niski z grupą A.

Charakterystyki grup krwi różnych populacji żydowskich długo
były przedmiotem zainteresowania antropologów. Niezależnie od

miejsca zamieszkania wśród Żydów jest wysoki udział osób z grupą krwi B. Aszkenazyjczycy i Sefardyjczycy, dwie największe grupy żydowskie, są tego dobrym przykładem. Żydzi babilońscy z okresu przed diasporą różnili się znacznie od populacji arabskiej Iraku (terytorium biblijnego Babilonu) mającej zasadniczo grupę krwi 0, gdyż mieli oni głównie grupę B.

AB – znaczy: współczesna

Grupa krwi AB występuje rzadko. Wyłaniając się z przemieszania kaukaskiej grupy A z mongolską grupą B, charakteryzuje mniej niż 5 procent populacji. Jest to najmłodsza z grup krwi.

Jeszcze dziesięć do dwunastu wieków temu nie było zapewne krwi grupy AB. Barbarzyńskie hordy atakowały najsłabsze ogniwa upadających cywilizacji, przemierzały wzdłuż i wszerz Imperium Rzymskie. I właśnie jako wynik przemieszania się tych wschodnich najeźdźców z ostatnimi chwiejnymi pozostałościami cywilizacji europejskiej powstała grupa AB. Brak jest dowodów na występowanie jej przed dziewięcioma czy dziesięcioma wiekami, kiedy to miały miejsce wielkie migracje na zachód ze wschodu. Jak dowodzą specjalistyczne badania zwłok, grupa krwi AB rzadko występowała wśród Europejczyków sprzed roku 900 n.e. Również badania ekshumacyjne prehistorycznych grobów na Węgrzech udowadniają wyraźny brak tej grupy krwi w wiekach Longobardów (czwarty do siódmego wieku n.e.). To wydawałoby się wskazywać, że aż do tego czasu populacje europejskie o grupie A i B nie weszły z sobą w bliski kontakt, albo nie przemieszały się z sobą poprzez związki małżeńskie.

Ponieważ ludzie z grupą krwi AB dziedziczą tolerancję zarówno grup A, jak i B, ich układy odpornościowe mają zwiększoną zdolność do wytwarzania przeciwciał na infekcje bakteryjne. Ta unikatowa właściwość nieposiadania ani przeciwciał przeciwnych grupie krwi A, ani grupie B minimalizuje groźbę zachorowań na alergie i inne choroby powodowane przez własne przeciwciała, takie jak artretyzm, zapalenie i toczeń. Z uwagi na to, że grupa AB nie wytwarza żadnych przeciwciał przeciw grupom A i B, może być bardziej podatna na pewne rodzaje raka.

Grupa AB jako pierwsza grupa krwi przejęła układy odpornościowe, z których jedne czynią ją silniejszą, a inne są z nimi w konflikcie. Być może grupa krwi AB to doskonała metafora współczesnego życia: złożone i nieustalone.

Grupa krwi, geografia i rasa tworzą ludzką tożsamość. Możemy się różnić kulturowo, ale kiedy uwzględni się grupę krwi, okaże się, że różnice te są powierzchowne. Grupa krwi jest starsza niż rasa i bardziej fundamentalna niż odrębność etniczna. Grupy krwi nie były aktem losowej działalności genetycznej na chybił trafił. Każda nowa grupa krwi stanowiła odpowiedź ewolucyjną na wiele reakcji łańcucha kataklizmów, przebiegających poprzez wieki wstrząsów środowiskowych i zmian.

Chociaż wydaje się, że wczesne zmiany rasowe wystąpiły w świecie składającym się prawie wyłącznie z ludzi z grupą krwi 0, zróżnicowania rasowe – łącznie z adaptacjami dietetycznymi, środowiskowymi i geograficznymi – stanowiły część procesu ewolucji, który ostatecznie wytworzył inne grupy krwi.

Niektórzy antropolodzy uważają, że klasyfikowanie ludzi według ras jest nadmiernie uproszczone. Grupa krwi jest dużo ważniejszą determinantą indywidualności i podobieństwa niż rasa. Na przykład Afrykanin z grupą krwi A mógłby wymienić z przedstawicielem społeczności kaukaskiej z taką samą grupą krew lub organy i mieć wiele podobnych uzdolnień, funkcji trawiennych i struktur odpornościowych, natomiast nie dzieliłby ich z członkiem swojej rasy o grupie krwi B.

Różnice rasowe, np. kolor skóry, a także odrębności etniczne, geograficzne lub kulturowe nie stanowią ważnego kryterium klasyfikowania ludzi. Członkowie populacji ludzkiej mają znacznie więcej wspólnego z sobą, niż kiedykolwiek moglibyśmy podejrzewać. Potencjalnie jesteśmy braćmi i siostrami krwi.

Dzisiaj, kiedy spoglądamy wstecz na tę wyraźnie ewolucyjną rewolucję, jasne jest, że nasi przodkowie mieli unikatowe biologiczne matryce, które były dopełnieniem ich środowisk. To jest właśnie lekcja, która wprowadza nas w dzisiejsze rozumienie istoty grup krwi, gdyż cechy genetyczne naszych przodków żyją w naszej krwi po dziś dzień.

● Grupa krwi 0: najstarsza i najbardziej podstawowa, pozostałość na szczycie łańcucha pokarmowego, z silnym i agresywnym układem odpornościowym, gotowym i zdolnym do niszczenia każdego, przyjaciela lub wroga.

● Grupa krwi A: pierwsi imigranci, zmuszeni do zaadaptowania się do bardziej rolniczego sposobu odżywiania i stylu życia, z osobowością bardziej przystosowaną do współżycia w dużych społecznościach.

● Grupa krwi B: asymilator, adaptujący się do nowych warunków klimatycznych i mieszania się populacji; reprezentujący naturalne dążenie do większej równowagi między napięciami psychicznymi a żądaniami układu odpornościowego.

● Grupa krwi AB: delikatny potomek rzadko występującego połączenia tolerancyjnej grupy krwi A z barbarzyńską wcześniej, ale bardziej zrównoważoną grupą B.

Nasi przodkowie pozostawili każdemu z nas specjalny zapis w naszych grupach krwi. Ten zapis istnieje w jądrze każdej komórki. To właśnie tu spotykają się antropologia i nauka o krwi.

2

Kod krwi:
plan dla grupy krwi

Krew jest siłą natury, witalną charyzmą, która chroni nas od niepamiętnych czasów. Zwykła kropla krwi, na tyle mała, że nie można jej zobaczyć gołym okiem, zawiera pełny kod genetyczny ludzkiego istnienia. Matryca DNA jest nietknięta i odtwarzana w nas bez końca – poprzez naszą krew.

Krew zawiera także wieki pamięci genetycznej – bity i fragmenty specyficznego oprogramowania, przekazanego nam przez przodków w formie kodu, który od wieków próbujemy odczytać. Jeden taki kod ukryty jest w naszej grupie krwi. Może jest to najważniejszy kod, który należy odcyfrować, by rozwikłać sekrety krwi i jej niepodważalną rolę w naszej egzystencji.

Dla oka „nieuzbrojonego" krew jest jednolitym czerwonym płynem, ale pod mikroskopem widać, że składa się ona z wielu różnych elementów. Soczyście czerwona komórka krwi zawiera specjalny typ żelaza, które służy naszemu organizmowi do przenoszenia tlenu i nadaje krwi charakterystyczny kolor. Białe komórki krwi, dużo mniej liczne niż czerwone, przemieszczają się w strumieniach naszej krwi jak zawsze czujni żołnierze, chroniąc nas przed infekcją.

Ten złożony, żywy płyn zawiera także białka, które dostarczają tkankom składników odżywczych, płytki pomagające krzepnąć oraz plazmę zawierającą podstawowe elementy naszego układu odpornościowego.

Znaczenie grupy krwi

Możesz nie znać swojej grupy krwi, dopóki nie oddasz krwi do badania lub nie będzie ci potrzebna transfuzja. Większość ludzi myśli, że grupa krwi jest czynnikiem obojętnym, czymś co jest niezbędne tylko wtedy, gdy pojawia się nagła konieczność pójścia do szpitala. Ale teraz, kiedy już wysłuchałeś dramatycznej historii ewolucji grupy krwi, zaczynasz rozumieć, że od wieków stanowi ona siłę sterującą, zapewniającą człowiekowi przetrwanie, zmieniającą się i adaptującą do nowych warunków, środowisk i zapasów żywności. Dlaczego grupa krwi jest tak ważna? Jaką rolę odgrywała i odgrywa ona w naszym przetrwaniu?

Grupa krwi jest kluczem do całego układu odpornościowego organizmu. Kontroluje ataki wirusów, bakterii, różnych infekcji, związków chemicznych, stresu i wielu innych intruzów i stanów, mogących naruszyć układ immunologiczny.

Słowo *immunologiczny* pochodzi z łacińskiego *immunis*, które to pojęcie oznaczało miasto w Imperium Rzymskim, od którego nie żądano płacenia podatków. (Oby także twoja grupa krwi mogła ci dać ten rodzaj immunitetu!). Układ odpornościowy działa tak, aby określać, kto jest wrogiem, a kto przyjacielem twego organizmu. Jest to zasadnicza funkcja, ponieważ bez niej układ odpornościowy mógłby zaatakować własne tkanki przez pomyłkę lub pozwoliłby wniknąć niebezpiecznym organizmom do ciała. Mimo całej swojej złożoności, układ odpornościowy ma dwie podstawowe funkcje: rozpoznanie „nas" i niszczenie „ich". W tym względzie organizm działa jak wielkie przyjęcie tylko dla zaproszonych. Jeśli gość okaże właściwe zaproszenie, strażnicy pozwolą mu wejść i się zabawić. Jeśli gość nie ma zaproszenia lub okazał sfałszowane, zostanie usunięty.

Wprowadzenie do problematyki grup krwi

Natura wyposażyła nasz układ odpornościowy w bardzo wymyślne metody określania, czy substancja w organizmie jest obca, czy nie. Jedna metoda to markery chemiczne zwane *antygenami*, które znajdują się na komórkach naszego organizmu. Każda forma życia, od najprostszego wirusa aż do człowieka, ma unikatowe antygeny, które są jak chemiczny odcisk palca. Jeden z najpotężniejszych antygenów to ten, który określa grupę krwi. Antygeny każdej grupy krwi są tak czułe, że kiedy działają efektywnie, są najlepszym strażnikiem bezpieczeństwa układu odpornościowego. Kiedy twój układ odpornościowy wychwytuje coś podejrzanego (tj. obcy antygen z bakterii), jedną z piewszych rzeczy, której poszukuje, jest antygen twojej grupy krwi, aby mu podpowiedział, czy intruz to przyjaciel czy wróg.

Każda grupa krwi ma inny antygen o specyficznej strukturze chemicznej. Grupa krwi bierze nazwę od antygenu grupy krwi, który masz „zapisany" w czerwonych komórkach krwi.

GRUPA KRWI	ANTYGEN
A	A
B	B
AB	A i B
0	BRAK ANTYGENÓW

Wyobraźmy sobie strukturę chemiczną grup krwi jako swego rodzaju anteny nadawcze, promieniujące z powierzchni naszych komórek w daleką przestrzeń. Te anteny składają się z długich łańcuchów wielokrotnie złożonego cukru zwanego fukozą, który sam tworzy najprostszą z grup krwi – 0. Pierwsi odkrywcy grupy krwi dali jej symbol 0. Ta antena służy jako baza dla innych grup krwi – A, B i AB.

Grupa krwi A powstaje wówczas, gdy do fukozy dodawany jest inny cukier, zwany N-acetylogalaktozaminą. Tak więc fukoza plus N-acetylogalaktozamina to grupa krwi A.

Grupa krwi B, także oparta na antygenie 0 lub fukozie, ma dołączony jeszcze inny cukier, zwany D-galaktozaminą. Tak więc fukoza plus D-galaktozamina tworzą grupę krwi B.

Grupa krwi AB opiera się na antygenie 0, fukozie oraz dwóch cukrach, N-acetylogalaktozaminie i D-galaktozaminie. Tak więc fukoza plus N-galaktozamina plus D-galaktozamina tworzą grupę krwi AB

W tym momencie możesz się zastanawiać nad innymi identyfikatorami grupy krwi, takich jak dodatnia i ujemna lub osobnik wydzielający bądź niewydzielający. Zazwyczaj kiedy ludzie podają swoją grupę krwi, mówią: „mam A dodatnią" lub „mam 0 ujemną". Te odmiany lub podgrupy w grupach krwi odgrywają stosunkowo niewielką rolę. Ponad 90 procent wszystkich czynników grupy krwi związanych jest z tym, czy posiadasz grupę krwi – 0, A, B lub AB (szczegóły dotyczące znaczenia podgrup – patrz załącznik D). Zatem teraz skoncentrujemy się jedynie na grupie krwi.

Cztery grupy krwi i ich antygeny

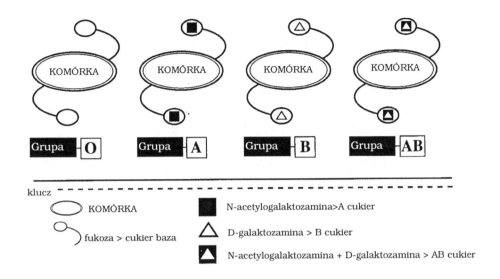

Cztery grupy krwi i ich antygeny. Grupa 0 jest podstawą, fukozą; grupa A jest to fukoza plus cukier N-acetylogalaktozamina; grupa B jest to fukoza plus cukier D-galaktozamina; grupa AB stanowi fukozę plus cukier A i cukier B.

Antygeny tworzą przeciwciała (inteligentne bomby układu odpornościowego)

Gdy antygen grupy krwi odkrywa, że do układu wtargnął obcy antygen, pierwszą rzeczą, jaką robi, jest wytworzenie przeciwciał do tego antygenu. Te przeciwciała to wyspecjalizowane związki chemiczne produkowane przez komórki układu odpornościowego, a ich rola to atakowanie i swoiste oznakowanie obcego antygenu po to, by go zniszczyć.

Przeciwciała działają niczym bomby inteligentne używane w wojsku. Komórki naszego układu odpornościowego wytwarzają mnóstwo różnorodnych przeciwciał, a każde jest tak specyficznie zaprojektowane, by zidentyfikować i zaatakować jeden konkretny obcy antygen. Między układem odpornościowym a intruzami, którzy próbują zmienić lub zmutować swoje antygeny w jakąś nową formę, której nasz organizm nie rozpozna, toczy się nieustanna wojna. Układ odpornościowy odpowiada na te wyzwania poprzez wciąż rosnący zapas przeciwciał.

Kiedy przeciwciało napotyka antygen intruza mikroba, zachodzi reakcja zwana aglutynacją (zlepianiem, sklejaniem). Przeciwciało przyłącza się do antygenu wirusa i czyni go bardzo lepkim. Kiedy komórki, wirusy, pasożyty i bakterie są zaglutynowane, sklejają się z sobą i grupują, co czyni zadanie usunięcia ich znacznie łatwiejszym. Ponieważ mikroby muszą polegać na swojej umiejętności wymykania się, jest to potężny mechanizm obronny. To jest jak skuwanie razem przestępców; stają się oni wówczas daleko mniej niebezpieczni, niż kiedy im się pozwala poruszać swobodnie. Wymiatając system obcych komórek, wirusów, pasożytów i bakterii, przeciwciała gromadzą je celem łatwiejszej identyfikacji i usunięcia.

System antygenów i przeciwciał grupy krwi ma jeszcze inne zadania poza wykrywaniem mikrobów i innych intruzów. Prawie sto lat temu dr Karl Landsteiner, wybitny austriacki lekarz i naukowiec, odkrył, że grupy krwi wytwarzają przeciwciała na inne grupy krwi. Jego rewolucyjne odkrycie wyjaśniło, dlaczego niektórzy ludzie mogą wymieniać między sobą krew, podczas gdy inni nie. Do czasów dr. Landsteinera transfuzje krwi były robione na chybił trafił. Czasami „zadziałały", a czasami nie i nikt nie wiedział dlaczego. Dzięki dr. Landsteinerowi wiemy, które grupy krwi są rozpoznawane jako przyjazne przez inne grupy krwi, a które są rozpoznawane jako wrogie.

Dr Landsteiner odkrył, że:

● Grupa A posiada przeciwciała przeciwne B. Grupa B zostanie odrzucona przez grupę A.

● Grupa B posiada przeciwciała przeciwne A. Grupa A zostanie odrzucona przez grupę B.

Tak więc grupy A i B nie mogą nawzajem wymieniać krwi.

● Grupa AB nie posiada żadnych przeciwciał. Uniwersalny biorca, przyjmie każdą inną grupę krwi! Lecz posiada ona zarówno antygeny A jak i B, zostanie więc odrzucona przez wszystkie inne grupy krwi.

Grupa AB może więc przyjmować krew od każdego, lecz nie może przekazać krwi nikomu innemu. Poza inną grupą AB, oczywiście.

● Grupa krwi 0 nosi przeciwciała przeciwne A i B. Grupy A, B i AB zostaną odrzucone. Grupa 0 nie może przyjmować krwi od nikogo innego, poza inną grupą 0. Lecz będąc wolna od antygenów A i B, grupa 0 może przekazywać krew każdemu innemu. Grupa 0 jest uniwersalnym dawcą!

GRUPA KRWI	NOSISZ PRZECIWCIAŁA PRZECIWNE
A	GRUPIE KRWI B
B	GRUPIE KRWI A
AB	ŻADNYCH PRZECIWCIAŁ
0	GRUPOM KRWI A I B

Przeciwciała „przeciwne innej grupie krwi" są najsilniejszymi przeciwciałami naszego układu odpornościowego. Ich zdolność do sklejania – aglutynacji – komórek krwi przeciwnej grupy krwi jest tak potężna, że może być bezpośrednio obserwowana na szkiełku gołym okiem. Większość naszych innych przeciwciał wymaga pewnego rodzaju stymulacji (takiego jak szczepionka lub infekcja) do ich wytwarzania. Przeciwciała grupy krwi są odmienne: są wytwarzane automatycznie, najczęściej pojawiają się zaraz po urodzeniu i osiągają dorosły wiek po czterech miesiącach.

Lecz w opowieści o aglutynacji tkwi coś jeszcze. Odkryto także, że wiele rodzajów pożywienia aglutynuje komórki pewnych grup krwi (w sposób podobny do odrzucania), lecz innych nie, co oznacza, że żywność, szkodliwa dla komórek jednej grupy krwi, może być korzystna dla komórek innej grupy. Nic dziwnego, wiele antygenów w tych rodzajach żywności ma cechy podobne A lub B. To odkrycie dostarczyło ogniwa naukowego pomiędzy grupą krwi a dietą. Co uderzające jednak, jego rewolucyjne implikacje pozostawały w uśpieniu, pokrywając się kurzem przez większą część wieku – zanim garść naukowców, lekarzy i specjalistów od odżywiania nie zaczęła badać tych powiązań.

Lektyny: powiązania dietetyczne

Pomiędzy krwią a żywnością, którą jesz, zachodzi reakcja chemiczna. Ta reakcja jest częścią dziedzictwa genetycznego. Jest to zadziwiające, lecz prawdziwe, że dzisiaj, pod koniec dwudziestego wieku, układy odpornościowy i pokarmowy wciąż faworyzują taką samą żywność, którą jadali przodkowie twojej grupy krwi.

Wiemy to dzięki lektynom. Lektyny, bogate i różnorodne proteiny znajdujące się w krwi, mają właściwości aglutynujące, które oddziałują na krew. Lektyny są potężną siłą, dzięki której organizmy w naturze przyłączają się do innych organizmów. Mnóstwo zarazków, a nawet twoje własne układy odpornościowe używają tego superkleju dla określonej korzyści. Na przykład komórki w drogach żółciowych wątroby posiadają lektyny na swoich powierzchniach, aby dzięki nim wyłapywać bakterie i pasożyty. Bakterie i inne mikroby także mają lektyny na swoich powierzchniach, dzięki którym mogą przyłączać się do śliskich wyściółek śluzówkowych ciała. Często lektyny używane przez wirusy lub bakterie mogą być wyspecjalizowane na konkretną grupę krwi, co czyni je utrapieniem dla tej grupy krwi.

Podobnie jest z lektynami zawartymi w żywności. Gdy jesz żywność zawierającą lektyny białkowe, które nie są zgodne z twoim antygenem grupy krwi, kierują się one w określone miejsce (nerki, wątrobę, mózg, żołądek, itd.) i zaczynają zlepiać komórki krwi w tym obszarze.

Wiele lektyn żywnościowych ma cechy, które są wystarczająco bliskie określonemu antygenowi grupy krwi na tyle, aby uczynić go „wrogiem" dla innej. Na przykład mleko posiada właściwości zbliżone grupie B; jeśli osoba z krwią grupy A je wypije, jej układ natychmiast zacznie proces aglutynacji, aby je odrzucić.

A oto przykład, w jaki sposób lektyna aglutynuje w organizmie. Powiedzmy, że osoba o grupie krwi A zje porcję fasoli limeńskiej (lima). Jest ona trawiona w żołądku w procesie hydrolizy kwasowej. Jednak lektyna białkowa nie poddaje się hydrolizie kwasowej. Nie zostaje strawiona i pozostaje nietknięta. Lektyna ta może oddziaływać bezpośrednio na wyściółkę żołądka lub przewód jelitowy, może też zostać wchłonięta przez krwiobieg wraz z przetrawionymi składnikami odżywczymi fasoli limeńskiej. Różne lektyny oddziałują na różne organy i systemy krwi.

Skoro tylko białko lektyny osiedli się gdzieś w organizmie wywiera dosłownie magnetyczny efekt na komórki w tym regionie. Zlepia komórki i są one przeznaczone na zniszczenie, tak jak gdyby także były obcymi intruzami. To zlepianie może powodować syndrom podrażnienia jelit, marskość wątroby lub blokować przepływ krwi przez nerki – aby wymienić tylko kilka z tych efektów.

Lektyny: niebezpieczny klej

Być może pamiętasz tajemniczą śmierć Gieorgi Markowa (bułgarski dysydent) w 1978 roku w Londynie. Markow został zamordowany przez nieznanego sowieckiego agenta KGB, gdy oczekiwał na autobus. Początkowo autopsja nie potrafiła stwierdzić przyczyny śmierci. Dopiero po dokładnych badaniach znaleziono maleńki złoty paciorek wbity w nogę Markowa. Okazało się, że był on pokryty związkiem chemicznym zwanym rycyną, która jest toksyczną lektyną zawartą w nasionach rącznika. Rycyna ma tak potężne działanie aglutynujące, że nawet niewielka jej ilość może spowodować śmierć przez błyskawiczne przekształcenie czerwonych ciałek krwi w wielkie skrzepy, które blokują tętnice. Rycyna zabija natychmiast.

Na szczęście większość lektyn znajdujących się w żywności nie zagraża życiu, chociaż niektóre mogą powodować wiele różnych problemów, szczególnie jeśli są ukierunkowane na konkretną grupę krwi. W większości przypadków nasz układ odpornościowy broni nas przed lektynami. Dziewięćdziesiąt pięć procent lektyn, które wchłaniamy z naszych typowych diet, jest wydalanych przez organizmy. Lecz co najmniej 5 procent lektyn przechodzi do krwiobiegu, gdzie poprzez różne reakcje niszczy czerwone i białe ciałka krwi. Działanie lektyn w przewodzie pokarmowym może być jeszcze groźniejsze. Tam często powodują one ostre zapalenie wrażliwej śluzówki jelit i to działanie aglutynujące może pozorować alergię pokarmową. Nawet nieznaczna ilość lektyny zdolna jest skleić wielką liczbę komórek, jeśli wejdzie w reakcję z daną grupą krwi.

To nie jest tak, że od razu powinieneś się obawiać każdej żywności, którą spożywasz. Poza tym lektyny są szeroko obecne w roślinach strączkowych, bogactwach morza, ziarnie i warzywach. Trudno jest je wyeliminować. Rozwiązaniem jest unikanie lektyn, które aglutynują twoje poszczególne komórki – determinowane przez daną grupę krwi. Na przykład gluten, najbardziej powszechna lektyna znajdująca się w pszenicy i innych ziarnach, wiąże się z wyściółką jelita cienkiego, powodując groźne zapalenie i bolesne podrażnienie, zwłaszcza u osób z grupą krwi 0.

Lektyny znacznie się różnią w zależności od ich źródła. Na przykład lektyna znajdująca się w pszenicy ma odmienną formę od lektyny będącej w soi i przyłącza się do innej kombinacji cukrów; każdy z tych rodzajów żywności jest niebezpieczny dla jednych grup krwi, a korzystny dla drugich.

Tkanka nerwowa z zasady jest wrażliwa na aglutynujący efekt lektyn żywnościowych. Może to wyjaśniać, dlaczego niektórzy badacze podejrzewają, że diety antyalergiczne mogą też być wskazane w leczeniu niektórych zaburzeń nerwowych, takich jak nadpobudliwość. Rosyjscy badacze zauważyli, że mózgi schizofreników są bardziej podatne na przyłączanie się niektórych pospolitych lektyn żywnościowych.

Wstrzykiwanie lektyny soczewicy w jamę stawu kolanowego nieuczulonych królików powodowało u nich rozwój artretyzmu, który był nie do odróżnienia od artretyzmu reumatoidalnego. Wielu ludzi z artretyzmem czuje, że unikanie warzyw psiankowatych, takich jak pomidory, bakłażany i białe ziemniaki, wydaje się im pomagać w ich artretyzmie. Nic w tym dziwnego, ponieważ większość psiankowatych ma wysoką zawartość lektyn.

Lektyny żywnościowe mogą też współdziałać z receptorami powierzchniowymi białych krwinek, programując je, aby gwałtownie się rozmnażały. Te lektyny nazywane są mitogenami, ponieważ powodują, że białe krwinki wchodzą w mitozę, procesy reprodukcji. Nie zlepiają one krwi przez sklejanie ze sobą komórek; one jedynie same przyczepiają się do nich, jak pchły do psa. Zdarza się, że lekarz pogotowia bada bardzo chorego, lecz z drugiej strony wyraźnie normalnego dziecka, które posiada nadzwyczaj wysoką liczbę białych krwinek. Chociaż białaczka dziecięca zazwyczaj będzie pierwszą rzeczą, która mu przyjdzie na myśl, dociekliwy lekarz zapyta rodzica, „Czy pańskie dziecko bawiło się na podwórku i coś tam jadło?"

Jeśli odpowiedź będzie twierdząca i, że „jadło jakieś rośliny lub je wkładało do ust, to może się zdarzyć, że dziecko jadło liście lub pędy szkarłatki, które zawierają lektyny o potężnej zdolności stymulowania produkcji białych krwinek.

Grupa krwi – specyficzne lektyny żywnościowe

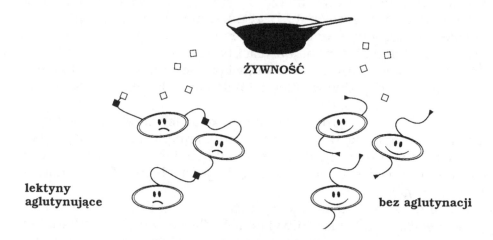

Ponieważ każdy antygen grupy krwi posiada unikatową formę, wiele lektyn wchodzi w reakcję z jedną konkretną grupą krwi, ponieważ ich kształt do niej pasuje. W przykładzie powyżej, lektyny żywnościowe z parującego talerza fasoli lima oddziałują na komórki grupy A (po lewej) i aglutynują je, gdyż przypominają one kształtem antygen A. Antygen dla krwi grupy B (po prawej), inna molekuła cukru o innym kształcie, nie podlega oddziaływaniu. Natomiast lektyna żywnościowa (taka jak gryki), która może specyficznie przyłączać się do komórki grupy krwi B i aglutynować ją, nie będzie pasowała do krwi grupy A.

Jak wykrywać szkodliwe lektyny

Często pacjenci mi mówią, że dokładnie stosują określoną dietę dla danej grupy krwi i unikają szkodliwych lektyn. Ale często tak nie jest. Kiedy podaję w wątpliwość ich zapewnienia, zwykle pytają ze zdziwieniem, „skąd pan wie?" Wiem, ponieważ oddziaływanie lektyn na różne grupy krwi to nie tylko teoria; jest ona poparta dowodami naukowymi. Przetestowałem naprawdę wszystkie powszechnie dostępne produkty żywnościowe na ich reakcję z grupami krwi, używając zarówno metod klinicznych jak i laboratoryjnych. Mogę otrzymać po-

36

szczególne lektyny zawarte w żywności (np. z orzeszków ziemnych, soczewicy, mięsa lub pszenicy) z laboratoriów chemicznych, a rezultaty ich działania zobaczę pod mikroskopem: jak aglutynują komórki w danej grupie krwi, na którą oddziałują.

Istnieje także inny prosty test naukowy, dzięki któremu możemy stwierdzić obecność lektyn w organizmie. To jest po prostu test na mocz, nazywany skalą *indican*. Mierzy ona czynnik nazywany gniciem jelitowym. Kiedy wątroba i jelita nie metabolizują skutecznie białek, wytwarzają toksyczny produkt uboczny, nazywany *indols*. Poziom tych toksycznych produktów ubocznych pokazywany jest na skali *indican*.

Jeśli unikasz pożywienia zawierającego toksyczne proteiny lektynowe, które są trudne do strawienia przy twojej grupie krwi, wynik na skali *indican* będzie niski. Jeśli zaś regularnie jesz produkty o wysokiej zawartości lektyn lub trudne do strawienia, wskazania na skali *indican* będą wysokie, co będzie oznaczało, że masz w organizmie wysoki poziom substancji rakotwórczych.

Moi pacjenci z wysokimi wynikami na skali *indican* często protestują, że zazwyczaj przestrzegają diety, a jedynie od czasu do czasu jedzą nie to co im wolno. Nie mogą uwierzyć, że liczby na ich skali *indican* są takie wysokie.

A oto jest przyczyna: skala *indican* pokazuje, że substancja rakotwórcza przenikająca do organizmu jest powiększona do dziewięćdziesięciu razy w stosunku do wyniku kogoś, dla kogo nie jest toksyczna. Na przykład, jeśli osoba z grupą krwi A jada konserwowaną żywność, to azotyny zawarte w nich zostają powiększone dziewięćdziesiąt razy. To dlatego ludzie z grupą krwi A są szczególnie podatni na raka żołądka (ze względu na toksyczny efekt azotynów).

Przeciętny pacjent przychodzący do mnie ma wskaźnik 2,5 na tej skali – a więc wystarczająco dużo, aby uznać to za problem. Dobrą wiadomością jest to, że po dwóch tylko tygodniach ścisłego przestrzegania diety odczyt na skali *indican* dla tej osoby spadnie do 1 lub nawet 0.

Być może pierwszy raz słyszysz o skali *indican*, lecz była ona szeroko stosowana w medycynie konwencjonalnej przez ostatnie pięćdziesiąt lat i wszystkie laboratoria są w stanie wykonać ten test. Jak na ironię, nie tak dawno, kilkanaście głównych grup laboratoriów przerwało wykonywanie testu, ponieważ nie cieszył się wystarczająco dużym zainteresowaniem. Jestem pewien, że kiedy ludzie zaczną lepiej rozumieć związek grupa krwi – lektyna, skala *indican* zostanie wznowiona. Poproś swojego lekarza medycyny konwencjonalnej lub naturalnej o wykonanie tego testu.

Test indican

żelazo (Fe)+ kwas chloro-wodorowy (solny)

mocz

chloroform

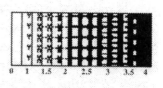

KROK 1:
Zmieszaj mocz z kwasem chlorowodorowym i żelazem: wynik będzie reakcją dymną.

KROK 2:
Niechaj mieszanina osiada przez 2 minuty, następnie dodaj trzy krople chloroformu. Będzie więcej dymu o kolorze od jasno do ciemnoniebieskiego.

KROK 3:
Porównaj kolor dymu ze skalą indican
0–2 dobrze
2 1/2 problemy
3–4 niebezpieczeństwo

Lekcja o grupie krwi: historia rabina

Na przestrzeni lat byłem świadkiem wielu przemian, będących wynikiem zastosowania diety dostosowanej do grupy krwi. Lecz niewiele tak mnie poruszyło i zainspirowało, jak moje doświadczenie z mądrym, starym rabinem z Brooklynu. Na początku 1990 roku zadzwonił do mnie lekarz z Nowego Jorku z prośbą, bym zbadał jednego z jego pacjentów, znanego rabina chasydzkiego, który był przykuty do łóżka.

„Rabbi Jacob jest bardzo wyjątkowym człowiekiem", stwierdził. „To powinno być interesujące doświadczenie dla ciebie – i mam nadzieję także dla niego". Dalej, powiedział mi, że rabbi, mający siedemdziesiąt trzy lata, od dawna choruje na cukrzycę, z którą nie bardzo sobie można było poradzić przy zastosowaniu zastrzyków z insuliny. Rozległy wylew pozostawił go w części sparaliżowanym.

Kiedy przybyłem, aby go zbadać, stwierdziłem, że rabin był rzeczywiście robiącym wrażenie człowiekiem, roztaczał nad sobą atmosferę głębokiego duchowego zrozumienia i cichego współczucia. Kiedyś wysoki i silnie zbudowany, obecnie wysuszony, wyczerpany i przykuty do łóżka. Mimo to spojrzenie miał jasne, dobre i pełne życia. Chciał jak najszybciej wstać z łóżka, aby wrócić do pracy. Ale widziałem, że cierpiał straszne bóle. Jak mi powiedział, nawet przed wylewem jego nogi zaczęły mu sprawiać problemy. Złe krążenie spowodowało opuchliznę i zapalenie obydwu nóg, powodujące dotkliwy ból przy chodzeniu. Jego lewa noga była całkowicie niesprawna.

Nie byłem zaskoczony, gdy dowiedziałem się, że rabin Jacob ma grupę krwi B. Chociaż ta grupa nie występuje powszechnie w Ameryce, jest typowa dla chasydów, którzy w większości są emigrantami z Europy wschodniej.

Zrozumiałem, że aby mu pomóc, dowiedzieć się muszę najpierw czegoś o trybie jego życia i żywności, którą jada. Pożywienie jest nieodłącznym rytuałem związanym z tradycją żydowską. Porozmawiałem z żoną i córką rabina Jacoba; obydwie nie znały zasad naturalnych metod leczenia. Ale bardzo chciały mu pomóc i były skłonne do współpracy. „Opowiedzcie mi o diecie rabina", poprosiłem.

„On zazwyczaj jada to samo pożywienie każdego dnia", powiedziała mi córka. Posiłek składa się z gotowanego kurczaka; cholenty, czyli czegoś w rodzaju makaronu z fasoli, oraz kaszy gryczanej. Kurczaki, fasola, gryka, makaron – to dość zwyczajne jedzenie.

„A jak przygotowywana jest kasza?", zapytałem. Nastąpiła szybka wymiana zdań pomiędzy matką i córką w jiddish.

„A więc, najpierw gotujesz kaszę gryczaną, następnie mieszasz ją z makaronem. Po czym ją podajesz, błogosławisz i jesz".

„W ogóle się jej nie przyprawia?", znowu zapytałem. Córka rabina wyjaśniła:

„Kasza, panie doktorze, no więc... bierzesz cały tłuszcz, który usunąłeś z kurczaka, kiedy go przygotowywałeś na sposób koszerny, umieszczasz w żeliwnej brytfannie tylko ze szczyptą siekanej cebuli i smażysz. Po czym przecedzasz i otrzymujesz piękny czysty kurzy tłuszcz. Lejemy go w małych porcjach na kawałki świeżego chleba challach z odrobiną soli. To jest tak pyszne, że można umrzeć!"

Tak, tak, można, pomyślałem ponuro.

„Poza tym", ciągnęła córka rabbiego, „możesz wziąć trochę *gribenes*, czyli to co pozostało z wysmażonego tłuszczu. To jest wszystko ładne, ciemne i chrupiące ze skarmelizowaną cebulą i odstawiasz to na bok wraz z kaszą, na małą przekąskę. Smakuje to lepiej niż frytki ziemniaczane. Rabin to uwielbia. Tłuszcz kurzy, który odlałeś, mieszasz z kaszą i makaronem. Och, to jest po prostu pyszne. Pyszne!"

Zrozumiałem, że to są bardzo powszechne dania chasydzkie i składają się na typowy rodzinny posiłek na dzień szabatu. Lecz było to coś więcej, niż jedynie tygodniowy rytuał rabina. Święty człowiek, który spędzał większość czasu na modlitwie, niewiele zastanawiał się nad jedzeniem i po prostu spożywał ten sam posiłek dwa razy dziennie, dzień po dniu.

Dieta rabina – mimo wielowiekowej tradycji – nie była właściwym wyborem dla ludzi z grupą krwi B. Lektyny w żywności takiej jak kurczak, gryka, fasola, kukurydza (nie wspominając już o *gribbenes*!) powodowały, że komórki krwi się aglutynowały i to było u niego prawdopodobnie głównym powodem wylewu. Te szczególne lektyny mogą także zablokować skuteczność działania insuliny, co wyjaśnia, dlaczego z cukrzycą u rabina Jacoba coraz trudniej było sobie radzić.

Zrozumiałem, że ortodoksyjni Żydzi są posłuszni dawnym prawom i zasadom koszernym przygotowywania posiłków po raz pierwszy wyłożonym w Starym Testamencie. Zgodnie z nim, wiele rodzajów pożywienia jest zakazanych, a produkty mleczne i mięso nigdy nie są jedzone w jednym posiłku. W domach koszernych używa się oddzielnych garnków, patelni, talerzy i sztućców do produktów mlecznych i mięsa. I są nawet oddzielne zlewy do zmywania naczyń.

Musiałem więc działać ostrożnie, by nie łamiąc rytualnych i religijnych zasad przekonać obie kobiety do dokonania zmian dietetycznych. Nie mogłem sugerować żywności, o której wiedziałem, że uważana jest za nieczystą w ich tradycji. Na szczęście, istniały dostępne substytuty. Poprosiłem żonę rabina o zmianę diety, by ograniczyła typowe danie rabina do jednego razu na tydzień, w szabat. Na jego pozostałe posiłki poprosiłem o przygotowanie jagnięcia, ryby lub indyka zamiast kurczaka; ryżu lub prosa zamiast kaszy; i o zmianę fasoli do przygotowywania cholenty. Przepisałem też kilkanaście witamin i kombinacji ziół, aby przyspieszyć jego wyzdrowienie.

W ciągu następnego roku rabin poczynił cudowne postępy. Po ośmiu tygodniach chodził i wykonywał umiarkowane ćwiczenia, które bardzo mu pomogły na poprawę krążenia. Wykazywał nadzwyczajny wigor jak na mężczyznę w jego wieku, minęły wszystkie skutki wylewu. W szóstym miesiącu przestawił się z zastrzykowej na ustną terapię insulinową – niezwykłe osiągnięcie, biorąc pod uwagę, że był na zastrzykach insulinowych przez wiele lat. Nie wystąpiły dalsze przypadki wylewów, a cukrzyca u rabina Jacoba była pod kontrolą.

Leczenie rabina udowodniło, jak wiele dobrego daje znajomość charakterystyki grupy krwi. Zilustrowało także, że żywność wybierana ze względów religijnych i kulturowych nie zawsze może być najzdrowsza dla osoby danej kultury!

Kiedy będziesz studiował dietę przeznaczoną dla twojej grupy krwi, weź pod uwagę lekcję o rabinie. Diety przeznaczone dla określonej grupy krwi nie są próbą narzucenia sztywnych zasad czy pozbawienia cię pożywienia, które jest ważne dla twojej kultury. Raczej są one metodą pełnego wsparcia dla twojej najbardziej podstawowej tożsamości – aby sprowadzić cię z powrotem do zasadniczych prawd, które ukryte są w każdej komórce ciała i łączą cię z historycznymi, ewolucyjnymi przodkami.

3

Rozwiązanie dla grupy krwi: mapa drogowa

*P*lan danej grupy krwi dostarcza podstawowych informacji na temat zdrowia i odżywiania dla każdego z nas. Uzbrojony w tę nową informację, możesz wybierać właściwą dietę, odpowiedni rodzaj ćwiczeń i stosować ogólne zasady zdrowotne oparte na naturalnych siłach tkwiących w twoim organizmie. W kolejnych czterech rozdziałach omówię szczegółowo dietę, dodatki uzupełniające i plany ćwiczeń dla każdej z grup krwi. Po tych rozdziałach nastąpi, w części III, dokładny przegląd wszytkich stanów zdrowotnych i chorób, wraz z podatnością i środkami zaradczymi związanymi z poszczególnymi grupami krwi. Jeśli będziesz postępował zgodnie z planem dla twojej grupy krwi, będziesz mógł:

● unikać wielu powszechnych wirusów i infekcji;

● panować nad wagą, gdyż organizm sam pozbywać się będzie toksyn i tłuszczu;

● zwalczać choroby zagrażające życiu, takie jak rak, choroby sercowo-naczyniowe, cukrzyca i niewydolność wątroby;

● unikać wielu czynników, które powodują gwałtowne pogarszanie stanu komórek, i w ten sposób zwalniać proces starzenia się.

Plan dla grupy krwi nie jest panaceum, ale jest to droga do odtworzenia naturalnych funkcji ochronnych układu odpornościowego, właściwego ustawienia zegara metabolicznego i oczyszczenia krwi z niebezpiecznych lektyn aglutynujących. To jest najlepsza rzecz, jaką możesz zrobić, aby zatrzymać gwałtowne pogarszanie się stanu komórek, a w rezultacie – ograniczyć proces starzenia się. A jeśli posiadasz problemy zdrowotne, ten plan może wpłynąć na zasadniczą poprawę stanu zdrowia. W zależności od stanu i stopnia przestrzegania planu, każda osoba zyska jakieś korzyści. Takie były moje doświadczenia i doświadczenia moich kolegów, którzy stosują ten system u tysięcy pacjentów.

W tym rozdziale wprowadzę elementy, które znajdziesz w planie dla twojej grupy krwi. Obejmują one:
- dietę dostosowaną do grupy krwi;
- planowanie posiłków;
- czynniki utraty wagi;
- poradnik dotyczący dodatków uzupełniających;
- profil stres/ćwiczenia;
- kwestię osobowości.

Po tym jak przeczytasz ten rozdział i dokonasz przeglądu planu dla swojej grupy krwi, proponuję ci przeczytanie części III, abyś uzyskał pełniejszy obraz specyficznych implikacji medycznych, które przynosi ci twój plan.

Dieta dla grupy krwi

Właściwa dieta dla twojej grupy krwi przywróci ci naturalny rytm genetyczny. Zasady diety zostały przygotowane już wiele tysięcy lat temu. Może, gdybyśmy postępowali zgodne z wrodzonymi, instynktownymi przekazami naszej natury biologicznej, obecny stan naszego zdrowia byłby zupełnie inny. Jednak różnicowanie się ludzi i wpływ cywilizacji czy technologii stanęły temu na przeszkodzie.

Jak już zaznaczyłem, większość, jeśli nie wszyscy, ludzi miała na początku grupę krwi 0. Byli to myśliwi i zbieracze, którzy żywili się wyłącznie zwierzętami, owadami, jagodami, korzeniami i liśćmi. Zakres wyboru diety uległ rozszerzeniu, kiedy ludzie nauczyli się hodować zwierzęta i uprawiać rośliny. Ale nie zawsze był to proces uporządkowany, ponieważ nie każda społeczność dobrze adaptowała się do zachodzących zmian. U wielu z tych wczesnych społeczności z grupą krwi 0, np. u Indian z doliny Missouri, przejściu z diety mięsnej na rolniczą towarzyszyły zmiany w budowie czaszki i, po raz pierwszy, pojawienie się ubytków zębowych. Ich organizm nie był po prostu dostosowany do nowo wprowadzanej żywności.

Tradycyjna dieta rolnicza dostarczała wielu składników odżywczych, umożliwiając uniknięcie niedożywienia, była więc niezbędna dla wielkich populacji. To się zmieniło wraz z postępem technicznym w rolnictwie i sposobach przetwarzania żywności. Zaczęły się pojawiać artykuły żywnościowe o postaci coraz bardziej oddalonej od ich stanu naturalnego. Na przykład, oczyszczanie ryżu zgodnie z nowymi technikami młynarskimi w XX wieku spowodowało w Azji plagę beri-beri, chorobę będącą skutkiem niedoboru niacyny, prowadzącą do zgonu milionów ludzi.

Bardziej współczesnym przykładem jest zastąpienie karmienia piersią karmieniem z butelki w rozwijających się krajach Trzeciego Świata. Ta zmiana pokarmu na wysoce oczyszczoną, przerobioną formułę mleka pozbawionego naturalnych czynników uodparniających zawartych w mleku matki, spowodowała u dzieci lawinowy wzrost zachorowań i biegunki.

Dzisiaj uważa się, że odżywianie ma bezpośredni wpływ na nasze zdrowie i dobre samopoczucie. Ale wprowadzająca zamieszanie i często sprzeczna informacja o odżywianiu stworzyła prawdziwe pole minowe dla stanu zdrowia konsumentów.

Jak i co zatem mamy wybierać, jakich zaleceń przestrzegać? Jaka dieta jest najlepsza? Prawda jest taka, że podobnie, jak nie możemy wybierać koloru naszych włosów i płci, tak samo nie mamy wpływu na właściwą dla nas dietę. Została ona dla nas wybrana już wiele tysięcy lat temu.

Jestem przekonany, że całe to zamieszanie powstało w wyniku błędnego przeświadczenia, że „jedna dieta jest dobra dla wszystkich". Chociaż wiemy, że niektórym ludziom odpowiada konkretna dieta, innym zaś nie, to nigdy nie zobowiązaliśmy się do zbadania wyspecjalizowanych charakterystyk populacji lub poszczególnych osób, które mogłyby wyjaśnić różnicę w reakcjach na daną dietę. Tak byliśmy zajęci badaniem charakterystyk żywności, że nie zbadaliśmy charakterystyk ludzi.

Dieta dla grupy krwi działa, ponieważ jesteś w stanie postępować według jasnej, logicznej, naukowo zbadanej i potwierdzonej dietetycznej matrycy opartej na twoim profilu komórkowym.

Każda z diet obejmuje szesnaście grup żywności:

– Mięso i drób	– Warzywa
– Ryby i owoce morza	– Owoce
– Jaja i nabiał	– Soki i napoje
– Oleje i tłuszcze	– Przyprawy
– Orzechy i pestki	– Inne dodatki
– Fasole i inne rośliny strączkowe	– Herbatki ziołowe
– Przetwory zbożowe	– Używki
– Chleb i grzanki	
– Ziarna i makarony	

Każda z tych grup dzieli żywność na trzy kategorie: **wysoce wska-zaną, obojętną** i tą, której należy **unikać**. Myśl o tych kategoriach w ten sposób:

- **wysoce wskazana**, to żywność działająca jak **lekarstwo**;
- **obojętna**, to żywność, która działa jak **żywność**;
- żywność, której należy **unikać**, działa jak **trucizna**.

Każda dieta proponuje wiele rodzajów żywności, tak więc nie martw się ograniczeniami. Jeśli to tylko możliwe, wybieraj raczej żywność wysoce wskazaną niż obojętną, ale jeśli smakuje ci jakiś rodzaj żywności z grupy obojętnej, to jedz go śmiało, gdyż nie zaszkodzą ci zawarte w niej lektyny. Ponadto zawiera ona składniki odżywcze niezbędne do zbilansowania twojej diety.

Na początku każdej kategorii żywności zobaczysz tabelę, która wygląda mniej więcej tak, jak ta:

Grupa krwi 0		tygodniowo: jeżeli twoje pochodzenie jest...		
Żywność	Ilość	afrykańskie	kaukaskie	azjatyckie
ryby i owoce morza	120–180 g	1–4 x	3–5 x	4–5 x

Propozycji porcji w zależności od pochodzenia nie należy traktować zbyt rygorystycznie. Moim celem jest przedstawienie drogi do jeszcze lepszego dopasowania diety w zależności od tego, co wiemy o swoim pochodzeniu. Chociaż ludzie różnych ras i kultur mogą mieć tę samą grupę krwi, nie zawsze mają tą samą częstość występowania genu. Na przykład osoba o grupie krwi A może mieć gen AA, co oznacza, że rodzice mieli gen A lub A0, a więc jedno z rodziców miało gen 0. Ogólnie rzecz biorąc ludzie pochodzenia kaukaskiego mają tendencję do posiadania większej liczby genów AA; zaś afrykańskiego genów BB lub AA. Jest to jedna z przyczyn, dlaczego wielu ludzi o pochodzeniu afrykańskim nie toleruje laktozy, nawet jeśli mają grupę B (grupa krwi, dla której produkty mleczne są korzystne).

Istnieją także zróżnicowania geograficzne i kulturowe. Na przykład ludzie pochodzenia azjatyckiego nie są przystosowani do spożywania produktów mlecznych, a więc osoby z grupą krwi B pochodzące z Azji mogą potrzebować więcej czasu na ich przyswojenie.

Te subtelności wyjaśniają także istotę różnic wzrostu i wagi ciała u różnych ludzi. Wykorzystuj te właściwości, jeżeli sądzisz, że są pomocne; zignoruj je, jeśli okaże się, że nie są ci potrzebne. Ale zawsze staraj się ustalić pożądaną dla siebie wielkość porcji. Dla każdej z diet dla grupy krwi podane są trzy przykładowe jadłospisy i kilka przepisów. Te praktyczne wskazówki pozwolą ci w pełni korzystać z tej diety.

Czynniki utraty wagi

Nadwaga zawsze powodowała problemy. Dzisiaj stała się jednym z największych problemów zdrowotnych społeczeństw większości krajów uprzemysłowionych. Walka ze zbędnymi kilogramami stała się obsesją. Wielu moich pacjentów jest zainteresowanych dietą dla grupy krwi jedynie w aspekcie kontroli masy ciała. Zawsze im mówię, że dieta ta nie jest stworzona do walki z nadwagą. Dodam, że utrata wagi jest jednym z naturalnych efektów ubocznych odnowy organizmu. Dieta dla grupy krwi została opracowana tak, aby współgrała ze składem komórkowym twojego ciała i chociaż pewne rodzaje żywności będą powodować u ciebie nabór lub utratę wagi, to mogą one wywoływać zupełnie odmienny efekt u osoby o innej grupie krwi.

Moi pacjenci często mnie pytają o obecne tendencje obowiązujące w dietetyce. Najnowszymi sa diety wysokobiałkowe. Dzięki znacznemu ograniczeniu węglowodanów, diety te wymuszają spalanie tłuszczów na energię i produkcję ketonów, które z kolei przyspieszają metabolizm. Nie dziwi mnie, że pacjenci, którzy mówią mi, że stosując tę dietę zrzucili zbędne kilogramy, mają zazwyczaj grupę krwi 0 lub B. Nie ma natomiast wielu osób z grupą krwi A, którym dieta ta nie służy; gdyż ich systemy są biologicznie niedostosowane do tak efektywnego metabolizowania mięsa jak u osób z grupą krwi 0 i B. Nie stracą też na wadze ludzie z grupą krwi AB, ponieważ brakuje im zrównoważenia diety żywnością wskazaną dla grupy krwi A.

Z drugiej strony diety makrobiotyczne, które zachęcają do konsumpcji żywności naturalnej, takiej jak warzywa, ryż, pełne ziarna, owoce i soja mogłyby najbardziej odpowiadać osobom z grupą krwi A. I ostatnia uwaga: za każdym razem, kiedy usłyszysz, że jakaś nowo opracowana dieta ma takie samo działanie na każdego, bądź sceptyczny. Słuchaj swojej grupy krwi. Doceń swoją indywidualność.

Kilka słów należy poświęcić problemowi utraty wagi związanej z dietą dla poszczególnych grup krwi. W rzeczywistości największy problem, z którym spotyka się większość moich pacjentów, to fakt, że tracą na wadze zbyt szybko i muszą korygować dietę, aby spowolnić tempo utraty kilogramów. Za duża utrata wagi może wydawać się najmniejszym z problemów, jeśli walczyłeś z nadwagą. Ale pamiętaj, że twoim ostatecznym celem jest maksimum zdrowia i funkcjonowania, a to oznacza uzyskanie równowagi pomiędzy wagą, wzrostem i kształtem sylwetki. Nadmierny ubytek wagi doprowadzi do niedożywienia, co osłabi układ odpornościowy, czyli dokładnie do tego, czego próbujesz uniknąć.

Dynamika utraty wagi związana jest ze zmianami zachodzącymi

w organizmie, gdy stosujesz genetycznie dopasowaną dietę. Występują tu dwa czynniki.

Pierwszy, gdy twój organizm gwałtownie przestawia się na eliminowanie żywności źle trawionej lub toksycznej, to przede wszystkim stara się wypłukać toksyny. Są one odkładane głównie w tkance tłuszczowej, a więc proces eliminacji toksyn eliminuje także tłuszcz.

Czynnik drugi, to działanie, jakie dana żywność wywiera na układ, który kontroluje wagę. W zależności od grupy krwi, działanie lektyn pewnych rodzajów żywności może powodować następujące dolegliwości:

● zapalenie wyściółki przewodu pokarmowego;
● zaburzanie procesu trawiennego, powodujące wzdęcia;
● zwolnienie tempa przemiany materii;
● osłabienie procesu produkcji insuliny;
● zaburzenie równowagi hormonalnej, powodujące zatrzymanie wody w organizmie (edemia), zaburzenia pracy tarczycy i inne problemy.

Każda grupa krwi na swój sposób reaguje na pewne rodzaje żywności; są one wymienione w diecie dla danej grupy krwi. W ciągu pierwszych kilku tygodni możesz poeksperymentować z zaleceniami. Odkryłem, że wielu ludzi podchodzi na początku do diety zbyt rygorystycznie. Jedzą jedynie żywność **wysoce wskazaną**, nie konsumując nawet żywności **obojętnej**. Skutkiem tego jest nieunikniona, raczej niezdrowa utrata wagi. Wyglądają na wychudzonych i niezdrowych, ponieważ nie otrzymują pełnego zakresu składników odżywczych wymaganych w zdrowej diecie. Lepszym podejściem jest eliminowanie wszystkich rodzajów żywności przedstawionych na twojej liście do unikania i redukowanie lub eliminowanie tych rodzajów żywności **obojętnej**, które mogą się przyczyniać do wzrostu wagi. To pomoże ci zrównoważyć dietę i zapewni zdrowsze zrzucanie wagi.

Znaczenie dodatków uzupełniających

Dieta dla twojej grupy krwi wymaga także odpowiedniej ilości witamin, soli mineralnych i ziół, które mogą wzmocnić skuteczność diety. Ale jest to kolejna dziedzina wiedzy, wokół której panuje zamieszanie i dezinformacja. Zażywanie witamin, minerałów, egzotycznych preparatów i wyciągów ziołowych stało się obecnie niezwykle modne. Trudno jest nie dać się skusić bogactwu paraleków zalewających sklepy ze zdrową żywnością. Obiecują energię, utratę wagi, ulgę w bólach, wzrost potencji seksualnej, siłę, długowieczność, jasność umysłu i jednocześnie leczą ból głowy, zaziębienie, nerwy, ból żołądka, artretyzm, chroniczne zmęczenie, choroby serca, raka i każdą inną podręcznikową chorobę. Te reklamowane panacea wydają się być tym, czego poszukujemy, by być zdrowym.

Ale w połączeniu z żywnością, te uzupełniające składniki odżywcze nie zawsze działają tak samo na każdego. Każdy dodatek witaminowy, mineralny i ziołowy odgrywa specyficzną rolę w organizmie. Cudowne remedium, za którym szaleje twój przyjaciel z grupą krwi B, może być obojętne lub nawet szkodliwe dla ciebie, jeśli masz grupę krwi A. Aplikowanie sobie uzupełniających dodatków witaminowych i mineralnych, z których wiele działa jak lekarstwo, może być nawet niebezpieczne. Na przykład, chociaż są tak łatwo dostępne, witaminy A, D, K i B$_3$ (niacyna) powinny być zażywane tylko pod kontrolą lekarza.

W roślinach jest wiele naturalnych substancji, zwanych związkami fitochemicznymi, które są skuteczniejsze i mają mniejsze niekorzystne działanie uboczne niż witaminy i minerały. Plan dla twojej grupy krwi zaleca zindywidualizowaną dietę fitochemiczną.

Termin „związki fitochemiczne" może ci być obcy. Współczesna nauka ustaliła, że wiele z tych związków, kiedyś nazywanych „chwastami" lub „ziołami", jest wysoko skoncentrowanym źródłem biologicznie aktywnych składników. Te składniki zawarte są również w innych roślinach, lecz w mniejszych ilościach. Wiele związków fitochemicznych – które wolę uważać za koncentraty żywności – jest antyutleniaczami, a kilka z nich ma działanie wiele razy silniejsze niż witaminy. Co ciekawe, te fitochemiczne antyutleniacze wykazują duży stopień preferencji tkankowej, czego nie można powiedzieć o witaminach. Na przykład, ostropest plamisty (pstrok) (*Silybum marianum*) i korzeń kurkumy (*Curcuma longa*) mają zdolności antyutleniaczowe setki razy silniejsze niż witamina E i wykazują silną skłonność do odkładania się w tkance wątroby. Te rośliny są bardzo wskazane przy zaburzeniach wątroby, takich jak wirusowe zapalenie i marskość.

Zaprogramowany specjalnie dla ciebie zestaw witamin, minerałów i związków fitochemicznych będzie stanowił znakomite uzupełnienie programu dietetycznego.

Stres a ćwiczenia

Nie tylko żywność wpływa na nasze zdrowie, ale także to, czy organizm właściwie wykorzystuje składniki odżywcze. To zaś wiąże się ze stresem. Znaczenie stresu jest obecnie bardzo podkreślane. Często słyszymy stwierdzenia typu, „tak jestem zestresowany", lub „mój problem to zbyt wiele stresu". Rzeczywiście, prawdą jest, że niekontrolowane reakcje stresowe towarzyszą wielu chorobom. Niewielu ludzi rozumie, że to nie sam stres, lecz nasza reakcja na stres jest tym, co osłabia nasz układ odpornościowy i prowadzi do choroby. Ta reakcja jest tak stara, jak historia człowieka. Powodowana jest przez naturalną odpowiedź chemiczną na dostrzeżone niebezpieczeństwo. Wyobraź sobie, że jesteś człowiekiem u progu cywilizacji. Ciemną nocą leżysz skulony w słodkich objęciach snu. Nagle pojawia się wielkie dzikie zwierzę. Czujesz jego gorący, cuchnący oddech na swoim ciele. Widzisz, jak wbija pazury w twojego towarzysza i rozrywa go ostrymi kłami. Czy chwytasz za broń i próbujesz walczyć? Czy odwracasz się i uciekasz, aby chronić życie?

Odpowiedź organizmu na stres rozwijała się i doskonaliła przez tysiące lat. Stanowi ona refleks, pierwotny instynkt, naszą zdolność przetrwania i radzenia sobie z sytuacjami typu: życie albo śmierć. Kiedy wyczuwamy jakieś niebezpieczeństwo, mobilizujemy naszą odpowiedź: walcz lub uciekaj i albo stawiamy czoło temu, co nas zaatakowało, albo uciekamy.

Teraz wyobraź sobie inną sytuację. Leżysz w łóżku i śpisz. Wokół spokój i cisza. Nagle w pobliżu następuje wybuch. Wszystko wokół drży. Jesteś już obudzony, nieprawdaż? I jak się czujesz? Prawdopodobnie bardzo wystraszony i niewątpliwie serce bije ci jak szalone.

Kiedy jesteś zaalarmowany, gruczoły przysadkowy i nadnerczowy zalewają twój krwiobieg hormonem pobudzającym. Puls staje się przyspieszony, płuca wciągają więcej tlenu, aby dostarczyć paliwa mięśniom. Poziom cukru w krwi podnosi się maksymalnie, aby umożliwić wybuch energii. Trawienie zostaje spowolnione. Zaczynasz się pocić. Wszystkie te odpowiedzi biologiczne następują w ułamku sekundy, uruchomione przez stres. Przygotowują cię one, tak jak naszych przodków, do walki lub ucieczki.

Niebezpieczeństwo przechodzi. W następnym, spoczynkowym stadium stresu, organizm zaczyna się uspokajać po całym tym szoku, spowodowanym przez uwolnienie tak wielu związków chemicznych. Stadium spoczynkowe osiągane jest zazwyczaj wówczas, gdy to co spowodowało alarm zostanie zidentyfikowane i odpowiednio potraktowane. I wtedy, jeśli to coś, co spowodowało stres początkowy, mija, to wszystkie te reakcje zanikają. Jeśli natomiast to coś, co spowodowało stres początkowy, trwa nadal, zdolność organizmu do zaadaptowania się do stresu zostaje wyczerpana. Przestaje działać.

Inaczej niż u naszych przodków, którzy stawiali czoło silnym, ale przemijającym stresom, takim jak zagrożenie ze strony drapieżników lub głód. My zaś żyjemy w szybko pędzącym świecie, który narzuca chroniczny, przedłużający się stres. Chociaż nasza odpowiedź może być nawet mniej ostra niż u naszych przodków, fakt, że dzieje się to nieustannie, może spowodować o wiele gorsze konsekwencje. Wszyscy są na ogół zgodni, że stresy atakujące współczesnego człowieka i wywołujące liczne choroby – ciała, umysłu i ducha – są w znacznym stopniu skutkiem naszej uprzemysłowionej kultury i nienaturalnego stylu życia.

Sztuczne napięcia i stresy wyczerpują nasze mechanizmy przetrwania i przygniatają nas. Staliśmy się społecznie i kulturowo uwarunkowani w ten sposób, że nasze najbardziej naturalne odpowiedzi są tłumione i udaremniane. Do krwi uwalnianych jest więcej hormonów stresowych, niż jesteśmy w stanie wykorzystać.

I co się potem dzieje? Zaburzenia związane ze stresem powodują 50 do 80 procent wszystkich chorób we współczesnym życiu. Wiemy, jak silnie psychika wpływa na organizm a organizm na psychikę. Wszystkie te reakcje są wciąż w stadium badań. Choroby, o których wiadomo, że są pogarszane przez stres to wrzody, nadciśnienie krwi, choroby serca, migreny, artretyzm i inne tego typu choroby, astma i choroby układu oddechowego, bezsenność i inne zaburzenia snu, anoreksja nerwowa i inne zaburzenia jedzenia oraz wiele problemów skórnych – od pokrzywki do opryszczki, od egzemy do łuszczycy. Stres jest nieszczęściem dla układu odpornościowego, bo czyni organizm otwartym na mnóstwo problemów zdrowotnych.

Jednak pewne stresy, wywołane aktywnością fizyczną lub twórczą, wytwarzają przyjemne stany emocjonalne, postrzegane przez organizm jako doświadczenie dające duże zadowolenie bądź satysfakcję.

Chociaż każdy z nas reaguje na stres w unikatowy sposób, nikt nie jest odporny na jego skutki, szczególnie jeśli przedłużają się i są niepożądane. Wiele z naszych wewnętrznych reakcji na stres to odzwierciedlenie zakodowanych w naszych genach informacji związanych ze stresem środowiskowym, który kształtował ewolucję różnych grup krwi. Katastrofalne zmiany miejsca, klimatu i diety odcisnęły stresowe piętna na pamięci genetycznej każdej grupy krwi i nawet dzisiaj determinują ich wewnętrzną odpowiedź na stres.

Mój ojciec poświęcił trzydzieści pięć lat na badanie stresu i poziomów energii naturalnej różnych grup krwi i opracowywaniu programów ćwiczeń opartych na profilach biologicznych poszczególnych grup krwi. Poddał obserwacjom tysiące ludzi, zarówno dorosłych jak i dzieci, a jego obserwacje empiryczne nabrały znaczenia.

Najbardziej rewolucyjnym aspektem pracy ojca jest odkrycie, że ludzie o różnych grupach krwi potrzebują odmiennych form aktywności fizycznej, aby poradzić sobie ze swoimi reakcjami na stres.

Plan dla twojej grupy krwi obejmuje opis stresów typowych dla poszczególnych grup krwi wraz z zalecanym kursem ćwiczeń, które zamienią stres w pozytywną siłę. Ten element stanowi uzupełnienie diety o kluczowym znaczeniu.

Skoro wszystkie te powiązania działają, nie ma w tym nic dziwnego, że ludzie mogą spekulować na temat mniej istotnych cech, które mogłyby być przypisywane grupie krwi, takich jak osobowość, postawy i zachowanie.

Doświadczyłem tego osobiście przy wielu okazjach. Ludzie często czynią mi uwagi, że poszedłem w ślady ojca i zostałem lekarzem medycyny naturalnej. „Jest pan odłamkiem ze starego bloku", mawiają niektórzy. Lub „domyślam się, że odziedziczył pan ojcowską pasję do uzdrawiania". A czasami, „wygląda na to, że D'Adamowie posiadają geny medyczne".

Nawet jeśli te uwagi są czynione częściowo żartem, czuję, że większość ludzi naprawdę wierzy, że odziedziczyłem coś więcej po moim ojcu i że to nie jest przypadek, że interesuje mnie ta sama praca, która jego pociągała.

Idea, że pewne dziedziczone cechy, zachowania, emocje i preferencje życiowe są głęboko ukryte w naszym kodzie genetycznym, jest przyjmowana dobrze, chociaż nie jesteśmy pewni, jak mierzyć to dziedziczenie naukowo. Nie znamy (jeszcze!) żadnych genów osobowości. Niektórzy mogą dowodzić, że sposób, w jaki się zachowujemy, ma więcej związków z pożywieniem niż z naturą. A może jest i tak i tak.

Ostatnio Beverly, moja stała pacjentka, przyprowadziła do mnie dorosłą córkę. Beverly powiedziała mi kiedyś, że gdy była młoda i niezamężna urodziła córkę, którą oddała do adopcji. Przez trzydzieści lat Beverly nie wiedziała, co się działo z jej córką – aż do dnia, kiedy znajomo wyglądająca młoda kobieta przekroczyła próg jej domu. Córka odnalazła matkę poprzez organizację poszukiwania rodzin. Okazało się, że córka Beverly wychowywała się na Zachodnim Wybrzeżu, w środowisku bardzo różniącym się od otoczenia matki. Jakiż byłem zdziwiony, kiedy patrzyłem na nie razem. Były matką i córką pod każdym względem. Posiadały dokładnie takie same maniery, akcent (pomimo tego, że Beverly była mieszkanką Nowego Jorku, a jej córka Kalifornijką) i wydawały się mieć podobne poczucie humoru. O dziwo, córka Beverly wybrała ten sam zawód, co jej matka. Obydwie były kierownikami działów naboru kadr w swoich firmach. Jeśli kiedykolwiek istniał dowód genetycznych powiązań z osobowością, to siedział on teraz w moim gabinecie.

Oczywiście, zdaję sobie sprawę, że ten dowód jest anegdotyczny, a nie naukowy. Większość poszukiwań zależności osobowość a grupa krwi jest właśnie taka. Jednak te powiązania nas intrygują, mają jakiś sens, może bowiem istnieć jakiś związek losowy między tym, co zachodzi na poziomie komórkowym naszego bytu a naszymi umysłowymi, psychicznymi, fizycznymi i emocjonalnymi reakcjami, wyrażanymi przez grupę krwi, jaką mamy.

Ewolucja zmieniła układy odpornościowy i pokarmowy człowieka, powodując rozwój grup krwi. Układy psychiczne i emocjonalne także zostały przekształcone przez zmiany ewolucyjne i wraz z nimi wyłoniły się bardzo zróżnicowane wzorce psychologiczne i wzorce zachowań.

Każda grupa krwi przeprowadziła trudną i bardzo zróżnicowaną walkę o życie jakiś czas bardzo dawno temu. Prowadzący samotny tryb życia osobnik z grupą krwi 0 zmarniałby nędznie w uporządkowanym, opartym na współpracy otoczeniu osób z grupą krwi A, a to chyba wystarczająco istotny powód dla adaptacji grupy krwi. Czy byłoby wielką niespodzianką znalezienie wielu tych prymitywnych charakterystyk ukrytych gdzieś w odległych głębiach naszej psychiki?

Pogląd, że osobowość determinowana jest przez grupę krwi, cieszy się wielkim poważaniem w Japonii. Japońska analiza grupy krwi nazywana *ketsu-eki-gata* to zyskowne przedsięwzięcie. Dyrektorzy korporacji używają jej do rekrutacji pracowników, badacze rynku wykorzystują ją do przewidywania zwyczajów kupujących, a większość ludzi stosuje ją przy wyborze przyjaciół, partnerów erotycznych i towarzyszy życia. Automaty, które oferują analizę grupy krwi, są szeroko rozpowszechnione na stacjach kolejowych, w domach towarowych, restauracjach i innych miejscach publicznych. Istnieje nawet bardzo poważna organizacja, Towarzystwo ABO, zajmujące się pomaganiem ludziom w podejmowaniu właściwych decyzji, zgodnych z grupą krwi.

Wiodącym propagatorem idei powiązań grupa krwi – osobowość jest człowiek o nazwisku Toshitaka Nomi, którego ojciec był pionierem tej teorii. W 1980 roku Nomi i Alexander Besher napisali książkę pod tytułem *Your are Your Blood Type*. W Japonii sprzedano jej ponad 6 milionów egzemplarzy. Zawiera ona profile osobowości i sugestie dla różnych grup krwi – łącznie z tym, jak powinieneś zarabiać na utrzymanie, czy z kim powinieneś się ożenić oraz straszy konsekwencjami, jakie ci grożą, gdybyś zignorował rady zawarte w książce.

To lektura dla przyjemności, tak jak astrologia, numerologia czy inne metody szukania miejsca w otaczającym nas świecie. Sądzę, że większość rad zawartych w tej książce powinna być traktowana z przymrużeniem oka. Na przykład nie wierzę, że bratnia dusza lub partner erotyczny powinni być wybierani w oparciu o grupę krwi. Ja mam grupę krwi A i jestem głęboko zakochany w mojej żonie, Marcie, która ma grupę 0. Nie mógłbym znieść myśli, że mielibyśmy się rozstać z powodu jakiejś niekompatybilności psychicznej w naszych grupach krwi. Jesteśmy dopasowani, nawet jeśli nasze posiłki mogą być nieco chaotyczne.

Przy tych wszystkich próbach nadawania ludziom etykietek, ten ma złowieszczy podtekst. Skoro raz powiesz, „grupa A jest taka" lub „grupa B jest owaka", nieuniknionym następnym krokiem będzie stwierdzenie, „grupa B jest lepsza", albo „tylko człowiek z grupą krwi 0 może zostać prezydentem". Rozwinie się system kastowy. Z odmianą tego mamy do czynienia na co dzień w Japonii – na przykład, kiedy jakaś firma ogłasza, że poszukuje pracowników z grupą krwi B, aby obsadzić stanowiska kierownicze średniego szczebla.

Jaka jest więc wartość tej spekulacji i dlaczego ją tutaj przytaczam? To bardzo proste. Chociaż sądzę, że japońska *ketsu-eki-gata* to skrajność, nie mogę zaprzeczyć, że zapewne teorie o zależności pomiędzy naszymi komórkami a naszą osobowością są prawdziwe.

Współcześni naukowcy i lekarze potwierdzili istnienie biologicznego związku umysł – organizm, a ja wspominałem już o związku pomiędzy grupą krwi a odpowiedzią na stres. Pomysł, że grupa krwi może być powiązana z osobowością, nie jest w rzeczywistości tak zaskakujący. Jeśli zanalizujesz każdą z grup krwi, stwierdzisz wyłanianie się zróżnicowanej osobowości – dziedzictwa naszych pradawnych przodków.

Charakterystyka „osobowości grup krwi" oparta jest na wnioskach powstałych w wyniku obserwacji empirycznych tysięcy ludzi na przestrzeni wielu lat. Możliwe, że dane te dostarczą pełniejszego obrazu siły witalnej grupy krwi. Lecz niech to nie będzie źródłem ograniczeń, a raczej źródłem spełnienia.

Przez współgranie z potęgą twojej grupy krwi możesz osiągać większą skuteczność i dokładność w pracy, a także większe szczęście i bezpieczeństwo w życiu. Brak jest jak dotąd dostatecznie mocnych dowodów na jakąkolwiek generalizację wniosków na temat wykorzystania grupy krwi do określania osobowości, ale cała masa informacji czeka na zaanalizowanie i zbadanie. Pełne zrozumienie unikatowej matrycy komórkowej naszych organizmów wciąż wymyka się naszym najgłębszym dociekaniom.

Może w nadchodzącym stuleciu będziemy mogli ostatecznie odkryć pewien mistrzowski plan; mapę, która pokaże nam, jak dostać się z jednego punktu do drugiego wewnątrz nas samych. A może jednak nie, gdyż jest przecież tak wiele tajemnic, których być może nigdy nie wyjaśnimy. Ale możemy spekulować, zastanawiać się i rozważać różne możliwości. To właśnie dlatego ludzie rozwinęli tak głęboką inteligencję.

Te właśnie elementy – dieta, kontrolowanie wagi, uzupełnienia dietetyczne, kontrolowanie stresu i cechy osobowości – tworzą zasadnicze elementy planu dla twojej grupy krwi. Odwołuj się do niego często, by poznawać specyficzne właściwości swojej grupy krwi.

Ale zanim postawisz dalsze kroki, proponuje ci jeszcze jedną rzecz: dowiedz się, jaką masz grupę krwi!

CZĘŚĆ II
Plan dla grup krwi

4

Dieta dla grupy krwi 0

Grupa 0: Myśliwy

- *zjadacz mięsa*
- *odporny układ pokarmowy*
- *nadaktywność układu odpornościowego*
- *nietolerancyjny na adaptacje dietetyczne i środowiskowe*
- *lepiej reaguje na stres przy intensywnej aktywności fizycznej*
- *efektywny metabolizm jest mu niezbędny, aby pozostać szczupłym i naładowanym energią*

Dieta dla grupy 0

Czynnikami sprzyjającymi właściwemu rozwojowi ludzi z grupą krwi 0 są intensywne ćwiczenia fizyczne i białko zwierzęce. W układach pokarmowych typów 0 zakodowana jest informacja o sposobie odżywiania ludzi w dawnych czasach. Wysokobiałkowa dieta myśliwego–zbieracza i ogromne wymagania fizyczne stawiane organizmom wczesnych typów 0 utrzymywały drapieżnych ludzi w łagodnym stanie ketozy – stanie, w którym metabolizm jest przyspieszony. Ketoza jest wynikiem wysokobiałkowej i wysokotłuszczowej diety z niską zawartością węglowodanów. Organizm metabolizuje białka i tłuszcze w ketony, które w zastępstwie cukrów wykorzystywane są do utrzymania stałego poziomu glukozy. Ketoza, stała aktywność fizyczna, szybkie spalanie kalorii stanowiło klucz do przeżycia człowieka.

Obecne zalecenia dietetyczne generalnie zniechęcają do konsumpcji zbyt wielkiej ilości białka zwierzęcego, udowadniając, że tłuszcze nasycone są czynnikiem ryzyka dla chorób serca i raka. Rzeczywiście, większość konsumowanego dzisiaj mięsa jest naszpikowana tłuszczem i skażona przez nieograniczone użycie hormonów i antybiotyków. „Jesteś tym, co jesz" – to powiedzenie może nabrać złowieszczego znaczenia, kiedy mówi się o współczesnych zapasach mięsa. Na szczęście coraz bardziej dostępne jest mięso organiczne i pochodzące od zwierząt żywiących się naturalnie. Sukces w stosowaniu diety typu 0 zależy od tego, czy jesz chude, wolne od chemikaliów mięso, drób i ryby.

Źródłem pożywienia przyjaznego dla organizmu człowieka o grupie krwi 0, w przeciwieństwie do innych grup krwi, nie są produkty mleczne i zbożowe, bowiem układ pokarmowy tej grupy krwi nie zaadaptował się do nich w pełni, poza tym nie musi się ścigać miski pszenicy lub szklanki mleka. Początkowo te rodzaje żywności nie były podstawą diety człowieka, stały się nią dopiero później w trakcie ewolucji.

Czynniki utraty wagi

Przy diecie dla grupy 0 w początkowej fazie możesz stracić na wadze, ograniczając w swym jadłospisie zboża, chleb i rośliny strączkowe. Czynnikiem sprzyjającym w przybieraniu na wadze ludzi z grupą krwi 0 jest gluten znajdujący się w zarodkach pszenicy. Działa on na metabolizm człowieka, wytwarzając dokładną odwrotność stanu ketozy. Zamiast utrzymywać organizm w stanie beztłuszczowym i wysokoenergetycznym, lektyny glutenowe hamują metabolizm insulinowy przeszkadzając w efektywnej zamianie kalorii na energię. Spożywanie glutenu to jak wlewanie paliwa o złej liczbie oktanowej do silnika samochodu. Zamiast napędzać silnik, blokuje się jego działanie.

W mniejszym stopniu kukurydza daje ten sam efekt, chociaż nie ma zupełnie takiego samego wpływu na przyspieszenie nabierania wagi przez posiadaczy grupy krwi 0 jak pszenica. Spotkałem osoby z grupą krwi 0 z nadwagą, którym nie powiodło się stosowanie innych diet, a które szybko straciły nadwagę poprzez wyeliminowanie pszenicy.

Za przybieraniu na wadze u ludzi z grupą krwi 0 odpowiedzialne są też inne czynniki. Niektóre fasole i rośliny strączkowe, szczególnie soczewica i fasola nerkowata (kidney), zawierają lektyny, które odkładają się w tkankach mięśniowych, czyniąc je bardziej alkalicznymi i mniej zdolnymi do wysiłku fizycznego. Ludzie z grupą krwi 0 są szczuplejsi, kiedy ich tkanka mięśniowa jest w stanie lekkiej kwasowości metabolicznej. W tym stanie kalorie spalają się szybciej. (Zanim jednak przejdziemy do wyciągnięcia pochopnych wniosków co do innych grup krwi, pamiętajmy, że każda z grup krwi ma swój unikatowy układ czynników. Kwasowość metaboliczna nie jest dobra dla każdego).

Trzeci czynnik naboru wagi u typu 0 związany jest z funkcjonowaniem tarczycy. Grupy 0 mają tendencję do niższego poziomu hormonu tarczycy. Ten stan, nazywany niedoczynnością tarczycy, występuje dlatego, że grupa ta ma tendencję do wytwarzania zbyt małej ilości jodu – minerału, którego jedynym zadaniem jest produkcja hormonu tarczycy. Symptomami niedoczynności tarczycy jest przybór wagi, zatrzymanie płynów w organizmie, zmęczenie, a nawet zanik mięśni.

Jednocześnie ludzie z grupą krwi 0, aby uzyskać maksymalną kontrolę wagi swego ciała, powinni nie tylko ograniczyć ilość spożywanej żywności i jeść tylko chude mięso, ale również skoncentrować się na tych rodzajach produktów żywnościowych, które zapewniają uzyskanie „dobroczynnego" efektu i unikać innych, ze względu na ich niekorzystne działanie.

A oto skrócony przewodnik:

Żywność, która sprzyja nabieraniu wagi:

gluten pszenicy	– zakłóca wydolność insuliny, zwalnia metabolizm;
kukurydza	– zakłóca wydolność insuliny, zwalnia metabolizm;
fasola nerkowata (kidney)	– pogarsza wykorzystanie kalorii;
fasola navy	– pogarsza wykorzystanie kalorii;
soczewica	– hamuje właściwy metabolizm odżywczy;

kapusta	– hamuje działanie hormonu tarczycy;
brukselka	– hamuje działanie hormonu tarczycy;
kalafior	– hamuje działanie hormonu tarczycy;
gorczyca	– hamuje działanie hormonu tarczycy;

Żywność, która sprzyja utracie wagi:

kelp (przyprawa z glonów morskich)	– zawiera jod, zwiększa produkcję hormonu tarczycy;
ryby i owoce morza	– zawierają jod, zwiększają produkcję hormonu tarczycy
sól jodowana*	– zawiera jod, zwiększa produkcję hormonu tarczycy
wątroba	– jest źródłem witaminy B, wspomaga metabolizm;
czerwone mięso	– wspomaga metabolizm;
kale,** szpinak, brokuły	– wspomagają metabolizm;

* Wskazane jest spożywanie jodu ze źródeł takich jak ryby, owoce morza i glony morskie, gdyż sól jodowana zawiera sód, która może się przyczyniać do podwyższenia ciśnienia krwi i zatrzymywania wody w organizmie.
** Zob. s. 108.

Uwzględnij te wskazówki w całościowym obrazie diety dla grupy 0, który jest następujący:

Mięso i drób

Grupa krwi 0		tygodniowo: jeżeli twoje pochodzenie jest...		
Żywność	Ilość	afrykańskie	kaukaskie	azjatyckie
chude czerwone mięso	120–180 g (mężczyźni) 60–100 g (kobiety i dzieci)	5–7 x	4–6 x	3–5 x
drób	120–180 g (mężczyźni) 60–100 g (kobiety i dzieci)	1–2 x	2–3 x	3–4 x

* Zalecane ilości stanowią jedynie wytyczne, które mogą pomóc w uszczegółowieniu diety zgodnie ze skłonnościami odziedziczonymi po przodkach.

Jedz chudą wołowinę, jagnięcinę, indyka, kurczaka lub zalecane ryby tak często, jak chcesz. Powinieneś spożywać tym więcej białka, im bardziej masz stresującą pracę bądź intensywny program ćwiczeń. Uważaj jednak na wielkość porcji. Nasi przodkowie nie ucztowali przy półkilogramowych stekach, gdyż mięso było wówczas zbyt cenne. Osoby z grupą krwi 0 mogą wydajnie trawić i metabolizować mięso, ponieważ mają wysoki poziom kwasu żołądkowego. To stanowiło klucz do przeżycia wczesnych grup 0. Pamiętaj jednak, by bilansować białko pochodzenia mięsnego wskazanymi warzywami i owocami, aby nie doprowadzić do nadkwasoty, która może powodować wrzody i podrażnienia śluzówki żołądka.

Wysoce wskazane

baranina	jagnięcina	wątróbka
cielęcina	mięso bawołu	wołowina
dziczyzna	serce	wołowina mielona

Obojętne

bażant	kaczka	kurczak
indyk	królik	kuropatwa
	kury cornish	przepiórka

Unikać

bekonu	szynki
gęsi	wieprzowiny

Ryby i owoce morza

Grupa krwi 0	tygodniowo: jeżeli twoje pochodzenie jest...			
Żywność	Ilość	afrykańskie	kaukaskie	azjatyckie
ryby i owoce morza	120–180 g	1–4 x	3–5 x	4–5 x

Ryby, drugie najbardziej skoncentrowane źródło protein zwierzęcych, są najodpowiedniejsze dla ludzi z grupą krwi 0 pochodzenia azjatyckiego i europejskiego, ze względu na to, że były podstawowym pokarmem ich przodków żyjących na wybrzeżach.

Bogate w olej ryby zimnych wód, takie jak dorsz, śledź i makrela, są doskonałe dla grupy krwi 0. Pewne czynniki powodujące krzepliwość krwi nie były obecne w niej w sposób naturalny, lecz rozwinęły się wraz z adaptacją ludzi do zmian środowiska. Mimo że oleje rybne mają tendencję do rozrzedzania krwi, są one wskazane dla grup krwi 0. Najprawdopodobniej sposób, w jaki geny typu 0 wpływają na „gęstość" krwi (poprzez czynnik krzepliwości) jest niezależny od sposobu, w jaki oleje rybne wpływają na lepkość ciałek krwi (poprzez adhezję płytek). Oleje rybne mogą być bardzo skuteczne w leczeniu zapalenia jelit, np. zapalenia okrężnicy lub choroby Crohna, na które są podatne osoby z grupą krwi 0. Wiele bogactw wód jest także doskonałym źródłem jodu regulującego funkcjonowanie tarczycy. Niestabilna praca tarczycy powoduje problemy związane z metabolizmem i przyborem wagi. Ryby powinny być istotnym składnikiem diety grupy 0.

Wysoce wskazane

aloza	okoń	szczupak
dorsz	płytecznik	śledź
halibut	pstrąg tęczowy	tasergal
jesiotr	*red snapper*	włócznik
lucjan (*snapper*)	(z. r. lucjanowatych)	
łosoś	rokus (skalnik	
makrela	z r. strzępielowatych)	
moron biały	sardynka	
(z r. strzępielowatych)	seriola (z rodziny	
morszczuk	ostrobokowatych)	
sieja	sola	

Obojętne

anioł morski	łupacz (plamiak)	skap (*porgy*)
(ryna)	małże	słuchotka
bieługa	omułki jadalne	(*abalone*)
flądra	okoń oceaniczny	sola szara
graniki	okoń srebrny	stynka
homar	ostrygi	ślimaki
kałamarnica	pikerel (rodzaj	troć
karp	szczupaka)	tuńczyk biały
krab	przegrzebek	(*albakora*)
kulbiniec szary	(*scallop*)	węgorz
krewetka	rak	żaba
koryfena	rekin	żaglica
(*mahimahi*)	sardela	żółw

Unikać

barakudy   ośmiornicy
kawioru   skrzydlaka (*conch*)
łososia wędzonego   suma
                            śledzia marynowanego

Jaja i nabiał

Grupa krwi 0		tygodniowo: jeżeli twoje pochodzenie jest...		
Żywność	Ilość	afrykańskie	kaukaskie	azjatyckie
jaja	1 jajko	0	3–4 x	5 x
ser	60 g	0	0–3 x	0–3 x
jogurt	120–180 g	0	0–3 x	0–3 x
mleko	120–180 g	0	0–1 x	0–2 x

Ludzie z grupą krwi 0 powinni bardzo ograniczyć spożycie produktów mlecznych. Ich organizm nie jest zdolny do właściwego metabolizmu nabiału, dlatego też nie ma wysoce wskazanych produktów żywnościowych w tej grupie.

Jeżeli jesteś typem 0 pochodzenia afrykańskiego, powinieneś ze swojego jadłospisu całkowicie wyeliminować produkty mleczne i jaja. Są to bowiem produkty, które dla twego organizmu są trudne do strawienia. Mleko sojowe i sery sojowe są doskonałymi produktami zastępczymi.

Alergie pochodzenia pokarmowego nie wiążą się z procesem trawienia. Stanowią one reakcje układu odpornościowego na pewne rodzaje żywności. Twój układ odpornościowy wytwarza przeciwciała, które zwalczają wtargnięcie żywności do organizmu. Nietolerancje pożywienia są reakcjami trawiennymi, które mogą wystąpić z wielu powodów, włącznie z uwarunkowaniami kulturowymi, skojarzeniami psychologicznymi, kiepską jakością żywności, dodatkami lub po prostu z pewnymi trudnymi do zdefiniowania osobliwościami w twoim organizmie. Afro-Amerykanie nie tolerują laktozy, ponieważ ich przodkowie, myśliwi-zbieracze, nie mieli laktozy w swojej diecie.

Ludzie pochodzenia kaukaskiego mogą jeść 4–5 jaj tygodniowo i małe ilości produktów mlecznych, ale generalnie są one dla nich także mało ważnym źródłem białka. Zażywaj jednak codziennie wapń, zwłaszcza jeśli jesteś kobietą.

Obojętne

kozi ser
masło
ser farmer
ser feta

ser mozzarella
ser sojowy*
mleko sojowe*

* Dobra alternatywa produktów mlecznych.

Unikać

chudego lub 2% mleka
jogurtów wszystkich odmian
kefiru
koziego mleka
lodów
maślanki
pełnego mleka
sera amerykańskiego
sera białego
sera blue
sera brie
sera cheddar
sera colby
sera edamskiego

sera ementaler
sera gouda
sera gruyère
sera jarlsberg
sera monterey jack
sera munster
sera neufchatel
sera parmezan
sera provolone
sera string
sera szwajcarskiego
sera śmietankowego
serka wiejskiego
serwatki

Oleje i tłuszcze

Grupa krwi 0	tygodniowo: jeżeli twoje pochodzenie jest...		
Żywność	Ilość	afrykańskie	kaukaskie	azjatyckie
oleje	1 łyżka stołowa	1–5 x	4–8 x	3–7 x

Ludzie z grupą krwi 0 dobrze reagują na oleje, ważne źródło pożywienia. Ułatwiają także proces wydalania. Wysoce wskazane są oliwa i olej z siemienia lnianego, które korzystnie wpływają na układ sercowo-naczyniowy, a nawet mogą pomóc w obniżeniu poziomu cholesterolu we krwi.

Wysoce wskazane

oliwa z oliwek
olej z siemienia lnianego

Obojętne

olej canola (z rzepaku)
olej sezamowy
olej z wątroby dorsza

Unikać

oleju bawełnianego
oleju kukurydzianego

oleju krokoszowego
oleju z orzeszków ziemnych

Orzechy i pestki

Grupa krwi 0	tygodniowo: jeżeli twoje pochodzenie jest...			
Żywność	Ilość	afrykańskie	kaukaskie	azjatyckie
orzechy i pestki	6–8 orzechów	2–5 x	3–4 x	2–3 x
masło orzechowe	łyżka stołowa	3–4 x	3–7 x	2–4 x

Osoby z grupą krwi 0 mogą znaleźć dobre źródło zastępczych protein roślinnych w niektórych rodzajach orzechów i pestek. Ale ten rodzaj żywności absolutnie nie powinien zająć miejsca mięs wysokobiałkowych. Z pewnością nie powinieneś zbyt dużo ich spożywać, gdyż są bogate w tłuszcz. Należy więc ich unikać, jeśli chcesz zrzucić zbędne kilogramy.

Ponieważ orzechy mogą czasami powodować zaburzenia trawienia, żuj je dokładnie lub używaj masła orzechowego, które jest łatwiejsze do strawienia, szczególnie gdy masz kłopoty z okrężnicą; częsty problem u grup 0.

Wysoce wskazane

pestki dyni
orzech włoski

Obojętne

kasztany

orzeszki pinii (piniole)

masło migdałowe
masło sezamowe (*tahini*)
masło słonecznikowe
migdały
makadamia

orzech hikorii
orzeszki laskowe
orzeszki pekan
pestki słonecznika
nasiona sezamu

Unikać

maku
masła z orzeszków ziemnych
orzecha brazylijskiego
orzeszków liczi

orzeszków nerkowca (*cashew*)
orzeszków pistacjowych
orzeszków ziemnych

Fasole i inne rośliny strączkowe

Grupa krwi 0	tygodniowo: jeżeli twoje pochodzenie jest...			
Żywność	Ilość	afrykańskie	kaukaskie	azjatyckie
wszystkie zaleca- ne fasole i rośliny strączkowe	1 szklanka	1–2 x	1–2 x	2–6 x

Osoby z grupą krwi 0 nie przyswajają na ogół dobrze fasoli, choćiaż o azjatyckim pochodzeniu znoszą je nieco lepiej. Ogólnie rzecz biorąc, fasole hamują metabolizm innych bardziej ważnych składników odżywczych, np. zawartych w mięsie. Powodują one także lekkie zmniejszenie kwasowości tkanek mięśniowych. Osoby z grupą 0 funkcjonują zaś najlepiej, gdy ich tkanki mięśniowe mają odczyn kwaśny. Nie należy tego mylić z kwasowo-zasadową reakcją, która zachodzi w żołądku. W tym przypadku niektóre fasole są korzystnym wyjątkiem. One właśnie sprzyjają wzmocnieniu przewodu pokarmowego i przyczyniają się do leczenia owrzodzenia – problemu ludzi z krwią grupy 0, mających wysokie stężenie kwasu żołądkowego. Należy jeść fasole z umiarkowaniem, od czasu do czasu jako danie drugorzędne.

Wysoce wskazane

fasola aduke
fasola azuki
fasola pinto
groch „czarne oczko”

Obojętne

bób
ciecierzyca (*garbanzo*)
czarna fasola
fasola biała
fasola cannellini
fasola czerwona
fasola jicama
fasola fava

fasola limeńska (*lima*)
fasola northern
fasola pnąca
fasola sojowa czerwona
fasolka szparagowa
groch w strączkach
groszek zielony
zielona fasola

Unikać

fasoli copper
fasoli navy
fasoli nerkowatej (*kidney*)
fasoli tamaryndy
soczewicy amerykańskiej
soczewicy czerwonej
soczewicy zielonej

Przetwory zbożowe

Grupa krwi 0	tygodniowo: jeżeli twoje pochodzenie jest...		
Żywność	Ilość	afrykańskie	kaukaskie	azjatyckie
wszystkie zalecane przetwory	1 szklanka	2–3 x	2–3 x	2–4 x

Osoby z grupą krwi 0 w ogóle nie tolerują produktów pszenicznych, należy je więc całkowicie wyeliminować z diety. Zawierają one lektyny, które reagują zarówno z krwią, jak i przewodem pokarmowym, uniemożliwiając prawidłowe wchłanianie korzystnego pożywienia. Produkty pszeniczne są głównym sprawcą przybierania na wadze osób z grupą krwi 0. Gluten znajdujący się w zarodkach pszenicy utrudnia procesy metaboliczne. Słaby lub powolny metabolizm powoduje, że żywność przekształca się w energię wolniej i jest magazynowana w postaci tłuszczu.

Obojętne

amarant
gryka

orkisz
otręby ryżowe

jęczmień
kamut
kasza

pasta ryżowa
proso dmuchane
ryż dmuchany

Unikać

fariny
mąki z owsa
mąki kukurydzianej
otrębów z owsa
otrębów z pszenicy
owsianki

pasty z pszenicy
płatków familia
płatków kukurydzianych
płatków „siedem zbóż"
płatków *grape nuts*
pszenicy

Chleb i grzanki

Grupa krwi 0 Żywność	tygodniowo: jeżeli twoje pochodzenie jest...			
	Ilość	afrykańskie	kaukaskie	azjatyckie
chleb, krakersy	1 kromka	0–4 x	0–2 x	0–4 x
grzanki	1 grzanka	0–2 x	0–1 x	0–1 x

Chleb, grzanki czy bułki mogą być źródłem kłopotów dla osób z grupą krwi 0, ponieważ większość z nich zawiera pewną ilość pszenicy. Rezygnacja z porannej grzanki lub kanapki w ciągu dnia może być z początku trudna. Nawet chleb bez zawartości pszenicy, jeśli się go jada zbyt często, może być kłopotliwy dla grupy 0, która genetycznie nie jest przystosowana do konsumpcji ziarna. Dwa wyjątki to chleb esseński i Ezekiela. Te chleby z ziarna kiełkującego są przyswajane przez grupę 0, ponieważ lektyny glutenowe znajdujące się w łupinach ziaren są niszczone w procesie kiełkowania. W przeciwieństwie do komercyjnie produkowanych chlebów z ziarna kiełkującego, chleb Ezekiela i esseński są żywym pożywieniem, zawierającym wiele nietkniętych dobroczynnych enzymów.

Wysoce wskazane

chleb esseński
chleb Ezekiela

Obojętne

chleb bezglutenowy
chleb z brązowego ryżu
chleb z mąki sojowej
chleb orkiszowy
100% chleb żytni
ciasteczka ryżowe

chrupki fin
chrupki żytnie
chleb *ideal flat*
pieczywo wasa
pieczywo z prosa
pieczywo *rye vita*

Unikać

angielskich bułek
bułek z otrębami owsa
chleba z pszenicy
chleba wieloziarnistego
bułek kukurydzianych
obwarzanek

pieczywa z mąki durum
pieczywa z mąki pszennej
macowej
pieczywa z otrębów pszenicy
pieczywa pszennego
pumpernikla
wysokobiałkowego chleba

Ziarna i makarony

Grupa krwi 0	tygodniowo: jeżeli twoje pochodzenie jest...			
Żywność	Ilość	afrykańskie	kaukaskie	azjatyckie
ziarno	1 szklanka	0–3 x	0–3 x	0–3 x
makarony	1 szklanka	0–3 x	0–3 x	0–3 x

Nie ma ziaren i makaronów, które mogłyby być sklasyfikowane jako wysoce wskazane dla grupy 0. Większość makaronów produkowana jest z pszenicy grysikowej, więc musisz wybierać bardzo starannie, jeśli od czasu do czasu spożywasz potrawy z makaronu. Makarony robione z gryki, z karczocha jerozolimskiego lub mąki ryżowej są lepiej tolerowane przez ludzi z grupą krwi 0. Ale to pożywienie nie jest podstawą twojej diety i powinno być ograniczone na korzyść lepszych dla ciebie pokarmów zwierzęcych i rybnych.

Obojętne

dziki ryż
gryka
kasza

mąka żytnia
makaron z karczocha
ryż *basmati*

mąka jęczmienna
mąka orkiszowa
mąka ryżowa

ryż biały
ryż brązowy
mąka *quinoa*

Unikać

białej mąki pszennej
makaronu grysikowego (semoliny)
makaronu *soba*
makaronu ze szpinaku
mąki *couscous*
mąki glutenowej

mąki grahama
mąki z owsa
mąki pszennej *bulgur*
mąki pszennej *durum*
wszystkich pszennych mąk

Warzywa

Grupa krwi 0	dziennie: niezależnie od pochodzenia	
Żywność	**Ilość**	
surowe	1 szklanka	3–5 x
gotowane lub duszone na parze	1 szklanka	3–5 x

Jest wiele warzyw wskazanych dla grupy 0, stanowiących ważny składnik diety. Ale nie możesz ich jeść bez ograniczeń, ponieważ niektóre z nich mogą powodować poważne problemy. Na przykład kapusta, brukselka, kalafior i gorczyca niekorzystnie wpływają na funkcjonowanie tarczycy, która jest już i tak nieco słabsza u grup 0. Zielonoliściaste warzywa bogate w witaminę K, takie jak: *kale, collard greens**, sałata rzymska, brokuły i szpinak są bardzo dobre dla grupy 0. Ta witamina wspomaga krzepnięcie krwi. Grupie 0, jak już wspomniano, brakuje kilku czynników krzepliwości i dlatego osoby z tą grupą krwi potrzebują witaminy K do wspomagania tego procesu.

Kiełki lucerny *(alfalfa)* zawierają składniki, które drażniąc przewód pokarmowy mogą pogłębiać problemy związane z nadwrażliwością u grup 0. Pleśń zawarta w pieczarkach i grzybach shiitake, jak również sfermentowanych oliwkach powoduje reakcje alergiczne u osób z grupą krwi 0, dlatego należy je odrzucić.

Rośliny psiankowate, takie jak bakłażan i ziemniaki, powodują stany artretyczne u osób z grupą krwi 0, ponieważ ich lektyny odkładają się w tkance otaczającej stawy.

* Gatunki uprawianej w USA bezgłowej kapusty warzywnej (*Brassica oleracea acephala*). Podobne do nich są kapusta włoska i jarmuż.

Lektyny kukurydzy zakłócają produkcję insuliny, często prowadząc do cukrzycy i otyłości. Wszyscy z grupą krwi 0 powinni unikać kukurydzy, szczególnie jeśli mają problemy z wagą lub mieli w rodzinie chorego na cukrzycę.

Pomidory są warzywem szczególnym, gdyż zawierają silne lektyny zwane panhemaglutyniną, szkodliwe dla osób z grupą krwi A i B. W organizmach grupy 0 stają się neutralne.

Wysoce wskazane

boćwina (burak liściowy)
brokuły
cebula czerwona
cebula hiszpańska
cebula żółta
chrzan
cykoria
czerwona papryka
czosnek
dynia
eskarola
glony morskie

kalarepa
karczoch amerykański
karczoch jerozolimski
ketmia (*okra*)
mniszek lekarski
pasternak
pietruszka
por
rzepa
sałata rzymska
słodkie ziemniaki
szpinak

Obojętne

arugula
brukiew
buraki czerwone
cebula dymka
cebula szalotka
cebula zielona
cukinia
endywia
fasolka limeńska (*lima*)
fenkuł
groch cukrowy
grzyby abalone
grzyby enoki
grzyby portobello
grzyby *tree oyster*
imbir
jamy (ignamy)
japońska rzodkiew (*daikon*)
kapusta pekińska

marchew
ogórek
oliwki zielone
orzech wodny (kotewka)
pędy bambusa
papryka jalapeno
papryka zielona
papryka żółta
pomidor
radicchio
rappini
rukiew wodna
rzodkiewki
sałata bibb
sałata boston
sałata iceberg (lodowa)
sałata *mesclun*
seler
szparagi

kiełki mung
kiełki rzodkiewki
kminek
kolendra
koper

tempeh
tofu
trybuła ogrodowa
wszystkie dyniowate

Unikać

awokado
bakłażana
białej kapusty
białej kukurydzy
białych ziemniaków
brukselki
chińskiej kapusty
czarnych oliwek
czerwonej kapusty

czerwonych ziemniaków
gorczycy zielonej
grzybów shiitake
kalafiora
kiełków lucerny (*alfalfa*)
oliwek greckich
oliwek hiszpańskich
pieczarek
żółtej kukurydzy

Owoce

Grupa krwi 0	dziennie: niezależnie od pochodzenia	
Żywność	**Ilość**	
wszystkie zalecane owoce	1 owoc lub 80–140 dag	3–4 x

Owoce są nie tylko ważnym źródłem błonnika, witamin i minerałów, ale mogą też być wspaniałym zamiennikiem dla chleba i makaronu dla grupy 0. Zjedzenie owocu zamiast kromki chleba powoduje, że twój organizm lepiej funkcjonuje i skuteczniej kontroluje wagę.

Może cię zaskoczyć, że wiele z twoich ulubionych owoców znajduje się na liście produktów, których należy unikać, a jednocześnie napotkasz wiele wskazanych owoców, których wybór wyda ci się dziwny.

Powodem, że śliwki, śliwki suszone i figi są korzystne dla twojego typu krwi jest to, że większość ciemnoczerwonych, niebieskich i purpurowych owoców wywołuje zasadowe, a nie kwasowe reakcje w przewodzie pokarmowym. Charakteryzuje się on wysoką kwasowością i potrzebuje zrównoważenia zasadą w celu przeciwdziałania powstaniu owrzodzenia i podrażnień wyściółki żołądka. Nie wszystkie owoce zasadowe są dobre. Melony są również zasadowe, ale zawierają zarodniki pleśni, na które – jak udowodniono – grupy 0 są wrażliwe. Większość melonów powinna być jedzona z umiarkowaniem, natomiast należałoby całkowicie unikać melonów kantalupy i miodunki, które zawierają najwięcej zarodników pleśni.

Pomarańcze, mandarynki i truskawki powinny być unikane z powodu ich dużej kwasowej zawartości. Grejpfrut również posiada sporą zawartość kwasów, ale możesz go jeść z umiarkowaniem, ponieważ wykazuje właściwości alkaliczne po strawieniu. Większość jagód nie wpływa niekorzystnie na twój organizm, ale trzymaj się z dala od jeżyn, które zawierają lektyny pogarszające trawienie grupy 0. Grupy 0 wykazują nadzwyczajną wrażliwość na orzechy kokosowe i produkty im pochodne. Stroń od nich i zawsze sprawdzaj skład produktów, aby mieć pewność, że nie zawierają one oleju kokosowego. Ten olej zawiera wysoko nasycone tłuszcze i przynosi małe korzyści odżywcze.

Wysoce wskazane

figi suszone	śliwki czerwone
figi świeże	śliwki suszone
śliwki ciemne	śliwki zielone

Obojętne

agrest	kumkwat
ananas	limona
arbuz	maliny
banan	malinojeżyna
borówka amerykańska	mango
brzoskwinia	melon canang
czarna porzeczka	melon casaba
czarne winogrona	melon christmas
czerwona porzeczka	melon crenshaw
czerwone winogrona	melon hiszpański
cytryna	melon musk
daktyle czerwone	morela
granat	nektarynka
grejpfrut	opuncja
gruszka	papaja
guava	persymona
jabłko	rodzynki
jagody bzu czarnego	winogrona concord
karambola	wiśnie
kiwi	zielone winogrona
	żurawina

Unikać

jeżyny
mandarynki
melona kantalupy
melona miodunki
orzechów kokosowych

plantanów
pomarańczy
rabarbaru
truskawek

Soki i napoje

Grupa krwi 0	dziennie: niezależnie od pochodzenia	
Żywność	Ilość	
wszystkie zalecane soki	240 g	2–3 x
woda	240 g	4–7 x

Dla osób z grupą krwi 0 soki warzywne są lepsze niż owocowe. Jeżeli decydujesz się na owocowe, wybieraj niskosłodzone. Unikaj wysokosłodzonych soków takich jak jabłkowy lub napój jabłkowy (*cider*).

Sok ananasowy jest wskazany, gdyż likwiduje wzdęcia i nie sprzyja zatrzymywaniu płynów w organizmie, które to czynniki przyczyniają się do wzrostu wagi. Ciemna wiśnia jest również wskazanym sokiem, wysokozasadowym.

Wysoce wskazane

sok ananasowy
sok z ciemnej wiśni
sok z suszonej śliwki

Obojętne

sok grejpfrutowy
sok morelowy
sok marchwiowy
sok ogórkowy
sok z papai

sok pomidorowy
sok selerowy
sok winogronowy
soki warzywne (z zalecanych warzyw)
sok żurawinowy

Unikać

soków jabłkowych
napojów jabłkowych

soku z kapusty
napojów i soków pomarańczowych

Przyprawy

Właściwe przyprawy mogą poprawić funkcjonowanie przewodu pokarmowego i układu immunologicznego. Na przykład przyprawy oparte na glonach morskich są bardzo wskazane dla osób z grupą krwi 0, ponieważ są bogatym źródłem jodu, kluczem do regulacji funkcjonowania gruczołu tarczycy. Sól jodowana jest innym dobrym źródłem jodu, ale używaj jej z umiarem.

Kelp przeciwdziała nadkwaśności przewodu pokarmowego grupy 0, redukując zagrożenie wrzodami. Obfitość fukozy w glonach chroni śluzówkę żołądka, uniemożliwiając przyleganie bakteriom powodującym wrzody. Glony są także bardzo skuteczne jako regulator metabolizmu, sprzyjają więc utracie wagi.

Pietruszka ma właściwości łagodzące w przewodzie pokarmowym, podobnie jak niektóre rozgrzewające korzenie, np. curry i pieprz cayenne. Zważ jednak, że biały i czarny pieprz oraz ocet są środkami podrażniającymi żołądek u grupy 0.

Miód i cukier nie są szkodliwe, podobnie jak i czekolada. Produkty te winny być spożywane jednak okazjonalnie. Unikaj syropu kukurydzianego jako środka słodzącego.

Wysoce wskazane

chleb świętojański
curry
kelp
kurkuma (ostryż)

pieprz cayenne
pietruszka
rodymenia

Obojętne

agar
anyżek
bazylia
bergamotka
chrzan
cukier biały
cukier brązowy
cząber

mięta pieprzowa
mięta zielona
miód
miso
papryka
pieprz ziarnisty
pieprz czerwony
rozmaryn lekarski

czekolada
czosnek
esencja migdałowa
estragon
gorczyca suszona
goździki
kardamon
kielichowiec wonny
kmin rzymski
kolendra
koper
liść laurowy
majeranek
mączka z bulw maranty
(*arrowroot*)
melasa
mięta

słód jęczmienny
sos sojowy
sól
syrop z brązowego ryżu
syrop klonowy
syrop ryżowy
szafran
szałwia lekarska
szczypiorek
tamari
tamarynda
tapioka
trybuła ogrodowa
tymianek
wintergreen (golteria rozesłana)
żelatyna

Unikać

cynamonu
gałki muszkatołowej
kaparów
octu balsamicznego
octu białego
octu z jabłek

octu winnego czerwonego
pieprzu białego
pieprzu czarnego mielonego
skrobi kukurydzianej
syropu kukurydzianego
wanilii

Inne dodatki

W tej grupie przypraw nie ma wysoce wskazanych. Jeśli już koniecznie chcesz używać musztardy, majonezu lub innych przypraw do sałatek, rób to z umiarem i wybieraj te o niskiej zawartości tłuszczu i cukru.

Chociaż osoby z grupą krwi 0 mogą spożywać od czasu do czasu pomidory, powinni wystrzegać się ketchupu, który zawiera m.in. takie szkodliwe składniki jak ocet.

Wszystkie marynaty są niestrawne. Niektóre mogą powodować podrażnienia śluzówki żołądka. Moje zalecenie jest takie, że powinieneś spróbować odstawić te produkty lub zastąpić je zdrowszymi, takimi jak olej z oliwek, sok cytrynowy i czosnek.

Obojętne

dżem (z zalecanych owoców)
galaretka (z zalecanych owoców)
mus jabłkowy
musztarda

sosy do sałatek (dressingi)
o niskiej zawartości tłuszczu
ze wskazanych składników
sos Worcestershire

Unikać

ketchupu
marynowanego kopru
marynat koszernych

marynat kwaśnych
marynat słodkich
przypraw smakowych (relish)

Herbatki ziołowe

Zalecenia odnośnie herbatek ziołowych oparte są na ogólnym zrozumieniu przyczyn powstawania chorób u osób z grupą krwi 0. Myśl o herbatkach ziołowych jako sposobie wzmocnienia swoich słabych punktów, np. układów pokarmowego i odpornościowego. Zioła takie jak mięta pieprzowa, pietruszka, owoce dzikiej róży i sarsaparilla mają takie działanie. Ale niektóre zioła, np. lucerna (alfalfa), aloes, łopian, znamiona kukurydzy, za bardzo stymulują układ odpornościowy i powodują rozcieńczenie krwi, co jest problemem dla grupy 0.

Wysoce wskazane

cayenne
chmiel
gwiazdnica pospolita
imbir
kozieradka pospolita
lipa
mięta pieprzowa

mniszek
morwa
owoce dzikiej róży
pietruszka
sarsaparilla
śliski (czerwony) wiąz

Obojętne

bez czarny (aptekarski)
brzoza brodawkowata
dong quai
dziewanna
kora białego dębu

mięta zielona
rumianek
szałwia
szanta
tymianek

głóg
kocimiętka
korzeń lukrecji
krwawnik pospolity
liście malin

waleriana (kozłek lekarski)
werbena pospolita
zielona herbata
żeńszeń

Unikać

aloesu
czerwonej koniczyny
dziurawca
echinacei
gorzknika kanadyjskiego
goryczki
liści truskawki

lucerny (*alfalfa*)
łopianu
podbiału
rabarbaru
senesu
szczawiu
tasznika pospolitego
znamion kukurydzy

Używki

Jest niewiele napojów i używek akceptowanych przez grupę 0. Piwo jest dozwolone w umiarkowanych ilościach, ale nie jest wskazane w sytuacji, gdy próbujesz zrzucić nadwagę. Zezwala się na niewielkie ilości wina, ale nie codziennie. Można pić zieloną herbatę jako substytut innych produktów zawierających kofeinę, ale nie ma ona jakiś specjalnych właściwości leczniczych dla grupy 0. Problem, który stwarza kawa, polega na tym, że powoduje zwiększenie poziomu kwasu żołądkowego, którego osoby z grupą krwi 0 mają wystarczająco dużo. Jeżeli jesteś amatorem kawy, może mógłbyś stopniowo ją ograniczać. Twoim ostatecznym celem powinno być zupełne jej wyeliminowanie. Typowe symptomy towarzyszące zaprzestaniu picia kawy, takie jak bóle głowy, zmęczenie i rozdrażnienie, nie wystąpią, jeśli będziesz to robić stopniowo. Zielona herbata jest dobrą alternatywą kofeiny.

Wysoce wskazane

woda seltzera

Obojętne

piwo
wino czerwone

wino białe
zielona herbata

Unikać

coca-coli
czarnej herbaty bezkofeinowej
czarnej herbaty regularnej
kawy bezkofeinowej

kawy regularnej
alkoholi destylowanych
napojów gazowanych

Planowanie posiłków dla osób z grupą krwi 0

Poniższe przykładowe menu i przepisy powinny dostarczyć podstawowych rad o typowej, zalecanej diecie dla osób z grupą krwi 0. Została ona opracowana przez dr Dinę Khader, dietetyka z powodzeniem stosującego diety dla poszczególnych grup krwi wśród swoich pacjentów. Dania są niskokaloryczne i zbilansowane dla prawidłowego metabolizmu grup 0. Osoba stosująca się do zaleceń będzie mogła utrzymać wagę bez najmniejszego problemu, a nawet stracić trochę kilogramów. Wybór alternatywnego pożywienia zalecany jest wówczas, gdy preferujesz lekkostrawne jedzenie lub jeśli pragnąłbyś ograniczyć spożycie kalorii przy jednoczesnym zachowaniu diety zrównoważonej i sprawiającej ci satysfakcję.

Czasami możesz spotkać składnik w przepisach, który znajduje się na liście do unikania. Są to małe ilości (np. szczypta pieprzu), tak że nie powinny ci zaszkodzić, zwłaszcza gdy ściśle przestrzegasz diety. Wybór potraw i podane przepisy są opracowane tak, by dobrze służyły grupie krwi 0. Kiedy bardziej oswoisz się z zaleceniami dla diety grupy 0, będziesz w stanie łatwo opracować własny jadłospis i przyrządzać swoje ulubione przepisy tak, aby uczynić je przyjaznymi dla grupy 0.

Przykładowe dzienne menu nr 1

MENU STANDARDOWE

MENU ALTERNATYWNE

Śniadanie

2 tosty z chleba Ezekiela
z masłem lub masłem migdałowym

1 tost z chleba Ezekiela
z dżemem naturalnym
niskosłodzonym

18 dag soku warzywnego
banan
herbata zielona lub ziołowa

Lunch

18 dag pieczeń wołowa*

sałatka ze szpinaku*
jabłko lub plasterki ananasa
woda lub woda seltzera

6 dag lub 12 dag pieczeń
wołowa

Podwieczorek

1 kawałek ciasta quinoa*
z sosem jabłkowym
zielona lub ziołowa herbata

tarta marchewka z selerem
tarte owoce
wafle ryżowe z odrobiną
miodu

Kolacja

potrawka jagnięco-szparagowa*
duszone na parze brokuły
słodkie ziemniaki
mieszanka owocowa ze świeżych
owoców: borówki, kiwi,
winogrona, brzoskwinie
woda seltzera lub herbata ziołowa
(piwo lub wino dozwolone)

duszony karczoch z sokiem
cytrynowym

unikać piwa i wina

*Przepisy od str. 80.

Przykładowe dzienne menu nr 2

MENU STANDARDOWE

MENU ALERNATYWNE

Śniadanie

2 kromki chleba esseńskiego
lub Ezekiela ze słodkim
masłem lub dżemem
bądź musem jabłkowym
2 jajka w koszulkach
18 dag soku ananasowego
zielona lub ziołowa herbata

1 kromka z musem
jabłkowym
1 jajko w koszulce

Lunch

sałatka z kurczaka: siekane
piersi kurczaka z majonezem,
zielonymi winogronami i orzechami
włoskimi
1 kromka chleba żytniego
lub zielona sałata
śliwki
woda lub woda seltzera

gotowany kurczak z
cykorią i pomidorami
sałata

Podwieczorek

pestki dyni i orzech włoski
lub wafle ryżowe z masłem
migdałowym
bądź figi, daktyle i suszone śliwki
woda, woda seltzera lub herbata ziołowa

18 dag soku warzywnego
2 Fin Crisp lub wafle
ryżowe z naturalną galaretką

Kolacja

ryba pieczona po arabsku*
sałatki z fasolki szparagowej*
zielona lub ziołowa herbata
(dozwolone jest piwo lub wino,
ale nie codziennie)

pieczona ryba*
unikaj piwa lub wina

Przykładowe dzienne menu nr 3

MENU STANDARDOWE

MENU ALERNATYWNE

Śniadanie

granola klonowo-orzechowa*
z mlekiem sojowym
1 jajko w koszulce
24 dag soku ananasowego lub
z suszonych śliwek
zielona lub ziołowa herbata

ryż dmuchany z mlekiem
sojowym

Lunch

kotlet mielony z chudej
wołowiny (12–18 dag)

kotlet z mielonej
chudej wołowiny (12 dag)

2 kromki chleba esseńskiego
sałatka z sałaty rzymskiej, czerwonej
cebuli, marchwi i ogórka, przyprawiona
oliwą z oliwek bądź sokiem cytrynowym
woda lub herbatka ziołowa

Podwieczorek

ciasteczka z wiórkami z chleba   mieszanka owocowa
świętojańskiego*
zielona lub ziołowa herbata

Kolacja

kifta* z warzywami z grila
ryż brązowy z odrobiną masła   sałatka z cykorii
herbata ziołowa
(piwo lub wino dozwolone)   unikać piwa i wina

Przepisy

PIECZEŃ WOŁOWA

ok. 1,5 kg wołowiny
sól, pieprz do smaku
6 ząbków czosnku
oliwa z oliwek extra virgin
liść laurowy

Usuń z mięsa kawałki tłuszczu i ułóż wołowinę w rondlu. Przypraw i natnij mięso, dodaj posiekany czosnek i liść laurowy. Nasmaruj oliwą z oliwek.

Włóż otwarty rondel do piekarnika rozgrzanego do temperatury 180°C na 90 minut lub dopóki mięso nie będzie miękkie.

Porcja na 6 osób.

CIASTO QUINOA Z SOSEM JABŁKOWYM

1 i 3/4 szklanki mąki quinoa
1 szklanka rodzynek lub innych (dozwolonych) suszonych owoców

1/2 szklanki łuskanych pekanów
1/2 łyżeczki sody do pieczenia
1/2 łyżeczki proszku do pieczenia
1/2 łyżeczki soli
1/2 łyżeczki mielonych goździków
1/2 szklanki niesolonego masła lub 1/2 szklanki oleju canola
1 szklanka cukru lub syropu klonowego
1 duże jajko
2 szklanki niesłodzonego sosu jabłkowego

Rozgrzej piekarnik do temperatury 180°C. Dodaj do 1/4 szklanki mąki rodzynki oraz orzechy i odstaw. Wymieszaj sodę do pieczenia, proszek do pieczenia, sól i mielone goździki z pozostałą mąką. Oddzielnie połącz masło lub olej z cukrem i jajkiem. Wymieszaj wszystkie składniki i na końcu dodaj owoce i orzechy. Przełóż wszystko do wysmarowanej olejem brytfanny (24 cm x 24 cm) i włóż do piekarnika na 40–45 minut.

POTRAWKA JAGNIĘCO-SZPARAGOWA

0,5 kg świeżych szparagów
25 dag pokrojonego w kostkę mięsa jagnięcego
1 średnia cebula, siekana
3 łyżki stołowe niesolonego masła
1 szklanka wody
sól, pieprz, sok z jednej cytryny

Potnij szparagi na 5 cm kawałki, usuwając końcówki. Umyj i odsącz. Mięso i cebulę podsmaż na maśle do momentu aż będzie jasnobrązowe. Dodaj wodę, sól i przyprawy. Gotuj do czasu aż mięso będzie miękkie. Dodaj szparagi. Gotuj na wolnym ogniu przez 15 minut lub do chwili, kiedy będą miękkie. Na koniec polej sokiem z cytryny.
Porcja na 2 osoby.

SAŁATKA ZE SZPINAKU

2 pęczki świeżego szpinaku
1 cebula dymka
sok z jednej cytryny
1/4 łyżki stołowej oliwy z oliwek
sól i pieprz do smaku

Umyj dokładnie szpinak. Posyp solą. Po paru minutach wyciśnij nadmiar wody. Dodaj posiekaną dymkę, sok z cytryny, olej, pieprz. Spożywać zaraz po przyrządzeniu.

Porcja na 6 osób.

RYBA PIECZONA PO ARABSKU

1 duży halibut lub sieja (120–160 dag)
sól i pieprz do smaku
1/4 szklanki soku cytrynowego
2 łyżki stołowe oliwy z oliwek
2 duże cebule, posiekane i przyprawione oliwą z oliwek
2 do 2 i 1/2 filiżanki sosu tahini (zobacz poniżej)

Rozgrzej piekarnik do 210°C. Umyj rybę i dokładnie osusz. Posyp solą i polej sokiem cytrynowym. Pozostaw w zalewie na 30 minut. Odsącz rybę, wysmaruj oliwą i ułóż na rondlu. Wstaw do piekarnika na 30 minut.

Następnie posyp posiekaną cebulą przyprawioną oliwą z oliwek. Dodaj sól oraz pieprz i piecz w piekarniku do czasu, kiedy ryba będzie krucha (ok. 30–40 minut).

Podawaj rybę na talerzu przystrojoną pietruszką i plasterkami cytryny.

Porcja na 6 do 8 osób.

SOS TAHINI

1 szklanka tahini
sok z 3 cytryn
2 ząbki posiekanego czosnku
2 do 3 łyżeczek soli
1/4 suszonej lub świeżej natki pietruszki
woda

W miseczce wymieszaj tahini z sokiem cytrynowym, czosnkiem, solą i posiekaną natką pietruszki. Dodaj tyle wody, aby uzyskać gęstą konsystencję.

PIECZONA RYBA

1 duża sieja (100–120 dag) lub inna zalecana ryba
sok cytrynowy lub sól do smaku
1/4 szklanki oleju
1 łyżeczka pieprzu cayenne
1 łyżeczka kminu rzymskiego (gdy chcesz)

Rozgrzej piekarnik do 180°C. Umyj rybę. Posyp solą i polej sokiem cytrynowym. Pozostaw w zalewie na 30 minut. Odsącz.

Obtocz rybę w oleju i przyprawach i ułóż na rondlu. Aby zabezpieczyć rybę przed wysuszeniem, owiń ją w folię aluminiową. Piecz przez 30 do 40 minut, lub dopóki ryba nie będzie krucha.

Porcja na 4 do 5 osób.

Z NADZIENIEM (DO WYBORU)

1/3 szklanki pinioli lub pokruszonych migdałów
2 łyżki niesłonego masła
1 szklanka posiekanej pietruszki
3 ząbki czosnku
sól i przyprawy do smaku

Podsmaż orzechy na maśle aż nabiorą koloru jasnobrązowego. Dodaj pietruszkę, przyprawy i smaż przez 1 minutę. Nadziej surową rybę przyrządzonym nadzieniem.

GRANOLA KLONOWO-ORZECHOWA

4 szklanki owsa
1 szklanka otrębów ryżowych
1 szklanka nasion sezamu
1/2 szklanki suszonych żurawin
1/2 szklanki suszonych porzeczek
1 szklanka łuskanych orzechów włoskich
1/4 szklanki oleju canola
1/2 szklanki syropu klonowego
1/4 szklanki miodu
1 łyżeczka ekstraktu z wanilii

Rozgrzej piekarnik do 180°C. W dużej misce połącz owies, otręby ryżowe, nasiona sezamu, suszone owoce, orzechy i wanilię. Dodaj olej i wymieszaj.

Dolej syropu klonowego oraz miodu i dobrze wymieszaj do osiągnięcia kleistej konsystencji. Przelej miksturę do nasmarowanej brytfanny i wstaw na 90 minut do piekarnika, co 15 minut mieszaj aż mikstura przybierze kolor brązowy. Studź stopniowo.

SAŁATKA Z FASOLKI SZPARAGOWEJ

45 dag zielonej fasolki szparagowej
sok z jednej cytryny
3 łyżki stołowe oliwy z oliwek
2 ząbki czosnku, posiekane
2 do 3 łyżeczek soli

Umyj dokładnie fasolkę i usuń końcówki. Potnij na 5 cm kawałki. Gotuj w wodzie aż będą kruche. Osusz. Po ostygnięciu ułóż w salaterce. Przypraw do smaku sokiem z cytryny, oliwą z oliwek, czosnkiem i solą.
Porcja na 4 osoby.

CIASTECZKA Z WIÓRKAMI Z CHLEBA ŚWIĘTOJAŃSKIEGO

1/2 szklanki oleju canola
1/2 szklanki syropu klonowego
1 łyżeczka ekstraktu z wanilii
1 jajko
1 i 3/4 szklanki owsa lub mąki z brązowego ryżu
1 łyżeczka sody do pieczenia
1/2 szklanki wiórków z chleba świętojańskiego (niesłodzone)
szczypta kielichowca wonnego (gdy chcesz)

Nasmaruj olejem dwie brytfanny do pieczenia i rozgrzej piekarnik do temperatury 190°C. W średniej wielkości misce połącz olej, syrop klonowy i wanilię. Roztrzep jajko i dodaj je do mieszanki. Stopniowo dodawaj mąkę i sodę do pieczenia, aż do momentu osiągnięcia gęstej konsystencji. Zagnieć w cieście wiórki z chleba świętojańskiego i nakładaj łyżką na wysmarowaną blachę. Wstaw do piekarnika na 10 do 15 minut, dopóki ciasteczka nie zrobią się lekko brązowe. Wyjmij z piekarnika i ostudź.
Porcja na 3 lub 4 osoby.

KIFTA

1 kg mielonej jagnięciny
1 duża cebula, siekana
2 lub 2,5 łyżeczki soli
1,5 łyżeczki pieprzu i kielichowca wonnego
1 szklanka pietruszki, siekanej
1/2 szklanki soku cytrynowego

Wymieszaj wszystkie składniki w mikserze bez pietruszki i soku cytrynowego.

Na rożnie: układaj porcje mięsa z przyprawami na szpikulec i opiekaj.

W piekarniku: uformuj zrazy z mięsa. Włóż je do rondla, a następnie wstaw do rozgrzanego piekarnika (około 260°C). Piecz aż uzyskają barwę brązową po obu stronach.

Podawaj gorące posypane pietruszką i polane sokiem z cytryny.

Poradnik dodatków uzupełniających dla osób z grupą krwi 0

Rolą dodatków (witamin, minerałów lub ziół) jest uzupełnienie diety o brakujące wartości odżywcze i zapewnienie dodatkowej ochrony w razie potrzeby. Celem stosowania dodatków uzupełniających dla osób z grupą krwi 0 jest:

- przyspieszenie metabolizmu
- poprawę krzepliwości krwi
- zapobieganie stanom zapalnym
- ustabilizowanie funkcji tarczycy

Poniższe zalecenia mają pomóc w osiągnięciu powyższych celów, ale również ostrzegać przed stosowaniem dodatków szkodliwych, a nawet niebezpiecznych dla osób z grupą krwi 0. Wiele witamin i minerałów występuje tak obficie w pożywieniu grup 0, że w zasadzie na ogół nie jest konieczne ich uzupełnianie. Dotyczy to także witaminy C i żelaza, chociaż nie zaszkodzi, jeśli każdego dnia przyjmiesz 500 mg suplementu witaminy C. Uzupełnianie witaminy D nie jest konieczne. Wiele potraw jest naszpikowane witaminą D, a najlepszym jej źródłem jest naturalne światło słoneczne.

Witamina B

Mój ojciec odkrył, że osoby z grupą krwi 0 dobrze reagują na wysokie dawki witaminy B complex, a to dlatego, że mają skłonności do powolnego metabolizmu (spadek po przodkach, którzy oszczędzali energię podczas okresów, gdy żywność nie była łatwo dostępna). Obecnie ludzie żyją w zupełnie odmiennych warunkach i nie potrzebują tego efektu zachowawczego. Został on jednak zakodowany w pamięci ich grupy krwi. Witamina B complex może powodować znaczne przyspieszenie procesu metabolicznego.

Grupy 0 przy stosowaniu właściwej diety prawie nigdy nie potrzebują dodatkowego uzupełnienia witaminy B_{12} lub kwasu foliowego. Ja jednak mogę pochwalić się skuteczenie wyleczeniem depresji, nadczynności i zaburzeń upośledzenia uwagi (z ang. ADD) u wielu osób z grupą krwi 0 przez zaaplikowanie dużych dawek kwasu foliowego i witaminy B_{12} w połączeniu z dietą i programem ćwiczeń. Te witaminy są odpowiedzialne za rozwój DNA.

Jeśli chcesz stosować witaminę B complex, musisz mieć pewność, że jest ona wolna od szkodliwych wypełniaczy i czynników wiążących. Niewłaściwy środek wiążący i złe sprasowanie może czynić tabletkę trudną do wchłonięcia przez twój organizm. Unikaj także tabletek zawierających drożdże lub zarodki pszenicy.

Zalecane pożywienie dla osób z grupą krwi 0 bogate w witaminę B:

mięso	orzechy
wątroba, nerki	zalecane ciemnozielone warzywa liściaste
* jaja	owoce
	ryby

* w umiarkowanej ilości.

Witamina K

Ludzie z grupą krwi 0 mają niższe poziomy kilku czynników odpowiedzialnych za krzepliwość krwi, co prowadzi do zaburzeń związanych z krwawieniem. Zawsze miej pewność, że w twojej diecie obficie występuje witamina K. Ponieważ nie jest ona ogólnie zalecana jako dodatek uzupełniający, wybieraj te rodzaje żywności, które są bogate w ten zasadniczy składnik odżywczy dla osób z grupą krwi 0.

Zalecane pożywienie dla osób z grupą krwi 0 bogate w witaminę K:
wątroba
żółtka jaj
warzywa o zielonych liściach – *kale*, szpinak, boćwina (burak liściowy)

Wapń

Osoby z grupą krwi 0 powinny ciągle uzupełniać dietę o wapń, ponieważ produkty mleczne, najlepsze naturalne źródło wapnia, nie są dla nich wskazane. Przy tendencji do chronicznych zapaleń stawów i artretyzmu, potrzeba stałego uzupełniania wapnia staje się oczywista.

Uzupełnianie wapnia w dużych dawkach (600–1100 mg) jest prawdopodobnie pożądane dla wszystkich osób z grupą krwi 0, a szczególnie zalecane dla dzieci i młodzieży w okresie wzrostu (od dwóch do pięciu i od dziewięciu do szesnastu lat) oraz kobiet po menopauzie. Chociaż nie związane z mlekiem źródła wapnia nie są tak korzystne, grupy 0 powinno używać ich jako podstawy diety.

Zalecane pożywienie dla osób z grupą krwi 0 bogate w wapń:
sardynki (bez ości)
łosoś w puszkach (bez ości)
brokuły
collard greens (rodzaj uprawianej w USA bezgłowej kapusty warzywnej)

Jod

Grupy 0 mają tendencję do nieustabilizowanego metabolizmu tarczycy, spowodowaną niedoborem jodu. Jest to przyczyną wiele efektów ubocznych, włącznie z przyrostem wagi, zatrzymywaniem płynów w organizmie i zmęczeniem. Jod jest jedynym minerałem produkującym hormon tarczycy. Jeśli stosujesz się do zaleceń diety dla osób z grupą krwi 0, to dodatkowe uzupełnianie jodu nie jest konieczne, gdyż wystarczająca jego ilość znajduje się w pożywieniu.

Zalecane pożywienie dla osób z grupą krwi 0 bogate w jod:
ryby morskie
kelp
sól jodowana (umiarkowanie)

Mangan (ostrożnie)

Dieta dla osób z grupą krwi 0 jest uboga w mangan, który znajduje się przede wszystkim w pełnym ziarnie pszenicy i roślinach strączkowych – produktach nie zalecanych dla tej grupy krwi. Generalnie nie jest to duży problem i stosowanie suplementu manganu jest rzadko zalecane. Jednakże w przypadkach chronicznych bólów stawów (szczególnie dolnej części pleców i kolan) u pacjentów z grupą krwi 0 pomocne jest krótkookresowe podawanie suplementu manganu. Pamiętaj jednak, aby nie stosować manganu bez konsultacji z lekarzem, gdyż przy nieprawidłowym stosowaniu może dojść do zatrucia.

Zioła i związki fitochemiczne zalecane dla osób z grupą krwi 0

Lukrecja (*glycyrrhiza glabra*). Typowy dla osób z grupą krwi 0 wysoki poziom kwasu żołądkowego może prowadzić do zaburzeń pracy żołądka i wrzodów. Preparat z lukrecji nazywany DGL (*deglicyrrhizinated licorice*) może łagodzić zaburzenia i pomóc w leczeniu. DGL jest szeroko dostępny w sklepach ze zdrową żywnością w postaci smacznego proszku lub pastylek. Inaczej niż większość lekarstw na wrzody, DGL rzeczywiście leczy wyściółkę żołądka oraz zabezpiecza ją przed działaniem kwasu żołądkowego. Unikaj innych preparatów lukrecji, ponieważ zawierają składnik roślinny (nie zawarty w DGL), który przyczynia się do wzrostu ciśnienia krwi.

Morszczyn (*fucus vesiculosus*). Morszczyn jest wspaniałą odżywką dla osób z grupą krwi 0. To zioło, a raczej glon morski, zawiera kilka interesujących składników włącznie z jodem i dużą ilością cukru fukozy. Jak już wspomniałem, fukoza jest podstawowym budulcem antygenu 0. Cukier ten zawarty w morszczynie pomaga chronić wyściółkę jelita u grup 0 – szczególnie przed powodującą wrzody bakterią *H. pylori.* Fukoza w morszczynie działa na *H. pylori* prawie tak samo, jak na pył oddziaływałby kawałek taśmy lepiącej. Zalepia po prostu kubki ssące bakterii uniemożliwiając im przyłączenie się do żołądka.

Odkryłem również, że morszczyn jest bardzo skuteczny w kontrolowaniu wagi osób z grupą krwi 0, szczególnie dla tych cierpiących na dysfunkcję tarczycy. Fukoza zawarta w morszczynie pomaga również w normalizacji tempa metabolizmu i powoduje utratę wagi (należy podkreślić, że chociaż morszczyn sprzyja utracie wagi u osób z grupą krwi 0, to nie ma podobnego działania na inne grupy krwi).

Enzymy trzustkowe. Jeśli masz grupę krwi 0 i nie jesteś przyzwyczajony do wysokoproteinowej diety, sugeruję ci zażywanie enzymu trzustki podczas spożywania obfitych posiłków przez jakiś czas lub co najmniej do czasu, gdy organizm nie dostosuje się do bardziej skoncentrowanych białek. Uzupełnienia w postaci enzymu trzustki są dostępne w wielu sklepach ze zdrową żywnością.

Unikaj

Witaminy A

Z uwagi na to, że twoja krew ma skłonności do powolnego krzepnięcia, nie zalecałbym stosowania suplementu w postaci witaminy A pochodzącej z oleju rybnego bez uprzedniej konsultacji z lekarzem. Ten dodatek uzupełniający może bardziej rozrzedzić krew. Zamiast tego powinieneś skorzystać w diecie z bogatych naturalnych źródeł witaminy A i beta-karotenu.

Żywność bogata w witaminę A wskazana dla osób z grupą krwi 0.
Żółte, pomarańczowe i szczególnie zalecane ciemnozielone warzywa liściaste.

Witamina E

Podobnie nie polecałbym suplementu witaminy E, która także może wpływać na spowolnienie krzepliwości krwi. Witaminę E przyswajaj ze swojej diety.

Żywność bogata w witaminę E wskazana dla osób z grupą krwi 0.
oleje warzywne
wątroba
orzechy
zalecane zielone liściaste warzywa

Stres a ćwiczenia

Zdolność do odwrócenia negatywnego efektu stresu ukryta jest w twojej krwi. Jak pisałem w rozdziale III, stres nie jest problemem samym w sobie, ale to, jak na niego reagujesz. Każda z grup krwi ma odrębny, genetycznie zaprogramowany instynkt przezwyciężania stresu.

Jeśli masz grupę krwi 0, to wyposażony jesteś w natychmiastową i fizyczną odpowiedź odziedziczoną po przodkach myśliwych; stres przechodzi bezpośrednio do mięśni. Grupa krwi 0 przenosi wzorzec odpowiedzi na alarm, który umożliwia gwałtowne wyzwolenie energii fizycznej. Kiedy napotykasz sytuację stesującą, twoje ciało przejmuje kontrolę. Nadnercze pompuje związki chemiczne do krwiobiegu. Jeżeli w tym czasie nastąpi fizyczne rozładowanie, jakikolwiek stres negatywny, którego doświadczasz, może zostać przetworzony na pozytywny.

Uważa się, że zdrowe osoby z grupą krwi 0 wyzwalają nagromadzone siły hormonalne w czasie intensywnych ćwiczeń fizycznych. Ich organizmy są dosłownie do nich stworzone. Ćwiczenia są szczególnie ważne dla zdrowia osób z grupą krwi 0, ponieważ uderzenie stresu ma charakter bezpośredni i fizyczny.

Regularny i intensywny program treningowy nie tylko podniesie cię na duchu, ale także umożliwi utrzymanie wagi, zapewni równowagę emocjonalną i zaufanie we własne siły. Grupy 0 reagują dobrze na ciężkie ćwiczenia – prawie każdego typu.

Osoby, które chcą schudnąć, muszą intensywnie ćwiczyć, ponieważ ćwiczenia siłowe powodują, że tkanka mięśniowa staje się bardziej kwaśna i przyspiesza się proces spalania tłuszczu. Kwaśna tkanka mięśniowa jest rezultatem ketozy, która, jak już wspominaliśmy, była kluczem do sukcesu przodków grupy 0. Ośmieliłbym się powiedzieć, że nie było na tej planecie nikogo z ludu Cro-Magnon z nadwagą.

Osoby z grupą krwi 0, które na stres nie odpowiedzą wysiłkiem fizycznym, są ostatecznie przez ten stres wyczerpane. To stadium charakteryzuje się różnorodnością objawów psychologicznych spowodowanych obniżonym tempem metabolizmu, takich jak depresje, zmęczenie i bezsenność. Jeżeli nie nastąpi zmiana, będziesz podatny na różnorodne stany zapalne i zaburzenia autoimmunologiczne, takie jak artretyzm i astma, a nawet stałe przybieranie na wadze prowadzące w końcu do otyłości.

Niżej podaję ćwiczenia najbardziej zalecane dla osób z grupą krwi 0. Zwracaj szczególną uwagę na czas ich trwania. Aby osiągnąć stały pożądany efekt metaboliczny, musisz zwiększyć częstotliwość uderzeń serca. Możesz dowolnie zmieniać te ćwiczenia, ale wykonuj jedne lub kilka z nich co najmniej cztery razy w tygodniu dla uzyskania najlepszych rezultatów.

Ćwiczenie	Czas	Częstotliwość
aerobic	40–60 min.	3–4 x w tygodniu
pływanie	30–45 min.	3–4 x w tygodniu
jogging	30 min.	3–4 x w tygodniu
trening siłowy	30 min.	3–4 x w tygodniu
bieg w marszu	30 min.	3–4 x w tygodniu
wchodzenie po schodach	20–30 min.	3–4 x w tygodniu
sporty wojenne	60 min.	3–4 x w tygodniu
sporty kontaktowe	60 min.	3–4 x w tygodniu
kalistenik	30–45 min.	3–4 x w tygodniu
jazda na rowerze	30 min.	3–4 x w tygodniu
szybki chód	30–40 min.	3–4 x w tygodniu
taniec	40–60 min.	3–4 x w tygodniu
jazda na łyżwo-wrotkach	30 min.	3–4 x w tygodniu

Przewodnik po ćwiczeniach dla osób z grupą krwi 0

Trzy składniki bardzo intensywnego programu ćwiczeń to: rozgrzewka, ćwiczenie właściwe i rozluźnienie. Rozgrzewka jest bardzo istotna, gdyż zapobiega powstaniu kontuzji, doprowadza krew do mięśni, przygotowując je w ten sposób do ćwiczeń, obojętne czy to jest spacer, bieg, jazda na rowerze, pływanie czy gry sportowe. Rozgrzewka powinna obejmować rozciąganie i ćwiczenia na elastyczność, aby zapobiec naderwaniu mięśni i ścięgien.

Ćwiczenia dzielą się na dwa zasadnicze rodzaje: ćwiczenia izometryczne, w których obciążane są mięśnie statyczne; i ćwiczenia izotoniczne (dynamiczne), takie jak kalistenik, bieganie lub pływanie, które wytwarzają napięcie mięśni w całym zakresie ich ruchu. Ćwiczenia izometryczne mogą zostać wykorzystane do wstępnego wzmocnienia określonych mięśni, które dalej mogą być wzmacnianie przez aktywne ćwiczenia izotoniczne. Ćwiczenia izometryczne mogą być wykonywane podczas pchania lub ciągnięcia unieruchomionych przedmiotów, a także przez kurczenie lub nacisk mięśni przeciwstawnych.

Aby osiągnąć maksimum korzyści z aerobiku dla układu sercowo-naczyniowego, musisz podnieść tempo uderzeń serca w przybliżeniu do 70% maksymalnego tempa. Jak tylko osiągniesz wzrost tempa uderzeń podczas ćwiczeń, kontynuuj je, aby utrzymać to tempo przez trzydzieści minut. Ten cykl powinien być powtarzany co najmniej trzy raz na tydzień.

Aby obliczyć maksymalne tempo uderzeń serca:

1. Odejmij swój wiek od 220.
2. Pomnóż różnicę przez 70%. Jeżeli masz więcej niż 70 lat lub jesteś w kiepskiej kondycji fizycznej, pomnóż pozostałość przez 60%.
3. Pomnóż pozostałość przez 50%. na przykład, zdrowa 50-letnia kobieta odjęłaby 50 od 220, otrzymując maksymalne tempo uderzeń 170. Mnożąc 170 przez 0.7 uzyskujemy 119 uderzeń na minutę, co jest górną wartością, do której powinna dążyć. Pomnożenie 170 przez 0.5 dałoby jej 85 uderzeń na minutę, najniższą liczbę uderzeń serca na minutę w jej przedziale wiekowym.

Aktywne i zdrowe osoby poniżej czterdziestu lat i osoby poniżej sześćdziesięciu, o zdrowym sercu, mogą wybrać swój własny program ćwiczeń spośród zalecanej listy.

Pamiętaj, najlepiej przezwyciężyć stres poprzez działanie, a szczególnie dla osób z grupą krwi 0 najlepszym antidotum na zmęczenie i depresję jest praca fizyczna. Wyobraź sobie swój metabolizm jako ogień. Zaczynasz rozpalanie ognia przez użycie małych kawałków drewna zwanych podpałką, a następnie stopniowo dodajesz coraz większe kawałki drewna, aż uzyskasz duży płomień. Jeżeli jesteś zbyt zmęczony, aby wyobrazić sobie wykonywanie aerobiku przez 45 minut lub godzinę, zacznij robić cokolwiek! Jeśli poczujesz się lepiej, zwiększ dawkę ćwiczeń. Ostatecznie, poziom twojego stresu zostanie zredukowany, nastrój ulegnie poprawie, a energia zregenerowana.

Kwestia osobowości

Każda osoba z grupą krwi 0 nosi w sobie pamięć genetyczną o sile, wytrzymałości, wierze we własne możliwości, śmiałości, intuicji i wrodzonym optymizmie. Początkowo osobnicy z grupą krwi 0 byli typowym przykładem umiejętności koncentracji, kierowania sobą i silnego poczucia instynktu samozachowawczego. A wiara we własne siły pozwoliła im przetrwać.

Jeśli masz grupę krwi 0, być może będziesz mógł docenić to dziedzictwo, ponieważ czynniki, które wpływają na twoje zdrowie, inspirując cię i naładowując energią, są bardzo podobne do tych, które wpływały na twoich przodków. Jesteś odporny i silny, napędzany przez wysokoproteinową dietę. Najlepiej reagujesz na ciężkie ćwiczenia fizyczne, a gdy jesteś ich pozbawiony, ulegasz depresji, przygnębieniu i tyjesz.

Być może odziedziczyłeś także dążność do uzyskiwania sukcesów i właściwości przywódcze charakterystyczne dla osób z grupą krwi 0: silnych, pewnych i potężnych, promieniujących dobrym zdrowiem i optymizmem.

Były prezydent Ronald Reagan, który posiada grupę krwi 0, odpowiada bardzo dobrze temu wzorcowi. Jego administracja charakteryzowała się pewnością, płynnością i niesłabnącym optymizmem. Nigdy nie czułeś, żeby Reagan cierpiał na brak zaufania do siebie. Parł do przodu na dobre czy złe. Był także ryzykantem, tak jak to jest często spotykane u osób posiadających tę grupę. Ludzie zwykli nazywać go „prezydentem teflonowym", ponieważ nigdy nie uginał się przed ryzykiem, które podejmował.

W rzeczywistości Reagan nie wykazywał (przynajmniej publicznie) ostrego, bezkompromisowego, prawie bezpardonowego stylu innych przywódców. Na przykład, nie jest dziwnym fakt, że niektórzy słynni mafiozi mieli grupę krwi 0. Jednym z nich był Al Capone, który był przykładem przywództwa doprowadzonego do ekstremum.

A mówiąc o ryzykantach, jeden z wielkich hazardzistów, Jimmy the Greek, miał grupę krwi 0. Podobnie jak były radziecki prezydent Michaił Gorbaczow – jeden z największych ryzykantów czasów współczesnych. Królowa Wielkiej Brytanii Elżbieta II posiada grupę krwi 0, tak jak jej syn Karol, książę Walii. Uważam również za intresujący fakt, że dynastia Windsor od dawna ma przypadki ludzi z zaburzeniami krwawienia. Możliwe, że chodzi tu właśnie o powiązania z grupą krwi 0.

5

Dieta dla grupy krwi A

Grupa A: Rolnik
- *pierwszy wegetarianin*
- *zbiera co zasiewa*
- *wrażliwy przewód pokarmowy*
- *tolerancyjny układ odpornościowy*
- *adaptuje się dobrze do warunków dietetycznych i środowiskowych związanych z osiadłym trybem życia*
- *najlepiej odpowiada na stres poprzez działania uspokajające*
- *wymaga diety rolniczej, aby być szczupłym i aktywnym*

Dieta dla osób z grupą krwi A

Grupa A rozkwita na dietach wegetariańskich – jest to spadek po przodkach-rolnikach prowadzących spokojny, osiadły tryb życia. Typowy osobnik z grupą krwi A może mieć poważne problemy ze zmianą przyzwyczajeń i przejściem z pożywienia mięsno-ziemniaczanego do białek sojowych, zbożowych i warzyw. Podobnie może mieć problem z eliminacją nadmiernie przerobionej i oczyszczonej żywności, ponieważ nasze cywilizowane diety w większości składają się z wygodnych toksyn w przyciągających uwagę ładnych opakowaniach. A dla grupy A jest szczególnie ważne, aby otrzymywać pożywienie w możliwie najbardziej naturalnej postaci: świeże, czyste i organiczne.

Nie ma żadnej przesady w akcentowaniu, jak bardzo może być trudne to dietetyczne dostosowanie się wrażliwych układów odpornościowych osób z grupą krwi A. Jak pisałem w rozdziale 9, grupa A jest biologicznie predysponowana do takich chorób jak choroby serca, rak i cukrzyca. Ale to nie musi być twoim przeznaczeniem. Jeżeli będziesz stosował tę dietę, to możesz wzmocnić układ odpornościowy i zapobiec rozwojowi tych chorób zagrażających życiu. Pozytywnym aspektem twojego genetycznego pochodzenia jest zdolność do zużytkowania najlepszego, co może dać nam natura. Wyzwaniem dla ciebie będzie dowiedzieć się tego, co twoja krew już wie.

Czynniki utraty wagi

Po zastosowaniu diety dla grupy A szybko schudniesz. Gdy przestaniesz jeść mięso, na początku możesz znacznie schudnąć, ponieważ wyeliminujsz z diety toksyczne dla ciebie produkty.

Jeśli chodzi o metabolizm grupa krwi A jest przeciwieństwem grupy krwi 0. Pożywienie pochodzenia zwierzęcego przyspiesza metabolizm u osób z grupą 0 i czyni go bardziej efektywnym, odwrotnie jest jednak u osób z grupą krwi A. Prawdopodobnie już zauważyłeś, że kiedy jesz czerwone mięso, czujesz się ociężały i mniej naładowany energią niż wówczas, gdy spożywasz proteiny warzywne. Niektóre osoby z grupą krwi A doświadczają zatrzymania płynów w organizmie, ponieważ ich przewód pokarmowy wolno przetwarza nieodpowiednie pożywienie. Grupy 0 spalają mięso jak paliwo; grupy A natomiast odkładają go w organizmie w postaci tłuszczu. Przyczyną tej różnicy jest kwas żołądkowy. Podczas gdy grupy 0 mają wysoki poziom kwasu żołądkowego, który sprzyja łatwemu trawieniu mięsa, grupy A zaś mają niski, spowodowany przystosowaniem się ich przodków do życia na diecie rolniczej. Nabiał również jest słabo trawiony przez osoby z grupą krwi A i prowokuje reakcje insulinowe – kolejny czynnik spowalniający metabolizm. Oprócz tego produkty mleczne zawierają wysoko nasycone tłuszcze, które upośledzają serce oraz prowadzą do otyłości i cukrzycy.

Pszenica jest czynnikiem o niejednoznacznym działaniu. Osoby z grupą krwi A mogą co prawda ją spożywać, ale nie powinni jej jeść zbyt wiele, gdyż wówczas ich tkanka mięśniowa ulegnie nadmiernemu zakwaszeniu. Grupy A nie mogą utylizować energii tak szybko, następuje więc zahamowanie metabolizmu. Inaczej niż u osób z grupą krwi 0, które rozkwitają na lekko kwaśnych tkankach. Ta szczególna reakcja na jedzenie jest dobrym przykładem, jak różne mogą być reakcje żywnościowe w zależności od grupy krwi. Pszenica jest zasadowa dla osób z grupą krwi 0 i kwasowa dla osób z grupą krwi A. Oprócz jedzenia zdrowych, niskotłuszczowych rodzajów pożywienia i uzupełniania diety warzywami i zbożami, grupy A powinny zwrócić szczególną uwagę na wszystkie rodzaje żywności z listy wysoce wskazanych ze względu na ich korzystne właściwości.

A oto skrócony przewodnik.

Żywność, która sprzyja nabieraniu wagi:

mięso	– słabo trawione, magazynowane w organizmie w postaci tkanki tłuszczowej; zwiększa ilość toksyn trawiennym;
nabiał	– zaburza metabolizm składników odżywczych; zwiększa produkcję wydzieliny śluzowej;
fasolka nerkowata (kidney)	– zaburza wydzielanie enzymów trawiennych, spowalnia metabolizm;
fasolka limeńska	– zaburza wydzielanie enzymów trawiennych, spowalnia metabolizm;
pszenica (w nadmiarze)	– osłabia zużytkowanie kalorii.

Żywność, która sprzyja utracie wagi:

oleje roślinne	– poprawiają trawienie, zapobiegają zatrzymywaniu płynów;
produkty sojowe	– poprawiają trawienie, szybko są metabolizowane;
warzywa	– poprawiają metabolizm, przyspieszają ruch robaczkowy jelit;
ananas	– przyspiesza zużytkowanie kalorii, przyspiesza ruch robaczkowy jelit.

Uwzględnij te wskazówki w całościowym obrazie diety typu A, który jest następujący:

Mięso i drób

Grupa krwi A		tygodniowo: jeżeli twoje pochodzenie jest...		
Żywność	Ilość	afrykańskie	kaukaskie	azjatyckie
chude czerwone mięso	120–180 g (mężczyźni) 60–150 g (kobiety i dzieci)	0–1 x	0 x	0–1 x
drób	120–180 g (mężczyźni) 60–150 g (kobiety i dzieci)	0–3 x	0–3 x	1–4 x

Najkorzystniejsze dla osób z grupą krwi A byłoby całkowite wyeliminowanie mięsa z diety. Bądźmy jednak realistami. Zachodnia dieta jest wciąż zbyt bogata w białko zwierzęce. Trendy w restauracjach *fast-food* wydają się zmierzać do spożywania pożywienia z większą ilością tłuszczu i kalorii niż kiedykolwiek przedtem. Ale nie przejmujmy się taką modą; namawiam na wnikliwe przeanalizowanie wytycznych dla grupy A, której dieta może zmniejszyć czynniki ryzyka dla twojej grupy krwi, a zwłaszcza uniknąć chorób serca i raka. Szczerze mówiąc nawrócenie was na całkowicie wegetariańską dietę zajmie jakiś czas. Zacznij od zastąpienia mięsa rybą kilka razy w tygodniu. Kiedy jesz mięso, wybieraj najchudsze kawałki, drób jest bardziej wskazany niż czerwone mięso. Przygotuj mięso do spożycia gotując je lub piekąc. Nigdy nie spożywaj produktów z mięsa przetworzonego, takich jak szynka, parówki (frankfurtery) i mięs na zimno. Zawierają one azotyny, które sprzyjają powstaniu raka żołądka u ludzi z niskim poziomem kwasu żołądkowego, co jest cechą grup A.

Obojętne

indyk
kurczak
kury cornish (typ hodowlany)

Unikać

baraniny	kuropatw
bażanta	mięsa bawołu
bekonu	przepiórek
cielęciny	serc
dziczyzny	szynki
gęsi	wątróbki
jagnięciny	wieprzowiny
kaczek	wołowiny
królików	wołowiny mielonej

Ryby i owoce morza

Grupa krwi A	tygodniowo: jeżeli twoje pochodzenie jest...			
Żywność	Ilość	afrykańskie	kaukaskie	azjatyckie
ryby i owoce morza	120–180 g	0–3 x	1–4 x	1–4 x

Osoby z grupą krwi A mogą jeść ryby w umiarkowanych ilościach trzy lub cztery razy w tygodniu, ale powinny unikać białych ryb takich jak sola lub flądra. Zawierają one lektyny, które mogą powodować podrażnienie przewodu pokarmowego.

Jeśli jesteś kobietą z tą grupą krwi i ktoś w twojej rodzinie miał raka piersi, rozważ wprowadzenie do diety ślimaków. Ślimak jadalny *Helix pomatia* (winniczek) zawiera potężną lektynę, która spcyficznie aglutynuje i jest przyciągana do zmutowanych komórek typu A przez dwie z najczęściej spotykanych form raka piersi, jak to szczegółowo zostało omówione w rozdziale 10. Jest to pozytywny rodzaj aglutynacji; ta lektyna usuwa chore komórki.

Ryby powinny być tak gotowane, pieczone lub sprepararowane, aby uzyskać ich pełne wartości odżywcze.

Wysoce wskazane

anioł morski (ryna)	pstrąg tęczowy
dorsz	*red snapper* (z r. lucjanowatych)
granik	sardynki
karp	sieja
łosoś	pikerel (rodzaj szczupaka)
makrela	ślimaki
okoń	troć
okoń srebrny	

Obojętne

albakora (tuńczyk biały)
jesiotr
koryfena (*mahimahi*)
kulbiniec szary
lucjan (*snapper*)
okoń oceaniczny
rekin
szczupak

sea bass (granik z r. strzępielowatych)
seriola
skap
stynka
słuchotka (*abalone*)
skalnik (biały moron)
włócznik
żaglica

Unikać

alozy
barakudy
bieługi
flądry
halibuta
homara
kałamarnicy
kawioru
kraba
krewetek
łososia wędzonego
małży
morszczuka
omułków jadalnych
ostryg
ośmiornicy

łupacza (plamiaka)
przegrzebka (*scallop*)
raka
sardeli
skalnika (rokusa)
skrzydlaka (*conch*)
soli
suma
szarej soli
śledzia (marynowany)
śledzia (świeży)
płytecznika
tasergala (*bluefish*)
węgorza
żółwi
żab

Jaja i nabiał

Grupa krwi A		tygodniowo: jeżeli twoje pochodzenie jest...		
Żywność	Ilość	afrykańskie	kaukaskie	azjatyckie
jaja	1 jajko	1–3 x	1–3 x	1–3 x
ser	60 g	1–3 x	2–4 x	0
jogurt	120–180 g	0	1–3 x	0–3 x
mleko	120–180 g	0	0–4 x	0

Grupy A tolerują niewielkie ilości sfermentowanych produktów mlecznych, ale powinny unikać wszystkiego, co zawiera pełne mleko, a także ograniczyć konsumpcję jaj. To wymaga podjęcia pewnego wysiłku, gdyż zachodnia dieta oparta jest głównie na jajach, maśle i śmietanie – ciastka, placki i lody należą do ulubionych dań.

Wyborem dla osób z grupą krwi A powinien być jogurt, kefir, niskotłuszczowa kwaśna śmietana i produkty mleczne zawierające kultury bakterii. Surowe mleko kozie jest dobrym substytutem dla pełnego mleka krowiego, podobnie jak ser i mleko sojowe.

Większość produktów mlecznych jest niestrawna dla osób z grupą krwi A z prostej przyczyny, że wytwarzają one przeciwciała przeciw D-galaktozaminie, czyli cukrom prostym znajdującym się w pełnym mleku. Jak pamiętamy z rozdziału 2, D-galaktozamina jest dość istotnym cukrem, który wraz z fukozą tworzy antygen typu B. Ponieważ układ odpornościowy grupy A został stworzony po to, aby odrzucać wszystko, co jest podobne do genu B, przeciwciała, które on wytwarza do ochrony przed antygenami typu B, odrzucą również produkty pełnomleczne.

Jeśli masz grupę krwi A i cierpisz na alergie lub masz problemy z oddychaniem, bądź świadom, że produkty mleczne znacznie zwiększają ilość wydzielanego śluzu. Osoby z grupą krwi A na ogół produkują więcej śluzu niż inne grupy, prawdopodobnie dlatego potrzebują dodatkowego wsparcia, które ochroni ich zbyt przyjacielskie systemy immunologiczne. Zbyt duża ilość śluzu może być szkodliwa, jako że przeróżne bakterie mają skłonności do życia w nim. Nadmiar śluzu prowadzi nieuchronnie do reakcji alergicznych, infekcji i problemów z oddychaniem. To jest jeszcze jeden dobry powód do ograniczenia spożycia produktów mlecznych.

Wysoce wskazane

mleko sojowe*
ser sojowy*

* Dobra alternatywa produktów mlecznych.

Obojętne

jogurt	ser mozzarella – chudy
jogurt mrożony	ser kozi
jogurt z owocami	ser ricotta
kefir	ser string
mleko kozie	serek farmer
ser feta	

Unikać

chudego lub 2% mleka
lodów
masła
maślanki
pełnego mleka
sera amerykańskiego
sera białego
sera blue
sera brie
sera camembert
sera cheddar
sera colby
sera edam
sera emmenthal
sera gouda

sera gruyère
sera jarlsberg
serka kremowego
sera monterey jack
sera munster
sera neufchatel
sera parmezan
sera provolone
sera sherbet
serwatki
sera szwajcarskiego
serka wiejskiego

Oleje i tłuszcze

Grupa krwi A	tygodniowo: jeżeli twoje pochodzenie jest...			
Żywność	Ilość	afrykańskie	kaukaskie	azjatyckie
oleje	1 łyżka stołowa	3–8 x	2–6 x	2–6 x

Grupy A potrzebują niewiele tłuszczu, aby dobrze funkcjonować, ale łyżka stołowa oliwy z oliwek dodana do sałatki lub duszonych warzyw każdego dnia pomoże w trawieniu i wydalaniu. Jako jednonasycony tłuszcz oliwa z oliwek wywiera również pozytywny wpływ na serce i może rzeczywiście obniżyć cholesterol. Lektyny w olejach takich jak kukurydziany lub krokoszowy są natomiast przyczyną problemów w przewodzie pokarmowym u osób z grupą krwi A. Są tylko dwa oleje wysoce korzystne, ale oliwa z oliwek jest znacznie smaczniejsza i lepiej dostosowana do gotowania niż olej z siemienia lnianego.

Wysoce wskazane

oliwa z oliwek
olej z siemienia lnianego

Obojętne

olej canola (rzepakowy)
olej z wątroby dorsza

Unikać

oleju bawełnianego
oleju krokoszowego
oleju kukurydzianego

oleju z orzeszków ziemnych
oleju sezamowego

Orzechy i pestki

Grupa krwi A		tygodniowo: jeżeli twoje pochodzenie jest...		
Żywność	Ilość	afrykańskie	kaukaskie	azjatyckie
orzechy i pestki	mała garstka	4–6 x	2–5 x	4–6 x
masło orzechowe	łyżka stołowa	3–5 x	1–4 x	2–4 x

Wiele orzechów i pestek, np. pestki dyni i słonecznika, migdały i orzechy włoskie, mogą dostarczać korzystnych uzupełnień dla grupy A. Ponieważ osoby z grupą krwi A spożywają małe ilości protein zwierzęcych, orzechy i pestki dostarczają ważnych komponentów białkowych. Orzeszki ziemne są najbardziej wskazane. Jedz je, ponieważ zawierają lektynę zwalczającą raka. Jedz również skórki orzeszka ziemnego (nie skorupki). Pestki dyni są również wysoce korzystne. Jeśli masz problemy z woreczkiem żółciowym, ogranicz się do spożywania masła orzechowego zamiast całych orzechów.

Wysoce wskazane

masło orzechowe
orzeszki ziemne
pestki dyni

Obojętne

kasztany
mak
masło migdałowe
masło sezamowe (tahini)
masło słonecznikowe
migdały
piniole (orzeszki pinii)

orzeszki laskowe
orzeszki hikorii
orzeszki liczi
orzeszki makadamia
orzechy włoskie
pestki słonecznika
nasiona sezamu

Unikać

orzecha brazylijskiego
orzecha nerkowca (*cashew*)
orzeszków pistacjowych

Fasole i inne rośliny strączkowe

Grupa krwi A Żywność	tygodniowo: jeżeli twoje pochodzenie jest...			
	Ilość	afrykańskie	kaukaskie	azjatyckie
wszystkie zalecane fasole i rośliny strączkowe	1 szklanka	4–7 x	3–6 x	2–5 x

Grupy A dobrze się rozwijają na białkach znajdujących się w roślinach strączkowych. Wspólnie z soją i wszystkimi produktami pokrewnymi fasole i rośliny strączkowe stanowią doskonałe proteinowe źródło odżywcze. Bądź jednak świadomy, że nie wszystkie są wskazane. Niektóre, takie jak fasolka nerkowata (*kidney*), lima, navy i cieciorzyca (*garbanzo*), zawierają lektynę, która może powodować zmniejszenie produkcji insuliny, co często jest czynnikiem sprawczym zarówno cukrzycy, jak i otyłości.

Wysoce wskazane

czerwona soja
fasolka adzuki (azuki)
fasolka aduke
fasola czarna
fasola pinto

fasola zielona
groszek „czarne oczko"
strączkowe amerykańskie
strączkowe czerwone
strączkowe zielone

Obojętne

bób
fasolka biała
fasolka cannellini
fasolka fava
fasolka jicama

fasolka pnąca
fasolka szparagowa
groszek cukrowy
groszek zielony
groszek w strączkach

Unikać

ciecierzycy
fasoli copper
fasoli limeńskiej (*lima*)
fasoli navy

fasolki czerwonej
fasolki nerkowatej (*kidney*)
fasolki tamaryndy

Przetwory zbożowe

Grupa krwi A		tygodniowo: jeżeli twoje pochodzenie jest...		
Żywność	Ilość	afrykańskie	kaukaskie	azjatyckie
wszystkie zalecane przetwory	1 szklanka	6–10 x	5–9 x	4–8 x
makarony	1 szklanka	3–5 x	4–6 x	3–5 x

Grupie A generalnie dobrze służą przetwory zbożowe; można je spożywać raz lub więcej razy dziennie. Wybieraj raczej pełne ziarno, zamiast preparowanego i przetworzonego. Wprowadź proso, mąkę sojową, kukurydzianą i pełny owies do diety. Grupa A z wyraźnymi skłonnościami do śluzu przyczyniającego się do rozwoju astmy i częstych infekcji powinna ograniczyć spożycie pszenicy, która zwiększa produkcję śluzu. Będziesz musiał określić na drodze eksperymentu na sobie, jak dużo pszenicy możesz jeść.

Osoby z grupą krwi A spożywające pszenicę sprzyjającą też powstawaniu kwasu muszą zrównoważyć ją żywnością zasadową (patrz owoce). Nie mówimy tutaj o kwasie żołądkowym, ale o równowadze kwas/zasada w tkance mięśniowej. Grupy A funkcjonują najlepiej, gdy ich mięśnie są lekko zasadowe – jawny kontrast z grupami 0. Podczas gdy jądro ziarna pszenicy jest zasadowe dla osób z grupą krwi 0, staje się ono kwasowe dla grup A.

Wysoce wskazane

amarant

gryka

Obojętne

jęczmień
kamut
mąka kukurydziana

owsianka
pasta ryżowa
płatki kukurydziane

orkisz
otręby owsiane
otręby ryżowe

proso dmuchane
ryż dmuchany

Unikać

fariny
granoli*
kiełków pszenicy
otrębów pszenicy
płatków familia

płatków grape nuts
płatków siedem zbóż
pszenicy

* Mieszanka orzechów, zbóż i nasion.

Chleb i grzanki

Grupa krwi A	dziennie: jeżeli twoje pochodzenie jest...			
Żywność	Ilość	afrykańskie	kaukaskie	azjatyckie
chleb, krakersy	1 kromka	2–4 x	3–5 x	2–4 x
grzanki	1 grzanka	1 x	1–2 x	1 x

Przewodnik po pieczywie dla osób z grupą krwi A jest podobny do tego po przetworach zbożowych. Można je w zasadzie bez przeszkód jeść, z wyjątkiem sytuacji, gdy nadmiernie wytwarzasz śluz lub masz nadwagę, wówczas pieczywo z pełnej mąki pszennej jest niewskazane. Mąka sojowa lub ryżowa jest dobrym zamiennikiem. Bądź też świadom, że chleb z kiełków pszenicy często zawiera tylko niewielkie ilości pszenicy kiełkującej, a zasadniczo jest produktem pełnopszenicznym. Czytaj skład produktów. Natomiast chleby esseński i Ezekiela (sprzedawane w sklepach ze zdrową żywnością) są pieczywem opartym na kiełkach pszenicy, w których lektyna glutenowa została zniszczona w procesie kiełkowania.

Wysoce wskazane

chleb esseński
chleb Ezekiela
chleb z kiełków pszenicy

chleb z mąki sojowej
pieczywo ryżowe

Obojętne

bułki z otrębami owsa

chleb bezglutenowy

chleb z brązowego ryżu

chleb orkiszowy

chleb z prosa

chrupki fin

100% chleb żytni

chrupki żytnie

grzanki kukurydziane

ideal flat bread

obwarzanki

pieczywo Wasa

Unikać

angielskich grzanek

bułeczek z otrębów pszennych

chleba z mąki durum

chleba z mąki macowej

chleba pełnopszenicznego

chleba wieloziarnistego

chleba wysokobiałkowego

pumpernikla

Ziarna i makarony

Grupa krwi A	tygodniowo: jeżeli twoje pochodzenie jest...			
Żywność	Ilość	afrykańskie	kaukaskie	azjatyckie
ziarno	1 szklanka	2–3 x	2–4 x	2–4 x
makarony	1 szklanka	2–3 x	2–4 x	2–4 x

Grupy A mają duże możliwości wyboru mąk i makaronów, które są doskonałymi źródłami protein roślinnych. Mogą one dostarczyć wielu składników odżywczych, których grupy A nie otrzymują z białka zwierzęcego. Unikaj natomiast dań mrożonych, makaronów z sosem lub kombinacji ryżu z warzywami, zamiast tego korzystaj z produktów pełnoziarnistych. Piecz swoje własne ciastka, przygotuj własne makarony lub ryż wykorzystując najczystsze składniki.

Wysoce wskazane

gryka

makaron z karczocha

makaron soba

mąka owsiana

mąka ryżowa

mąka żytnia

Obojętne

makaron orkiszkowy
mąka couscous
mąka glutenowa
mąka grahama
mąka jęczmienna
mąka z kiełków pszenicy
mąka orkiszowa

mąka pszenna bulgur
mąka pszenna durum
mąka quinoa
ryż basmati
ryż biały
ryż brązowy
ryż dziki

Unikać

makaronu z grysiku (semolina)
makaronu ze szpinaku

mąki białej
mąki pełnopszenicznej

Warzywa

Grupa krwi A	dziennie: jeżeli twoje pochodzenie jest...		
Żywność	Ilość	afrykańskie	kaukaskie	azjatyckie
surowe	1 szklanka	3–6 x	2–5 x	2–5 x
gotowane	1 szklanka	1–4 x	3–6 x	3–6 x
produkty sojowe	180–240 g	4–6 x tygodniowo	4–6 x tygodniowo	5–7 x tygodniowo

Warzywa mają zasadnicze znaczenie dla diety osób z grupą krwi A, dostarczając minerałów, enzymów i antyutleniaczy. Jedz warzywa w tak naturalnej postaci jak to tylko możliwe (surowe lub gotowane na parze), aby zachować ich pełne zalety. Większość warzyw jest wskazana dla grup A, ale jest również kilka szkodliwych: papryka działa niekorzystnie na delikatny żołądek grup A, podobnie jak pleśń w sfermentowanych oliwkach. Grupa A jest również bardzo wrażliwa na lektyny znajdujące się w ziemniakach: amerykańskich, słodkich, jamach, oraz w kapuście. Unikaj też pomidorów, gdyż ich lektyny mają silnie szkodliwe działanie na przewód pokarmowy grup A. Pomidory należą do rzadko spotykanego rodzaju pożywienia, gdyż zawierają panhemaglutininę, aglutynującą zwłaszcza krew grup A i B. Wyjątkiem jest grupa 0, która podobnie jak grupa AB nie wytwarza przeciwciał na pomidory.

Brokuły są wysoce zalecaną żywnością z uwagi na ich właściwości przeciwutleniające. Antyutleniacze wzmacniają układ odpornościowy i zapobiegają nienormalnemu podziałowi komórek. Inne warzywa korzystne dla grup A to: marchew, *collard greens*, *kale*, szpinak, dynia.

Używaj obficie czosnku. Jest on naturalnym antybiotykiem oraz środkiem wzmacniającym układ odpornościowy i jest korzystny dla twojej grupy krwi. Zresztą dla wszystkich grup krwi spożywanie czosnku jest wskazane, ale zapewne grupy A korzystają najbardziej ze wszytkich, ponieważ ich układ odpornościowy jest podatny na szereg chorób zwalczanych przez czosnek. Żółta cebula jest również dobrym sprzymierzeńcem układu odpornościowego, gdyż zawiera antyutleniacze zwane kwercetyną.

Dla osób z grupą krwi A wysoce wskazane jest też tofu, będące pełnym pożywieniem pod względem odżywczym, dobrym wypełniaczem, a do tego jest niedrogie. Wiele osób ma awersję do tofu. Myślę, że rzeczywisty problem z tofu leży w zwyczajowym sposobie eksponowania jego w sklepach, w plastikowych pojemnikach z zimną wodą. Nie wygląda to zbyt apetycznie. Staraj się nabywać tofu w sklepach ze zdrową żywnością, gdzie zapewne jest tam świeższe. Tofu jest bez smaku: swój smak bierze od warzyw i przypraw podczas gotowania. Najlepszym sposobem przygotowania jest szybkie smażenie (z ang. *stir-fry*) z warzywami doprawionymi czosnkiem, imbirem i sosem sojowym.

Wysoce wskazane

boćwinka (burak liściowy)	karczoch jerozolimski
brokuły	ketmia (*okra*)
cebula czerwona	kiełki lucerny (*alfalfa*)
cebula hiszpańska	liście buraka czerwonego
cebulka żółta	marchew
*collard greens**	mniszek lekarski
chrzan	pasternak
cykoria	pietruszka
czosnek	por
dynia	rzepa
eskalora	sałata rzymska
kalarepa	szpinak
*kale**	tempeh
karczoch amerykański	tofu

* Gatunek uprawianej w USA bezgłowej kapusty warzywnej (*Brassica oleracea acephala*). Podobne do nich są: kapusta włoska i jarmuż.

Obojętne

arugula
awokado
brukiew
brukselka
buraki czerwone
cebula zielona
cukinia
endywia
glony morskie
grzyby abalone
grzyby enoki
grzyby maitake
grzyby shiitake
grzyby portobello
grzyby tree oyster
gorczyca
japońska rzodkiew (*daikon*)
kalafior
kapusta pekińska
kiełki mung
kiełki rzodkiewki
kminek zwyczajny

kolendra
koper włoski
kurydza biała
kukurydza żółta
ogórek
oliwki zielone
orzech wodny (kotewka)
pędy bambusa
radicchio
rappini
rukiew wodna
rzodkiewka
sałata bibb
sałata boston
sałata iceberg (lodowa)
sałata mesclun
seler
szalotka
szparagi
trybuła ogrodowa
wszystkie dyniowate

Unikać

bakłażana
fasolki limeńskiej (*lima*)
jamów
kapusty białej
kapusty chińskiej
kapusty czerwonej
oliwek czarnych
oliwek greckich
oliwek hiszpańskich

papryki czerwonej
papryki jalapeno
papryki zielonej
papryki żółtej
pieczarek
pomidorów
ziemniaków białych
ziemniaków czerwonych
ziemniaków słodkich

Owoce

Grupa krwi A	dziennie: niezależnie od pochodzenia	
Żywność	Ilość	
wszystkie zalecane owoce	1 owoc 90–150 dag	3–4 x

Grupy A powinny jeść owoce kilka razy dziennie. Większość owoców jest wskazana, chociaż powinieneś spożywać te bardziej alkaliczne, takie jak jagody i śliwki, które mogą pomóc w neutralizacji zbóż wytwarzających w twojej tkance mięśniowej kwas. Melony są co prawda alkaliczne, ale z powodu wysokiej liczby zarodników pleśni są ciężkostrawne dla grup A. Melony kantalupa i miodunka należy całkowicie wykluczyć, gdyż zawierają zbyt dużo zarodników pleśni. Inne melony (przedstawione jako obojętne) mogą być spożywane okazjonalnie. Grupie A nie sprzyjają tropikalne owoce takie jak mango czy papaja. Chociaż zawierają one enzym trawienny korzystny dla innych grup krwi, nie skutkuje on w przewodzie pokarmowym grup A. Ananas, z drugiej strony, jest wspaniale trawiony przez osoby z grupą krwi A.

Nawet jeśli pomarańcze są jednymi z twoich ulubionych owoców, powinieneś ich unikać, gdyż drażnią żołądek grup A i zakłócają wchłanianie ważnych minerałów. Reakcje kwaso/alkaliczne powstają na dwa różne sposoby – w żołądku i w tkance mięśniowej. Pomarańcze mogą podrażniać wrażliwy zasadowy żołądek grupy A. Chociaż poziom kwasu żołądkowego jest na ogół niski u grup A i powinno się go podnosić, pomarańcze podrażniają delikatną wyściółkę żołądka. Mimo że grejpfrut jest blisko spokrewniony z pomarańczami i jest również owocem kwasowym, ma korzystne działanie na żołądek grupy A, gdyż wykazuje tendencje zasadowe po strawieniu. Cytryna jest również wspaniała dla grup A, pomaga w trawieniu i usuwa śluz z organizmu.

Ponieważ witamina C jest antyutleniaczem, szczególnie ważnym w zapobieganiu rakowi żołądka, jedz więc owoce bogate w witaminę C, takie jak grejpfrut i kiwi. Lektyny banana zakłócają trawienie grup A. Zalecam zastąpienie go innymi wysokopotasowymi owocami takimi jak morela, figi i niektóre melony.

Wysoce wskazane

ananasy
borówki amerykańskie

jeżyny
morele

cytryny
figi suszone
figi świeże
grejpfruty
śliwki ciemne

śliwki czerwone
śliwki suszone
śliwki zielone
wiśnie
żurawina

Obojętne

agrest
arbuzy
brzoskwinie
daktyle
granaty
gruszki
guawa
jabłka
jagody bzu czarnego
karambola
kiwi
kumkwat
limony
maliny
malinojeżyna
melony canang

melony casaba
melony christmas
melony cranshaw
melony hiszpańskie
melony musk
nektarynki
opuncje
porzeczki czarne
porzeczki czerwone
persymony
rodzynki
truskawki
winogrona concord
winogrona czarne
winogrona czerwone
winogrona zielone

Unikać

bananów
mandarynek
mango
melonu kantalupa
melonu miodunka (*honeydew*)

orzechów kokosowych
papai
plantana
pomarańczy
rabarbaru

Soki i napoje

Grupa krwi A	dziennie: niezależnie od pochodzenia	
Żywność	Ilość	
wszystkie zalecane soki	240 g	4–5 x
woda z cytryną	240 g	1 x (rano)
woda	240 g	1–3 x

Grupy A powinny zaczynać dzień od małej szklaneczki ciepłej wody z wyciśniętym sokiem z połówki cytryny. Pomoże to w wydalaniu śluzu, który zgromadził się przez noc w bardziej ospałym przewodzie pokarmowym, a także ułatwi normalne wydalanie. Soki z owoców zasadowych, takich jak koncentrat z ciemnej wiśni rozcieńczony z wodą, są bardziej wskazane niż wysokosłodzone, bardziej kwasotwórcze.

Wysoce wskazane

sok anansowy
sok z ciemnej wiśni
sok grejpfrutowy
sok marchwiowy

sok morelowy
sok selerowy
sok z suszonych śliwek
woda (z cytryną)

Obojętne

napój jabłkowy *cider*
sok jabłkowy
sok z kapusty
sok ogórkowy

sok winogronowy
soki warzywne (korespondujące z zalecanymi warzywami)
sok żurawinowy

Unikać

soku z papai
soku pomarańczowego
soku pomidorowego

Przyprawy

Grupy A powinny spojrzeć na przyprawy jak na coś więcej niż tylko dodatki smakowe. Prawidłowa kombinacja przypraw może być istotnym środkiem wzmacniającym układ odpornościowy. Na przykład przyprawy bazujące na soi takie jak tamari, miso i sos sojowy są wysoce wskazane dla grup A. Jeśli martwisz się spożyciem sodu, to wszystkie te produkty są dostępne w wersji z niską jego zawartością.

Melasa jest dobrym źródłem żelaza i minerałów, w które uboga jest dieta grupy A. Kelp to wspaniałe źródło jodu i wielu minerałów. Należy unikać octu ze względu na jego właściwości kwasowe. Cukier i czekolada są dozwolone w diecie grupy A, ale tylko w małych ilościach. Stosuj je tak jak przyprawy.

Wysoce wskazane

czosnek
imbir
melasa
miso

słód jęczmienny
sos sojowy
tamari

Obojętne

agar
angielskie ziele
anyżek
bergamotka
bazylia
chleb świętojański
chrzan
cukier biały
cukier brązowy
curry
cynamon
czekolada
cząber
esencja migdałowa
estragon
gałka muszkatołowa
gorczyca suszona
goździki
kardamon
kelp
kielichowiec wonny
kmin rzymski
kolendra
koper
kurkuma
liść laurowy
majeranek

mączka z bulw maranty
(arrowroot)
mięta
mięta pieprzowa
mięta zielona
miód
oregano
papryka
pietruszka
rozmaryn lekarski
rodymenia (dulse)
skrobia kukurydziana
syrop z brązowego ryżu
syrop klonowy
syrop kukurydziany
syrop ryżowy
szafran
szałwia lekarska
sól
szczypiorek
tamarynda
tapioka
trybuła ogrodowa
tymianek
wanilia

Unikać

kaparów
octu balsamicznego
octu białego
octu z jabłek
octu winnego czerwonego
pieprzu białego

pieprzu cayenne
pieprzu ziarnistego
pieprzu czarnego mielonego
pieprzu czerwonego
golterii rozesłanej (wintergreen)
żelatyny

Inne dodatki

Tego typu dodatki są w zasadzie niewskazane dla wszystkich grup krwi. Grupy A szczególnie powinni unikać żywności marynowanej i octów z powodu niskiego poziomu kwasu w żołądku.

Obojętne

dżem (z zalecanych owoców)
galaretka (z zalecanych owoców)
musztarda

sosy do sałatek (dressingi) nisko-tłuszczowe z akceptowanych składników)

Unikać

ketchupu
majonezu
sosu Worcestershire
marynat
octów

Herbatki ziołowe

Reakcja osób z grupą krwi A na poszczególne rodzaje herbat ziołowych jest dokładną odwrotnością reakcji grup 0. Podczas gdy grupy 0 muszą łagodzić swój układ odpornościowy, grupy A muszą go ożywić. Większość czynników ryzyka grup A powiązane jest z ich „ospałym" układem immunologicznym i dlatego niektóre zioła mogą mieć istotne znaczenie. Na przykład głóg wzmacnia układ sercowo-naczyniowy; aloes, lucerna (alfalfa), łopian i echinacea stymulują układ odpornościowy, zielona herbata posiada ważne działanie przeciwutleniające na przewód pokarmowy, dostarczając ochronę przeciwko rakowi.

Dla osób z grupą krwi A, które mają zbyt mały poziom kwasu żołądkowego, ważne jest zwiększenie jego ilości. Pomocne w tym są zioła takie jak imbir i śliski wiąz. Zioła odprężające, np. rumianek i korzeń waleriany, są wspaniałe na stres. Gdy poczujesz się zmęczony, zaparz sobie kubek dobrej herbaty.

Wysoce wskazane

aloes
echinacea
głóg
dziurawiec
imbir
kozieradka pospolita
lucerna (*alfalfa*)
łopian

ostropest plamisty (pstrok)
owoce dzikiej róży
rumianek
śliski (czerwony) wiąz
waleriana (kozłek lekarski)
zielona herbata
żeńszeń

Obojętne

bez czarny
brzoza brodawkowata
(biała)
kora białego dębu
chmiel
dong quai
dziewanna
goryczka
gorzknik kanadyjski
gwiazdnica pospolita
korzeń lukrecji
krwawnik pospolity
lipa
liście malin

liście truskawek
mięta pieprzowa
mięta zielona
mniszek lekarski
morwa
pietruszka
podbiał
sarsaparilla
senes
szałwia
szanta
tasznik pospolity
tymianek
werbena

Unikać

cayenne
czerwonej koniczyny
kocimiętki

rabarbaru
szczawiu
znamion kukurydzy

Używki

Dla grupy A wskazane jest czerwone wino, gdyż pozytywnie działa na układ sercowo-naczyniowy. Lampka czerwonego wina każdego dnia prowadzi do obniżenia ryzyka zapadnięcia na choroby serca zarówno u kobiet, jak i mężczyzn.

Kawa ma dobry wpływ na grupę A, zwiększa bowiem poziom kwasu w żołądku, a także posiada te same enzymy, które są w soi. Picie kawy i zielonej herbaty przynosi duże korzyści osobom z grupą krwi A. Innych napojów należy unikać. Nie są one przystosowane do przewodu pokarmowego grupy A i nie wspierają układu odpornościowego. Czysta, świeża woda powinna być oczywiście pita bez ograniczeń.

Wysoce wskazane

czerwone wino
herbata zielona

kawa bezkofeinowa
kawa regularna (z kofeiną)

Obojętne

białe wino

Unikać

coca-coli
czarnej herbaty bezkofeinowej
czarnej herbaty regularnej
napojów gazowanych

alkoholi destylowanych
piwa
wody seltzera
wody sodowej

Planowanie posiłków dla osób z grupą krwi A

Niżej podane przykładowe menu i przepisy powinny dać ci wyobrażenie o typowej diecie zalecanej dla osób z grupą krwi A. Została ona opracowana przez dr Dinę Khader, dietetyka z powodzeniem stosującego diety dla poszczególnych grup krwi.

To menu jest umiarkowane pod względem zawartości kalorii i zbilansowane celem skutecznego metabolizmu. Przeciętna osoba stosująca te zalecenia będzie mogła utrzymać ciężar ciała bez najmniejszego problemu, a nawet stracić trochę kilogramów. Wybór alternatywnego pożywienia jest zalecany wówczas, gdy preferujesz lekkostrawne jedzenie lub jeśli pragniesz ograniczyć spożycie kalorii, a jednocześnie spożywać dietę zrównoważoną i sprawiającą ci satysfakcję (pożywienie alternatywne jest umieszczone obok produktu, który ma zastąpić).

Czasami możesz spotkać składnik w przepisach, który znajduje się na liście do unikania. Jeśli są to małe ilości (tj. na przykład szczypta przyprawy), to mogą być one przez ciebie tolerowane, w zależności od twojego stanu i od tego, jak ściśle przestrzegasz diety. Jednak wybór potraw i podane przepisy są opracowane z myślą o tym, aby dobrze służyły grupom A. Kiedy bardziej oswoisz się z zaleceniami dla swojej diety, będziesz w stanie łatwo opracować własny jadłospis i dostosować swoje ulubione przepisy tak, aby uczynić je przyjaznymi dla grupy A.

Przykładowe dzienne menu nr 1

MENU STANDARDOWE

MENU ALTERNATYWNE

Śniadanie

woda z sokiem cytrynowym
(po przebudzeniu)
owsianka z mlekiem sojowym
syrop klonowy lub melasa
sok grejpfrutowy
kawa lub herbatka ziołowa

płatki kukurydziane
z mlekiem sojowym
i borówkami

Lunch

sałatka grecka (posiekana sałata, seler,
zielona cebula, ogórek, posypane serem feta,
świeżą miętą i pokropione sokiem z cytryny)
jabłko
1 kromka chleba z kiełkującej pszenicy
herbata ziołowa

Podwieczorek

2 wafle ryżowe z masłem
z orzeszków ziemnych
śliwki
zielona herbata lub woda

2 wafle ryżowe z miodem

Kolacja

Lasagna Tofu-Pesto*
brokuły

tofu „szybko smażone" (*stir-fry*) z groszkiem cukrowym,

mrożony jogurt
kawa lub herbatka ziołowa
(czerwone wino, gdy chcesz)

fasolką zieloną, porami
i kiełkami lucerny (*alfalfa*)

* Przepisy zamieszczono od str. 119.

Przykładowe dzienne menu nr 2

MENU STANDARDOWE

MENU ALTERNATYWNE

Śniadanie

woda z sokiem cytrynowym
(po przebudzeniu)
omlet z tofu*
sok grejpfrutowy
kawa lub herbatka ziołowa

1 jajko w koszulce
1/2 szklanki niskotłuszczowego jogurtu z jagodami
(borówkami)

Lunch

zupa miso
mieszana zielona sałatka
1 wafel ryżowy
woda lub herbatka ziołowa

Podwieczorek

ciastka z wiórkami z chleba
świętojańskiego*
lub jogurt z owocami
herbatka ziołowa

*Tofu Dip** z dodatkiem suro-
wych warzyw

Kolacja

kuleczki mięsne z indyka i tofu*
duszona cukinia
sałatka z fasolki szparagowej*
niskotłuszczowy mrożony jogurt
kawa lub herbatka ziołowa
(czerwone wino, gdy chcesz)

Przykładowe dzienne menu nr 3

MENU STANDARDOWE

MENU ALTERNATYWNE

Śniadanie

woda z cytryną (po przebudzeniu)
granola klonowo-orzechowa*
z mlekim sojowym
sok z suszonych śliwek, marchwi
lub warzywny
kawa lub herbatka ziołowa

dmuchany ryż z mlekiem
sojowym

Lunch

zupa z czarnej fasoli*
mieszana zielona sałatka

łosoś na zimno na zielonej
sałacie z sokiem cytryno-
wym i oliwą z oliwek

Podwieczorek

morelowy chleb owocowy*
kawa lub herbatka ziołowa

1/2 szklanki jogurtu
z miodem

Kolacja

ryba pieczona po arabsku*
sałatka ze szpinaku*
mieszanka owocowa z jogurtem
herbatka ziołowa
(czerwone wino, gdy chcesz)

pieczona ryba*

Przepisy

LASAGNA TOFU-PESTO

*450 g tofu zmieszanego z 2 łyżkami stołowymi oliwy z oliwek
1 szklanka pokruszonego sera mozzarella lub ricotta
1 jajko (do wyboru)*

2 pęczki mrożonego lub świeżego szpinaku
1 łyżeczka soli
1 łyżeczka oregano
4 szklanki sosu pesto (może być mniej)
9 szklanek ryżu lub lasagna z makaronu orkiszowego, gotowane
1 szklanka wody

Wymieszaj tofu z serem, jajkiem, szpinakiem i przyprawami. Wlej szklankę sosu do brytfanny o wymiarach ok. 25x40 cm. Następnie ułóż warstwę makaronu, dodaj mieszaninę z serem, a następnie polej sosem. Powtarzaj te czynności aż zakończysz makaronem i sosem na wierzchu. Piecz w temperaturze 180°C od 30 do 40 minut.
Porcja na 4 do 6 osób.

OMLET Z TOFU

450 g tofu, osuszone i utarte na papkę
5–6 grzybów tree oyster, posiekanych
200 g startej czerwonej lub białej rzodkiewki
1 łyżeczka tamari
1 łyżeczka mirin lub sherry
1 łyżka świeżej pietruszki
1 łyżeczka mąki z brązowego ryżu
4 jajka, lekko ubite
1 łyżka stołowa oleju canola lub extra-virgin z oliwek

Połącz wszystkie składniki z wyjątkiem oleju. Rozgrzej olej na dużej patelni. Wlej połowę otrzymanej mikstury i przykryj pokrywką patelnię. Duś na małym ogniu przez około 15 minut. Następnie wyjmij z patelni i usmaż pozostałą część. Podawać ciepłe.
Porcja na 3 do 4 osób.

CIASTKA Z WIÓRKAMI Z CHLEBA ŚWIĘTOJAŃSKIE-GO

1/2 szklanki oleju canola
1/2 szklanki syropu klonowego
1 łyżeczka ekstraktu z wanilii
1 jajko
1 i 3/4 szklanki mąki owsianej lub z brązowego ryżu
1 łyżeczka sody do pieczenia
1/2 szklanki wiórków z chleba świętojańskiego (niesłodzone)

Nasmaruj olejem dwie brytfanny do pieczenia i rozgrzej piekarnik do temperatury 200°C. W średniej wielkości misce połącz olej, syrop klonowy i wanilię. Roztrzep jajko i dodaj je do mieszanki. Stopniowo dodawaj mąki i sody do pieczenia, aż do momentu osiągnięcia gęstej konsystencji. Zagnieć w cieście wiórki z chleba świętojańskiego i nakładaj łyżką na wysmarowaną blachę. Wstaw do piekarnika na 10 do 15 minut, dopóki ciasteczka nie zrobią się lekko brązowe. Wyjmij z piekarnika i ostudź.

Porcja na 3 lub 4 osoby.

TOFU DIP

1 szklanka tofu, utarta na papkę
1 szklanka niskotłuszczowego jogurtu
1 łyżka stołowa oliwy z oliwek
sok z jednej cytryny
2 łyżki stołowe posiekanego szczypiorku lub cebuli dymki
czosnek i sól do przyprawienia

Połącz tofu, jogurt, oliwę z oliwek i sok cytrynowy w mikserze i miksuj, aż do osiągnięcia rzadkiej konsystencji. Dodaj szczypiorek lub cebulę dymkę oraz przyprawy. Przełóż do miski i wstaw do lodówki. Jeżeli mieszanka jest zbyt gęsta, dodaj trochę wody. Podawać w głębokich miseczkach przybrane świeżymi warzywami.

Porcja na 3 osoby.

KULECZKI MIĘSNE Z INDYKA I TOFU

450 g mielonego indyka
450 g tofu
1/2 szklanki mąki kasztanowej
1 i 1/2 szklanki mąki orkiszowej
1 duża posiekana cebula
1/4 szklanki posiekanej świeżej pietruszki
2 łyżeczki soli
4 łyżki stołowe rozgniecionego czosnku
zalecane przyprawy, które preferujesz

Rozmieszaj składniki i wstaw do lodówki na 1 godzinę. Następnie uformuj małe kuleczki. Smaż je szybko na oleju (*stir-fry*), dopóki nie będą chrupiące i o kolorze brązowym, lub wstaw do piekarnika (180°C) na około 1 godzinę.

Porcja na 4 osoby.

SAŁATKA Z FASOLKI SZPARAGOWEJ

450 g zielonej fasolki szparagowej
sok z jednej cytryny
3 łyżki stołowe oliwy z oliwek
2 ząbki czosnku, rozgniecione
2 do 3 łyżeczek soli

Umyj dokładnie fasolkę i usuń końcówki. Potnij na 5 cm kawałki. Gotuj w wodzie aż będą kruche. Osusz. Po ostygnięciu ułóż w salaterce. Przypraw do smaku sokiem z cytryny, oliwą z oliwek, czosnkiem i solą.

Porcja na 4 osoby.

GRANOLA KLONOWO-ORZECHOWA

4 szklanki owsa
1 szklanka otrębów ryżowych
1 szklanka nasion sezamu
1/2 szklanki suszonych żurawin
1/2 szklanki rodzynek
1 szklanka łuskanych orzechów włoskich
1 łyżeczka ekstraktu z wanilii
1/4 szklanki oleju canola
3/4 szklanki syropu klonowego

Rozgrzej piekarnik do 180°C. W dużej misce połącz owies, otręby ryżowe, nasiona sezamu, suszone owoce, orzechy i wanilię. Dodaj olej i wymieszaj.

Dolej syrop klonowy i dobrze wymieszaj do osiągnięcia kleistej konsystencji. Przelej miksturę do nasmarowanej brytfanny i wstaw na 90 minut do piekarnika, co 15 minut mieszaj aż mikstura przybierze kolor brązowy. Studź stopniowo.

ZUPA Z CZARNEJ FASOLI

450 g czarnej fasoli
1/8 szklanki rosołku warzywnego
60 g pokrojonej w kostkę białej cebuli
60 g pokrojonej w kostkę zielonej cebuli
120 g selera
60 g pokrojonego w kostkę pora
5 g soli
30 g kminu rzymskiego
1 szklanka suszonej pietruszki
30 g czosnku
1 średni pęczek świeżego estragonu
1 średni pęczek świeżej bazylii
1 średni pęczek cebuli dymki

Namocz fasolkę w wodzie na noc. Następnie odlej wodę i wypłucz fasolę. Dodaj 3 l wody i zagotuj fasolę. Odlej nadmiar wody z fasoli i dodaj do niej rosołek warzywny. Gotuj wolno.

Podsmaż cebulę, seler, por, przyprawy i czosnek i dodaj wszystko do fasolki i kontynuuj gotowanie. Na koniec dodaj cebulę dymkę.

Porcja na około 8 osób.

MORELOWY CHLEB OWOCOWY

1 i 1/4 niskotłuszczowego jogurtu
1 jajko
1 szklanka konserwowych moreli (w słodkiej zalewie)
2 szklanki mąki z brązowego ryżu
1 łyżeczka mielonego cynamonu
1 łyżeczka mielonego kielichowca wonnego
1 łyżeczka mielonej gałki muszkatołowej
1 i 1/4 łyżeczki sody do pieczenia
1 szklanka suszonych moreli
1 szklanka rodzynek

Nasmaruj tłuszczem brytfannę i rozgrzej piekarnik do 180°C. W średniej wielkości misce roztrzep jogurt z jajkiem. Dodaj 1 szklankę mąki, połowę przypraw i sodę do pieczenia. Mieszaj, aż osiągniesz gładką konsystencję (bez grudek).

Dodaj pozostałą część mąki i przypraw. Jeżeli całość jest za gęsta, możesz dodać trochę wody lub sojowe mleko waniliowe. Wrzuć morele i rodzynki.

Piecz w piekarniku od 40 do 45 minut. Następnie wyjmij chleb i odstaw do ostygnięcia na drucianym stojaku.

RYBA PIECZONA PO ARABSKU

1 duży okoń lub sieja (ok. 1,5 kg)
sól i pieprz do smaku
1/4 szklanki soku cytrynowego
2 łyżki stołowe oliwy z oliwek
2 duże cebule, posiekane i przyprawione olejem z oliwek
2 do 2,5 szklanki sosu tahini (zobacz poniżej)

Umyj rybę i dokładnie osusz. Posyp solą i polej sokiem cytrynowym. Pozostaw na 30 minut. Odsącz rybę, wysmaruj olejem i ułóż na rondlu. Wstaw do piekarnika na 30 minut w temperaturze 200°C.

Następnie posyp rybę posiekaną cebulą i polej sosem tahini (zob. niżej). Dodaj sól i pieprz i piecz w piekarniku, aż ryba będzie krucha (ok. 30–40 minut).

Podawaj rybę na talerzu przystrojoną pietruszką i plasterkami cytryny.

Porcja na 6 do 8 osób.

SOS TAHINI

1 szklanka tahini
sok z 3 cytryn
2 ząbki czosnku
2 do 3 łyżeczek soli
1/4 suszonej lub świeżej natki pietruszki
woda

Wymieszaj w miseczce tahini z sokiem cytrynowym, zgniecionym czosnkiem, solą i posiekaną natką pietruszki. Dodaj wystarczającą ilość wody, aby uzyskać rzadką konsystencję. Wychodzi ok. 2 szklanki.

SAŁATKA ZE SZPINAKU

2 pęczki świeżego szpinaku
1 pęczek dymki

sok z jednej cytryny
1/4 łyżki stołowej oliwy z oliwek
sól i pieprz do smaku (gdy chcesz)

Umyj dokładnie szpinak. Odsącz. Posyp solą. Po paru minutach wyciśnij nadmiar wody. Dodaj posiekaną dymkę, sok z cytryny, olej, pieprz. Spożywaj zaraz po przyrządzeniu.

Porcja na 6 osób.

PIECZONA RYBA

1 duża sieja (ok. 1,2 kg) lub inna zalecana ryba
sok cytrynowy i sól do smaku
1/4 szklanki oliwy z oliwek
1 łyżeczka cayenne (do wyboru)
1 łyżeczka pieprzu (do wyboru)
1 łyżeczka kminu (do wyboru)

Umyj rybę. Posyp solą i polej sokiem cytrynowym. Pozostaw w zalewie na 30 minut. Odsącz.

Obtocz rybę w oleju oraz w przyprawach i ułóż na rondlu. Aby zabezpieczyć rybę przed wysuszeniem, owiń ją w folię aluminiową. Rozgrzej piekarnik do 180°C. Piecz przez 30 do 40 minut lub dopóki ryba nie będzie krucha.

Porcja na 4 do 5 osób.

Z NADZIENIEM (DO WYBORU)

1/3 szklanki pinioli lub pokruszonych migdałów
2 łyżki oliwy z oliwek
1 szklanka posiekanej pietruszki
3 ząbki zgniecionego czosnku
sól, pieprz, kielichowiec wonny do smaku

Podsmaż orzechy w oliwie aż nabiorą koloru jasnobrązowego. Dodaj pietruszkę i przyprawy, smaż przez 1 minutę. Nadziej surową rybę przyrządzonym nadzieniem.

Porcja na 4 do 5 osób.

Poradnik dodatków uzupełniających dla osób z grupą krwi A

Rolą tych dodatków – witamin, minerałów lub ziół – jest uzupełnienie wartości odżywczych, których brakowało w diecie i zapewnienie dodatkowej ochrony, gdy tego potrzebujesz. Dodatki uzupełniające dla osób z grupą krwi A mają więc na celu:

- wzmocnienie układu odpornościowego
- dostarczanie antyutleniaczy zwalczających groźbę raka
- zapobieganie infekcji
- wzmocnienie mięśnia sercowego

Poniższe zalecenia kładą szczególny nacisk na dodatki pomocne w osiągnięciu tych celów i również ostrzegają przed tymi, które mogą być szkodliwe, a nawet niebezpieczne dla grup A.

Zalecane

Witamina B

Osoby z grupą krwi A powinny zwracać szczególną uwagę na oznaki niedoboru witaminy B_{12}. Ich dieta nie jest bogata w tę witaminę, znajdującą się zwykle w proteinach zwierzęcych. Mają też problem z absorbowaniem tej witaminy, ponieważ w ich żołądku brak jest pewnego wewnętrznego czynnika. (Czynnik ten jest substancją produkowaną przez śluzówkę żołądka, pomagającą w absorpcji B_{12} do krwi). U ludzi starszych z grupą krwi A deficyt witaminy B_{12} może powodować starczy zanik pamięci i inne przypadłości neurologiczne.

Większość innych witamin B występuje w ilości wystarczającej w diecie grupy A. Jeśli jednak cierpisz na anemię, możesz potrzebować małego uzupełnienia kwasu foliowego. Pacjenci z grupą krwi A cierpiący na choroby serca powinni poprosić lekarza o suplementy niacyny w niskich dawkach, jako że niacyna posiada właściwości obniżające cholesterol.

Zalecane pożywienie dla osób z grupą krwi A bogate w witaminę B:

pełne ziarno (niacyna)	tempeh (B_{12})
sos sojowy (B_{12})	ryby
miso (B_{12})	jajka

Witamina C

Dla osób z grupą krwi A, które mają stosunkowo wyższą zachorowalność na raka żołądka z powodu niskiego poziomu kwasu żołądkowego, może być korzystne stosowanie dodatków uzupełniających z witaminą C. Na przykład azotyn, składnik, który powstaje w czasie wędzenia i peklowania, stanowi poważny problem dla grupy A, ponieważ jego potencjalna rakotwórczość jest większa u ludzi z niskim poziomem kwasu żołądkowego. Jako antyutleniacz witamina C znana jest ze swoich właściwości blokowania takich reakcji (chociaż przede wszystkim powinieneś unikać żywności wędzonej i peklowanej). Jednak nie oznacza to wcale, że powinieneś zażywać jej duże ilości. Odkryłem, że osobom z grupą krwi A nie służą dobrze zbyt wysokie dawki witaminy C (1000 mg i wyższe), ponieważ ma ona tendencje do podrażniania żołądka. Zażycie w ciągu dnia 2–4 kapsułek (250 mg) witaminy najlepiej pochodzącej z owocu głogu nie powinno powodować problemów trawiennych.

Zalecane pożywienie dla osób z grupą krwi A bogate w witaminę C:

jagody	wiśnie
grejpfrut	cytryna
ananas	brokuły

Witamina E

Jest kilka dowodów na to, że witamina E jest doskonałym środkiem ochronnym zarówno przed rakiem jak i chorobami serca – dwoma czynnikami ryzyka dla grup A. Ale zażywaj jej nie więcej niż 400 IU (jednostka międzynarodowa) dziennie.

Zalecane pożywienie dla osób z grupą krwi A bogate w witaminę E:

olej roślinny	orzeszki ziemne
pełne ziarno	zielonoliściaste warzywa

Wapń

Jako że dieta dla grupy A obejmuje część produktów mlecznych, potrzeba uzupełniania wapniem nie jest tak konieczna, jak dla grupy 0, jednak mała dawka dodatkowego wapnia (300–600 mg) po osiągnięciu wieku średniego jest wskazana.

Z doświadczenia wiem, że grupie A szczególnie dobrze służą produkty zawierające wapń. Najgorszym jego źródłem jest węglan wapnia, najprostszy i najłatwiej osiągalny (w związkach zobojętniających kwasowość), gdyż wymaga do absorpcji dużej ilości kwasu żołądkowego. Ogólnie grupy A tolerują dobrze glukonian wapnia, cytrynian wapnia, a najlepszy jest mleczan wapnia.

Zalecane pożywienie dla osób z grupą krwi A bogate w wapń:

jogurt	sardynki z ośćmi
mleko sojowe	kozie mleko
jaja	brokuły
łosoś w puszcze z ośćmi	szpinak

Żelazo

Dieta dla grup A jest uboga w żelazo, znajdujące się w największej obfitości w czerwonych mięsach. Kobiety z grupą krwi A, szczególnie mające ciężki przebieg okresów miesiączkowych, powinny szczególnie dbać o utrzymywanie dostatecznych poziomów zapasu żelaza we krwi. Jeżeli potrzebujesz uzupełnienia żelaza, rób to pod kontrolą lekarza.

Generalnie używaj tak niskich dawek jak to tylko możliwe, unikaj przedłużania okresów suplementacji. Staraj się unikać takich preparatów jak siarczan żelazawy, które mogą podrażnić twój żołądek. Zamiast tego używaj łagodniejszych form, takich jak cytrynian żelaza. Floradix, ciekłe żelazo i suplement ziołowy, można dostać w większości sklepów ze zdrową żywnością i jest bardzo dobrze przyswajany przez grupy A.

Zalecane pożywienie dla osób z grupą krwi A bogate w żelazo:

pełne ziarno	figi
fasole	melasa

Cynk (ostrożnie)

Odkryłem, że małe dawki cynku (nie większe niż 3 mg dziennie) często pomagają chronić dzieci przed infekcjami, szczególnie przed infekcjami uszu. Suplementy cynku to jednak kij o dwóch końcach. Podczas gdy małe dawki podawane okresowo wzmacniają odporność, długoterminowe wyższe dawki obniżają ją i mogą zaburzać absorpcję innych minerałów. Uważaj więc z cynkiem! Jest szeroko dostępny bez recepty, ale naprawdę nie powinieneś używać go bez zalecenia lekarskiego.

Zalecane pożywienie dla osób z grupą krwi A bogate w cynk:

jaja
rośliny strączkowe

Selen (ostrożnie)

Selen, który wydaje się wchodzić w skład antyutleniającej ochrony organizmu, może być wartościowy dla osób z grupą krwi A podatnych na zachorowanie na raka. Ale nie bierz selenu bez konsultacji z lekarzem, zdarzały się bowiem przypadki zatrucia u ludzi, którzy nadmiernie go zażywali.

Chrom (ostrożnie)

Z powodu podatności na cukrzycę osoby z grupą krwi A mające przypadki zachorowań na cukrzycę w rodzinie mogą być zainteresowane faktem, że chrom wzmaga efektywność czynnika tolerancji glukozy przez organizm, co zwiększa skuteczność insulinową.

Jednak bardzo mało wiemy o długoterminowych skutkach uzupełniania chromem i nie doradzałbym używania go przez dłuższy czas. Grupy A najlepiej mogą uchronić się od komplikacji na tle cukrzycowym przez przestrzeganie diety dla swojej grupy krwi.

Zioła i związki fitochemiczne zalecane dla grup A

Głóg (*Crataegus oxyacantha*). Głóg jest wspaniałym środkiem wzmacniającym naczynia sercowe. Grupy A powinny szczególnie uwzględnić go w swojej diecie, zwłaszcza gdy członkowie ich rodzin cierpieli na choroby serca. Wyjątkowo skutecznie oddziałuje nie tylko na naczynia sercowe, ale zwiększa elastyczność tętnic i wzmacnia serce, obniża ciśnienie krwi i wywiera łagodny wpływ na rozpuszczanie płytek w tętnicach.

Oficjalnie zaaprobowane do użytku farmaceutycznego w Niemczech działanie głogu jest mniej znane gdzie indziej. Wyciągi i nalewki są dostępne tam u lekarzy medycyny naturalnej, w sklepach ze zdrową żywnością i aptekach. Nie mogę się wprost nachwalić tego zioła. Oficjalne niemieckie monografie rządowe dowodzą, że ta roślina nie ma negatywnych efektów ubocznych. Gdyby stało się po mojej myśli, wyciągi z głogu byłyby używane jako dodatek do płatków śniadaniowych, tak jak to się robi z witaminami.

Zioła zwiększające odporność. Ponieważ układy odpornościowe grupy A są podatne na infekcje, łagodne zioła zwiększające odporność, zwłaszcza takie jak *Echinacea purpurea* (roślina o purpurowych stożkowych kwiatach), mogą chronić przed zaziębieniami lub grypą i wzmocnić funkcje śledzenia i wychwytywania komórek rakowych przez układ immunologiczny organizmu. Wielu ludzi zażywa echinacea w płynie lub w postaci tabletek. Echinacea jest szeroko dostępna. Chińskie zioło *huangki (Astragalus membranaceous*) także wzmacnia układ odpornościowy, ale jest trudno dostępne. W obydwu ziołach czynnikami aktywnymi są cukry, które działają jako mitogeny, stymulujące zwiększanie się białych krwinek, działających w układzie odpornościowym.

Zioła uspokajające. Grupy A mogą stosować łagodne relaksujące środki ziołowe, takie jak rumianek i korzeń waleriany, działające antystresowo. Te zioła dostępne są w formie herbatek i powinny być pite często. Waleriana ma nieco odpychający zapach, który w rzeczywistości staje się przyjemny, jak się do niego przyzwyczaisz. Nisłusznie uważa się, że waleriana jest naturalną postacią *Valium* (diazepam), przepisywanego środka uspokajającego. To jest nieprawda. Waleriana (kozłek lekarski) wzięła nazwę od cesarza rzymskiego, który miał nieszczęście, że został wzięty do niewoli podczas bitwy przez Persów, a następnie zabity. Jego ciało zostało spreparowane, pomalowane na czerwono i wystawione jako eksponat w muzeum Persów. Walerian ma to wątpliwe szczęście, że coś zostało nazwane jego imieniem.

Kwercetyna. Kwecetyna jest bio-flawonoidem obficie występującym w warzywach, szczególnie w żółtej cebuli. Suplementy kwercetynowe są szeroko dostępne w sklepach ze zdrową żywnością, najczęściej w kaspułkach 100–500 mg. Kwercetyna jest niezwykle silnym przeciwutleniaczem, setki razy potężniejszym niż witamina E. Może stanowić więc ważny dodatek przeciwdziałający zachorowaniu na raka u osób z grupą krwi A.

Pstrok (ostropest) (*Silybum marianum*). Podobnie jak kwercetyna pstrok jest skutecznym przeciwutleniaczem ze specjalną właściwością osiągania wysokiej koncentracji w wątrobie i drogach żółciowych. Grupy A mogą cierpieć na zaburzenia na tle wątroby lub woreczka żółciowego. Jeśli w twojej rodzinie były problemy z wątrobą, trzustką lub woreczkiem żółciowym, rozważ dodanie do diety suplementu z ostropestu (łatwego do znalezienia w większości sklepów ze zdrową żywnością). Pacjenci cierpiący na raka, leczeni chemioterapią, powinni zażywać pstrok jako dodatek uzupełniający, aby zwiększyć ochronę wątroby przed uszkodzeniem.

Bromelaina (enzymy z ananasów). Jeżeli masz grupę krwi A i cierpisz na wzdęcia i inne oznaki kiepskiej absorpcji białka, stosuj suplementy bromelainowe. Ten enzym posiada umiarkowaną zdolność do przetrawiania protein zawartych w diecie, pomagając w ten sposób przewodowi pokarmowemu grupy A w lepszym przyswajaniu białek.

Uzupełnienie odżywcze. Jeśli zacząłeś stosować dietę dla osób z grupą krwi A, możesz zauważyć, że dostosowanie się do diety wegetariańskiej powoduje wytwarzanie nadmiernych ilości gazów i wzdęć. Uzupełnienie w formie odżywek może przeciwdziałać temu efektowi poprzez wzmocnienie „dobrych" bakterii zazwyczaj znajdujących się w przewodzie pokarmowym. Szukaj tych odżywek bogatych w „czynnik bifidus", ponieważ ten łacuch bakterii jest najlepiej dostosowany do organizmu grupy A.

Unikaj

Witamina A – beta karoten

Mój ojciec zawsze unikał podawania beta karotenu pacjentom z grupą krwi A, twierdząc, że podrażnia on ich naczynia krwionośne. Ja zakwestionowałem jego obserwacje, jako że nie zostały one nigdy udokumentowane, przeciwnie, dowody wskazywały, że beta karoten może przeciwdziałać chorobie naczyń. Jednak ostatnio pojawiły się badania dowodzące, że beta karoten w wysokich dawkach może działać jako pro-utleniacz, przyspieszający raczej niszczenie tkanek niż stopujący ten efekt. Być może obserwacje mojego ojca były poprawne, przynajmniej w przypadku grup A. Jeśli tak jest, być może grupy A mogą obejść się bez suplementów beta karotenowych, a zamiast tego powinny konsumować wysokie dawki karoteinoidów.

Jeden sprzeciw: kiedy starzejemy się, nasza zdolność do asymilacji rozpuszczających się w tłuszczu witamin może ulec zmniejszeniu. Dla osób starszych mających grupę krwi A mogą okazać się skuteczne małe dawki uzupełniające witaminy A (10 000 IU dziennie), aby pomóc w przeciwdziałaniu efektom starzenia ich układu odpornościowego.

Zalecane pożywienie dla osób z grupą krwi A bogate w beta-karoten:

brokuły   szpinak
jaja   żółta dynia
marchew

Stres a ćwiczenia

Zdolność do odwrócenia negatywnych skutków stresu ukryta jest w naszej krwi. Tak jak omawialiśmy to w rozdziale 3, stres sam w sobie nie jest problemem. Problemem jest twoja na niego reakcja. Każda grupa krwi ma odrębny, genetycznie zaprogramowany instynkt przezwyciężania stresu.

Grupy A reagują na pierwsze stadium stresu (stadium alarmowe) intelektualnie. Naładowane adrenaliną żarówki rozbłyskują w mózgu powodując niepokój, rozdrażnienie i nadczynność. Kiedy te sygnały stresu pulsują w układzie odpornościowym, stajesz się słabszy. Podwyższona wrażliwość układu nerwowego stopniowo osłabia przeciwciała obronne. Stajesz się zbyt zmęczony, aby zwalczać infekcje i bakterie, które czekają, aby wskoczyć jak rabusie czyhające na nie podejrzewającą niczego ofiarę.

Jeśli jednak zastosujesz techniki uspokajające takie jak joga lub medytacje, możesz osiągnąć wielkie korzyści przez pokonanie negatywnych stresów przy pomocy skupienia i relaksacji. Grupy A nie odpowiadają dobrze na ciągłą konfrontację, dlatego też powinny rozważyć i praktykować sztukę osiągania spokoju.

Jeżeli grupy A pozostają w stanie napięcia, stres może powodować choroby serca i różne odmiany raka. Ćwiczenia, które dostarczają spokoju i skupienia, stanowią remedium, wyciągające grupy A z objęć stresu.

Tai chi chuan, powolny ruch, rytualny wzorzec chińskiego boksu, i *hatha joga*, hinduski system ćwiczeń rozciągających (*stretching*), przynoszą uspokojenie na drodze koncentracji. Umiarkowane ćwiczenia dynamiczne takie jak wędrówki, pływanie i jazda na rowerze są wskazane dla grup A. Kiedy doradzam ćwiczenia uspokajające, nie oznacza to, że nie możesz „wyciskać" z siebie potu. Rzeczywisty klucz stanowi tutaj twoje mentalne zaangażowanie się w aktywność fizyczną.

Na przykład typowe sporty i ćwiczenia związane z dużym wysiłkiem wyczerpią jedynie twoją energię nerwową, uczynią cię ogólnie napiętym i pozostawią układ odpornościowy otwarty na choroby.

Dla grup A zalecane są poniższe ćwiczenia. Zwracaj szczególną uwagę na długość trwania ćwiczeń. Aby osiągnąć rzeczywiste uwolnienie się od napięcia i odnowienie energii, powinieneś wykonywać jedno lub więcej z tych ćwiczeń 3–4 razy na tydzień.

Ćwiczenie	Czas	Częstotliwość
tai chi	30–45 min.	3–5 x w tygodniu
hatha yoga	30 min.	3–5 x w tygodniu
sztuki wojenne	60 min.	2–3 x w tygodniu
golf	60 min.	2–3 x w tygodniu
szybki chód	20–40 min.	2–3 x w tygodniu
pływanie	20–30 min.	3–4 x w tygodniu
taniec	30 min.	2–3 x w tygodniu
aerobic	30–45 min.	2–3 x w tygodniu
stretching	15 min.	3–5 x w tygodniu

Przewodnik po ćwiczeniach dla osób z grupą krwi A

Tai chi chuan lub *tai chi* jest ćwiczeniem, wzmacniającym giętkość ruchów ciała. W Chinach *tai chi* codziennie uprawia tysiące ludzi, którzy gromadzą się na placach publicznych, aby wykonywać wspólnie ćwiczenia. *Tai chi* jest bardzo skuteczną techniką relaksacyjną, chociaż wymaga mistrzowskiego opanowania, koncentracji i cierpliwości.

Joga jest także dobra dla grupy A. Łączy w sobie wewnętrzny spokój z kontrolą oddechu i pozycjami umożliwiającymi pełną koncentrację, uwalnia od problemów świata zewnętrznego. *Hatha joga* jest najbardziej rozpowszechnioną formą jogi praktykowaną na Zachodzie. Jeżeli opanujesz podstawowe pozycje jogi, będziesz mógł stosować zakres ćwiczeń najbardziej odpowiadający swojemu stylowi życia.

Wiele osób z grupą krwi A, które zaadaptowały metody relaksacji oparte na jodze, mówią mi, że nie wyjdą z domu, dopóki nie wykonają swojego zakresu ćwiczeń. Jednak niektórzy pacjenci obawiają się, że joga jest sprzeczna z ich wierzeniami religijnymi i jej praktykowanie jest równoznaczne z przyjęciem mistyki wschodniej. Odpowiadam, „jeśli jadasz włoskie potrawy, czy to oznacza, że staniesz się Włochem?". Medytacja i joga są ważne w tym sensie, jaki z nich masz pożytek. Wizualizuj i medytuj nad tymi sprawami, które są dla ciebie istotne. Pozycje są obojętne – one są po prostu bezczasowymi i sprawdzonymi ruchami.

Proste techniki relaksacyjne jogi

Joga zaczyna się i kończy relaksacją. Stale kurczymy nasze mięśnie, ale rzadko myślimy o robieniu rzeczy przeciwnej – rozluźnianiu ich i odprężaniu. Poczujemy się lepiej i zdrowiej, jeśli regularnie będziemy rozluźniać naprężenia pozostawione w mięśniach przez stresy i kłopoty dnia codziennego. Najlepszą pozycją dla relaksacji jest leżenie na plecach. Ułóż ramiona i nogi tak, aby osiągnąć jak najwygodniejszą pozycję ciała. Celem głębokiego odprężenia jest umożliwienie ciału i umysłowi osiągnięcie stanu łagodnego spokoju w ten sam sposób, w jaki wzburzony zbiornik wody ostatecznie przechodzi do stanu spokoju.

Zacznij od oddychania przeponą, tak jak to robią niemowlęta, porusza się ich brzuch, a nie klatka piersiowa. Jednak wielu z nas w trakcie dorastania nieświadomie adaptuje nienaturalny i mało skuteczny zwyczaj ograniczonego oddychania klatką piersiową. Jednym z celów jogi jest uświadomienie prawdziwego centrum oddychania. Obserwuj sposób, w jaki oddychasz. Oddychasz szybko, płytko i nieregularnie lub czy masz tendencję do wstrzymywania oddechu? Pozwól, aby oddychanie powróciło do bardziej naturalnej formy – pełnego, głębokiego, regularnego i bez ograniczeń. Spróbuj odizolować po prostu dolne mięśnie związane z oddychaniem; sprawdź, czy możesz oddychać bez poruszania klatką piersiową. Ćwiczenia oddechowe zawsze wykonuj gładko i bez napięć. Umieść jedną rękę na pępku i poczuj ruchy oddechowe. Rozluźnij ramiona. Zacznij ćwiczenie od pełnego wydechu. Kiedy wdychasz, udawaj, że duży ciężar, np. duża książka, spoczywa na twoim pępku i że przez twój wdech próbujesz podnieść ten wyimaginowany ciężar w kierunku sufitu.

Następnie kiedy wydychasz, po prostu pozwól temu wyimaginowanemu ciężarowi naciskać na brzuch, pomagając w ten sposób w wydechu. Wydychaj więcej powietrza niż byś to robił normalnie, jak gdybyś „wyciskał" więcej powietrza z płuc. Zmobilizuj mięśnie brzucha, aby pomogły w tej grze. Kiedy wdychasz, kieruj swój oddech w dół tak głęboko, jakbyś podnosił swój wyimaginowany ciężar w kierunku sufitu. Spróbuj całkowicie skoordynować i odizolować oddychanie brzuchem bez ruchów klatki piersiowej lub żeber.

Nawet jeśli wykonasz więcej ćwiczeń aerobikowych w ciągu tygodnia, spróbuj zintegrować ćwiczenia relaksujące i uspokajające, które pomogą ci w najlepszym rozładowaniu stresu.

Kwestia osobowości

Ludzie z grupą krwi A początkowo przystosowali się do życia w dużych zbiorowiskach i radzenia sobie ze stresami bardziej osiadłego, co nie oznacza, że mniej intensywnego stylu życia. Wymagania, jakie stawiało zatłoczone środowisko, nie pozostały bez wpływu na psychikę ówczesnych ludzi.

Prawdopodobnie najważniejszą cechą, którą dana osoba musiała posiadać w takim środowisku, była zdolność współpracy z innymi. Początkowo grupy A musiały być przyzwoite, porządne oraz przestrzegające prawa i musiały się wykazywać samokontrolą. Społeczności nie mogą istnieć, jeżeli brak jest szacunku dla innych i ich własności. Samotnym źle się powodzi w układach grupowych. Gdyby charakterystyki grup 0 nie ewoluowały w kierunku dostosowania się do społeczeństwa agrarnego, wynikiem byłby chaos i ostatecznie zagłada. I znowu to dzięki przodkom grupy A ludzie przeżyli.

Wczesne grupy A musiały być sprytne, wrażliwe, żarliwe i bardzo zręczne, aby stawić czoło wyzwaniom bardziej złożonego życia. Ale wszystkie te cechy musiały mieścić się w pewnych ramach. To może być przyczyna, dlaczego grupy A, nawet dzisiaj, mają zdolność większego opanowania reakcji swojego organizmu. Ukrywają wewnątrz swoje niepokoje, ponieważ tak trzeba, kiedy próbujesz współżyć z innymi – ale kiedy oni wybuchają, uważaj! Antidotum na ten straszliwy wewnętrzny stres stanowią – jak już to omawialiśmy – bardziej uspokajające i medytacyjne ćwiczenia relaksujące jogi i *tai chi chuan*.

Wydawałoby się, że grupy A są słabo dostosowane do zajmowania pozycji przywódczych, łączących się z wysokim obciążeniem psychicznym, w których celują grupy 0. To nie znaczy jednak, że nie mogą być liderami. Kiedy grupy A osiągają te pozycje, instynktownie odrzucają zażarty sposób uprawiania współczesnej polityki, zmierzają do rozwiązywania problemów w inny sposób. Amerykańscy prezydenci: Lyndon B. Johnson, Richard Nixon i Jimmy Carter, byli posiadaczami grupy krwi A. Każdy z nich wniósł niekwestionowaną błyskotliwość i pasję do swojej pracy, ale też wszyscy mieli fatalne potknięcia. Kiedy stres był zbyt wielki, stali się niespokojni i paranoidalni, biorąc wszystko osobiście. W końcu to właśnie te typowe reakcje dla grupy A spowodowały, że każdy z nich stracił urząd.

Być może najbardziej znanym posiadaczem grupy krwi A był Adolf Hitler. Podczas kiedy większość ludzi mogłaby go kojarzyć z typowymi dla przywódcy grupy 0 rządami silnej ręki i brutalnym zadufaniem w swoje siły, dominującą cechą u Hitlera była w rzeczywistości nadzwyczajna nadwrażliwość, która ostatecznie doprowadziła go do szaleństwa. Hitler był typem anormalnym, jego obsesja do genetycznie uporządkowanego społeczeństwa była koszmarną wizją typową dla zmutowanej osobowości grupy A.

6

Dieta dla grupy krwi B

Grupa B: Koczownik

- *zrównoważony*
- *silny układ immunologiczny*
- *tolerancyjny przewód pokarmowy*
- *jedyna grupa krwi, która w pełni może korzystać z dobrodziejstw nabiału*
- *lepiej reaguje na stres przy aktywności twórczej*
- *wymaga zrównoważenia aktywności fizycznej i aktywności umysłowej, aby być eleganckim i szczupłym*

Dieta dla osób z grupą krwi B

Grupy 0 i A pod wieloma względami wydają się być swoimi biegunowymi przeciwieństwami. Grupę B natomiast można najlepiej opisać jako idiosynkratyczną – z cechami zupełnie unikatowymi, a czasami zmiennymi jak kameleon. Pod wieloma względami grupa B przypomina grupę 0 tak bardzo, że obie wydają się być spokrewnione. Ale w pewnym momencie grupa B przyjmuje zupełnie inny wzór, własny i niepowtarzalny. Można rzec, że grupa B stanowi wyrafinowany wytwór w podróży ewolucyjnej, mający na celu połączenie rozbieżnych kultur i ludzi.

Generalnie silne i czujne osoby z grupą krwi B zazwyczaj potrafią stawiać opór wielu najgroźniejszym chorobom typowym dla współczesnego życia, takim jak choroby serca i rak. A nawet jeśli nabawią się tych chorób, istnieje większe prawdopodobieństwo, że je zwyciężą. Osoby z grupą krwi B wydają się bardziej podatne na egzotyczne zaburzenia układu odpornościowego, takie jak stwardnienie rozsiane, toczeń i syndrom chronicznego zmęczenia (patrz rozdział 9).

Jak wynika z mojego doświadczenia, osoby z grupą krwi B starannie przestrzegające zalecanej diety często mogą obejść groźne choroby i żyć długo i w dobrym zdrowiu.

Dieta dla grupy krwi B jest zrównoważona i urozmaicona, obejmując szeroki wachlarz żywności. Jak mawia mój ojciec, reprezentuje wszystko to, co „najlepsze z królestwa zwierząt i roślin".

Czynniki utraty wagi

Najbardziej sprzyjają tyciu kukurydza, gryka, soczewice, orzeszki ziemne i nasiona sezamu. Każde z tych rodzajów żywności posiada inną lektynę, ale wszystkie wpływają na efektywność procesu metabolicznego, wywołując zmęczenie, zatrzymanie płynów i hipoglikemię – groźny spadek cukru we krwi po zjedzeniu posiłku. Moi pacjenci z hipoglikemią często pytają mnie, czy powinni przestrzegać standardowych porad dotyczących spożywania kilku małych posiłków dziennie, aby powstrzymywać spadek cukru we krwi. Odradzam im te praktyki. Uważam, że głównym problemem jest nie to kiedy jedzą, ale co jedzą. Niektóre rodzaje żywności wywołują spadek cukru we krwi – szczególnie u grup B. Kiedy je wyeliminujesz i zaczniesz jeść właściwą żywność dla swojej grupy krwi, poziom cukru powinien po posiłkach być w normie. Problem z „pasieniem się" – jedzeniem wielu małych posiłków w ciągu dnia – polega na tym, że zakłóca się naturalne sygnały głodu wysyłane przez organizm; możesz czuć się głodny przez cały czas – a więc niezbyt pomocna sytuacja, jeżeli próbujesz stracić na wadze.

Grupa B podobnie reaguje jak grupa 0 w reakcji na gluten znajdujący się w zarodkach pszenicy i w produktach pełnopszenicznych. Lektyna glutenowa dołącza się do problemów powodowanych przez inne rodzaje żywności zwalniające metabolizm. Kiedy żywność nie jest skutecznie trawiona i spalana jako paliwo dla organizmu, jest magazynowana w postaci tłuszczu.

Sam w sobie gluten pszeniczny nie atakuje grupy B tak groźnie, jak grupy 0. Jednak kiedy dodasz pszenicę do mieszanki kukurydzy, soczewicy i orzeszków ziemnych, efekt końcowy jest tak samo niszczący. Osoby z grupą krwi B, które chcą stracić na wadze, powinny unikać pszenicy.

Z mojej praktyki wynika, że jeśli osoby z grupą krwi B przestają spożywać żywność zawierającą toksyczne lektyny, to z powodzeniem udaje się im kontrolować wagę. Nie masz żadnych fizjologicznych barier do utraty wagi, takich jak problemy z tarczycą, które mogą w tym przeszkadzać osobom z grupą krwi 0. Także nie cierpisz na zaburzenia trawienne. Wszystko, czego potrzebujesz, aby stracić na wadze – to trzymanie się diety.

Niektórzy są zdziwieni, że chociaż zalecenia dietetyczne dla osób z grupą krwi B zachęcają do spożywania produktów mlecznych, to jednak nie mają oni problemów z kontrolą wagi. Oczywiście, jeżeli jadasz w nadmiarze żywność wysokokaloryczną, na pewno będziesz przybierał na wadze! Ale umiarkowana konsumpcja produktów mlecznych w rzeczywistości pomaga osobom z grupą krwi B w osiągnięciu równowagi metabolicznej. Prawdziwym winowajcą są te szczególne rodzaje żywności, które powstrzymują skuteczne wykorzystanie energii i sprzyjają gromadzeniu kalorii w postaci tłuszczu.

Żywność, która sprzyja nabieraniu wagi:

kukurydza	hamuje wydolność insulinową, spowalnia tempo metabolizmu, przyczyna hipoglikemii;
soczewice	zakłócają sprawność metablizmu, hamują prawidłowe wchłanianie składników odżywczych, przyczyna hipoglikemii;
orzeszki ziemne	zakłócają sprawność metabolizmu, zakłócają funkcje wątroby, przyczyna hipoglikemii;
nasiona sezamu	zakłócają sprawność metabolizmu, przyczyna hipoglikemii;

gryka	zakłóca trawienie, zakłóca sprawność metabolizmu, przyczyna hipoglikemii;
pszenica	spowalnia procesy trawienne i metaboliczne, powoduje, że żywność jest składowana w organizmie w postaci tłuszczu, a nie zamieniana w energię, hamuje wydolność insulinową.

Żywność, która sprzyja utracie wagi:

zielone warzywa	pomagają w skutecznym metabolizmie;
mięso	pomaga w skutecznym metabolizmie;
jaja/niskotłuszczowe produkty mleczne	pomagają w skutecznym metabolizmie;
wątroba	pomaga w skutecznym metabolizmie;
herbatka z lukrecji*	przeciwdziała hipoglikemii.

* Nigdy nie bierz suplementu lukrecji bez kontroli lekarskiej. Herbatkę z lukrecji pić można bez obaw.

Uwzględnij te wskazówki w całościowym obrazie diety grupy B, który jest następujący:

Mięso i drób

Grupa krwi B		tygodniowo: jeżeli twoje pochodzenie jest...		
Żywność	Ilość	afrykańskie	kaukaskie	azjatyckie
chude czerwone mięso	120–180 g (mężczyźni) 60–150 g (kobiety i dzieci)	3–4 x	2–3 x	2–3 x
drób	120–180 g (mężczyźni) 60–150 g (kobiety i dzieci)	0–2 x	0–3 x	0–2 x

W organizmie osób z grupą krwi B wydaje się istnieć bezpośrednie powiązanie pomiędzy stresem, zaburzeniami układu autoimmunologicznego i czerwonym mięsem. Wynika to stąd, że przodkowie grupy B lepiej przyswajali inne rodzaje mięs (a poza tym nie było zbyt wiele wołowiny w tundrze syberyjskiej!). Jeżeli jesteś zmęczony lub masz za słabą odporność, powinieneś jadać czerwone mięso z jagnięcia, baraniny lub królika kilka razy na tydzień, zamiast wołowiny lub indyka.

Z mojej praktyki wynika, że jedną z najtrudniejszych decyzji, które muszą podjąć osoby z grupą krwi B, to zrezygnowanie z kurczaków, gdyż zawierają one lektynę aglutynującą krew grupy B w tkankach mięśniowych. Jeśli spożywasz więcej drobiu niż czerwonego mięsa, zacznij zastępować kurczaki innymi rodzajami drobiu, np. indykiem bądź bażantem. Chociaż są one podobne do kurczaków pod wieloma względami, nie zawierają niebezpiecznych lektyn. Konieczność zrezygnowania z kurczaków na pewno zmartwi wiele osób, dla których stały się one istotną częścią diety. Głosi się też, że kurczaki są „zdrowsze" od wołowiny. Ale oto mamy kolejny dowód, gdzie ogólne zalecenie dietetyczne nie jest wskazane dla każdego. Kurczaki mogą być chudsze (chociaż nie zawsze niż czerwone mięso), ale nie o to chodzi. Problem tkwi w lektynie aglutynującej, która atakuje krwiobieg osób z grupą krwi B i potencjalnie prowadzi do wylewów i zaburzeń odporności. Chociaż więc kurczaki mogą być twoim „ukochanym" pożywieniem, nalegam, abyś zaczął się ich wystrzegać.

Wysoce wskazane

baranina	jagnięcina
dziczyzna	królik

Obojętne

bażant	wątroba
cielęcina	wołowina
indyk	wołowina mielona
mięso bawołu	

Unikać

bekonu	kuropatwy
gęsi	przepiórek
kaczki	serc

kurczaków   szynki
kur cornish (rasa typu   wieprzowiny
mięsnego)

Ryby i owoce morza

Grupa krwi B	tygodniowo: jeżeli twoje pochodzenie jest...			
Żywność	Ilość	afrykańskie	kaukaskie	azjatyckie
wszystkie zalecane	120–180 g	4–6 x	3–5 x	3–5 x

Grupy B rozkwitają szczególnie na rybach oceanicznych takich jak: dorsz i łosoś, które są bogate w odżywcze oleje. Białe ryby takie jak flądra, halibut i sola są doskonałymi źródłami protein o wysokiej jakości dla grup B. Unikaj natomiast wszelkich skorupiaków – krabów, homarów, krewetek, omułków jadalnych itd. Zawierają one lektyny, które mają niekorzystne działanie dla organizmów grupy B. Interesującą ciekawostką jest to, że pierwotne plemiona żydowskie, których członkowie w większości mieli grupę krwi B, nie spożywały skorupiaków. Być może to stare prawo dietetyczne potwierdza, że skorupiaki są słabo trawione przez grupy B.

Wysoce wskazane

aloza   makrela
anioł morski (ryna)   morszczuk
dorsz   okoń oceaniczny
flądra   pikerel (r. szczupaka)
graniki   sardynka
halibut   skap
jesiotr   sola
kawior (z jesiotra)   szczupak
koryfena (mahimahi)   troć
łupacz (plamiak)

Obojętne

karp   sieja
kałamarnica   skalnik (moron biały)

kulbiniec szary
lucjan (*snapper*)
łosoś
okoń
okoń srebrny
płytecznik
przegrzebek
pstrąg tęczowy
red snapper (z r. lucjanowatych)
rekin

słuchotka (*abalone*)
stynka
sum
śledzie (marynowane)
śledzie (świeże)
tasergal (*bluefish*)
tuńczyk biały (albakora)
włócznik
żaglica

Unikać

barakudy
bieługi
homara
kraba
krewetek
łososia wędzonego
małży
omułków jadalnych
ostryg
ośmiornicy

raka
sardeli
sea bass (r. granika)
serioli (*yellowtail*)
skrzydlaka (*conch*)
skalnika (rokus)
ślimaków
węgorza
żab
żółwi

Jaja i nabiał

Grupa krwi B		tygodniowo: jeżeli twoje pochodzenie jest...		
Żywność	Ilość	afrykańskie	kaukaskie	azjatyckie
jaja	1 jajko	3–4	3–4 x	5–6 x
ser	60 g	3–4	3–5 x	2–3 x
jogurt	120–180 g	0–4	2–4 x	1–3 x
mleko	120–180 g	0–3	4–5 x	2–3 x

Grupa B jako jedyna może w pełni korzystać z szerokiej gamy produktów mlecznych, a to dlatego, że podstawowy cukier w antygenie grupy B to D-galaktozamina, a taki sam cukier występuje w mleku. Produkty mleczne zostały wprowadzone do diety człowieka w szczytowym okresie rozwoju grupy B, gdy udomowiono zwierzęta (nawiasem mówiąc jajka nie zawierają tej szkodliwej lektyny, która znajduje się w tkankach mięśniowych kurczaków).

Jednak istnieje stara idiosynkrazja, która zaciemnia te zasady. Jeżeli jesteś pochodzenia azjatyckiego, możesz początkowo mieć problem z jedzeniem produktów mlecznych, nie dlatego że twój organizm jest na nie oporny, ale z powodu typowych nawyków kulturowych. Produkty mleczne zostały wprowadzone po raz pierwszy do społeczności azjatyckich wraz z inwazją hord mongolskich. W pojęciu Azjatów produkty mleczne były pożywieniem barbarzyńców i jako takich nie wypadało jeść. To przekonanie przetrwało do dziś, chociaż dla licznych rzesz ludzi z grupą krwi B w Azji dieta oparta na soi wyniszcza ich organizmy.

Grupy B o pochodzeniu afrykańskim także mogą mieć problemy z jedzeniem produktów mlecznych. Grupy B są szczątkowo reprezentowane w Afryce, a wielu Afrykanów nie toleruje laktozy. Tych problemów z nietolerancją nie należy mylić z alergiami. Alergie stanowią odpowiedź układu immunologicznego, który powoduje, że krew wytwarza antygen na żywność. Nietolerancja to problemy trawienne, które możesz mieć z pewnymi rodzajami żywności. Nietolerancja może być wynikiem migracji, asymilacji kulturowej i innych czynników; przykładowo, gdy grupy B ruszyły do Afryki, produkty mleczne nie były tam popularne.

Co możesz zrobić? Jeżeli nie tolerujesz laktozy, zacznij zażywać preprat enzymu laktazy, który umożliwi trawienie produktów mlecznych. Następnie kiedy już będziesz na diecie dla grupy B przez kilka tygodni, powoli wprowadzaj produkty mleczne, zaczynając od zawierających kultury bakterii lub kwaśnych, takich jak jogurt i kefir, które są tolerowane lepiej niż produkty ze świeżego mleka w rodzaju lodów, pełnego mleka i serków śmietankowych. Odkryłem, że grupy B z nietolerancją laktozy często są w stanie przyswajać produkty mleczne po tym, jak poprawią całokształt problemów związanych ze swoimi dietami.

Żywność sojowa często zalecana jest jako substytut produktów mlecznych. Możesz jeść żywność sojową, lecz ona jest jedynie obojętna dla grup B. Nie daje tak wielu korzyści zdrowotnych, jak osobom z grupą krwi A. Dlatego nie zalecam częstego spożywania soi jako dania głównego, zamiast jedzenia mięsa, ryb i produktów mlecznych, których grupy B naprawdę potrzebują dla optimum zdrowia.

Wysoce wskazane

chude lub 2% mleko	ser farmer
jogurt	ser feta
jogurt mrożony	ser mozzarella
jogurt z owocami	ser kozi

kefir
mleko kozie

ser ricotta
serek wiejski

Obojętne

masło
maślanka
mleko sojowe
pełne mleko
ser biały
ser brie
ser camembert
ser cheddar
ser colby
ser edam
ser emmentaler
ser gouda
ser gruyère

ser jarslberg
ser monterey jack
ser munster
ser neufchatel
ser parmezan
ser provolone
ser sherbet
ser sojowy
ser szwajcarski
ser śmietankowy
serwatka

Unikać

lodów
sera amerykańskiego

sera blue
sera string

Oleje i tłuszcze

Grupa krwi B	tygodniowo: jeżeli twoje pochodzenie jest...			
Żywność	Ilość	afrykańskie	kaukaskie	azjatyckie
oleje	1 łyżka stołowa	3–5 x	4–6 x	5–7 x

Wprowadź do diety oliwę z oliwek, aby umożliwić właściwe trawienie i zdrowe wydalanie. Stosuj przynajmniej jedną łyżkę stołową dziennie. *Ghee*, produkt hinduski z klarowanego masła, także może być użyty do przyrządzania posiłków. Unikaj oleju sezamowego, słonecznikowego i kukurydzianego, które zawierają lektyny mogące przyczyniać się do osłabienia przewodu pokarmowego.

Wysoce wskazane

oliwa z oliwek

Obojętne

olej z siemienia lnianego
olej z wątroby dorsza

Unikać

oleju bawełnianego
oleju canola (z rzepaku)
oleju krokoszowego
oleju kukurydzianego

oleju z orzeszków ziemnych
oleju sezamowego
oleju słonecznikowego

Orzechy i pestki

Grupa krwi B	tygodniowo: jeżeli twoje pochodzenie jest...			
Żywność	Ilość	afrykańskie	kaukaskie	azjatyckie
orzechy i pestki	6–8 orzechów	3–5 x	2–5 x	2–3 x
masło orzechowe	łyżka stołowa	2–3 x	2–3 x	2–3 x

Większość orzechów i pestek nie jest wskazana dla grup B. Orzeszki ziemne, nasiona sezamu i słonecznika zawierają lektyny, które zaburzają produkcję insuliny u grupy B. Zrezygnowanie z sezamu i produktów opartych na sezamie może być trudne dla grup B pochodzenia azjatyckiego, ale w tym przypadku twoja grupa krwi przemawia bardziej zdecydowanie niż twoja kultura.

Obojętne

kasztan jadalny
makadamia
masło migdałowe
migdały
orzech brazylijski

orzech hikorii
orzeszki liczi
orzech włoski
orzeszki pekan

Unikać

masła sezamowego (*tahini*)
masła słonecznikowego

orzeszków pinii (pinioli)
orzeszków pistacjowych

masła z orzeszków ziemnych
maku
nasion sezamu

orzechów laskowych
orzecha nerkowca (*cashew*)
orzeszków ziemnych
pestek dyni
pestek słonecznika

Fasole i inne rośliny strączkowe

Grupa krwi B Żywność	tygodniowo: jeżeli twoje pochodzenie jest...			
	Ilość	afrykańskie	kaukaskie	azjatyckie
wszystkie zalecane fasole i rośliny strączkowe	1 szklanka	3–4 x	2–3 x	4–5 x

Grupy B mogą jeść niektóre fasole i rośliny strączkowe, ale wiele z nich, takie jak soczewice, ciecierzyca, pinto i groszek „czarne oczko", zawierają lektyny zaburzające proces produkcji insuliny. Ogólnie, azjatyckie grupy B tolerują fasole i rośliny strączkowe lepiej niż inne grupy B, ponieważ są kulturowo przystosowane do tego. Ale nawet one muszą ograniczyć swój wybór do tych produktów, które są wysoce zalecane i jeść je z umiarem.

Wysoce zalecane

fasolka limeńska (*lima*)

fasolka navy
fasolka nerkowata (*kidney*)

Obojętne

bób
fasola fava
fasola biała
fasola cannellini
fasola copper
fasola czerwona
fasola jicama
fasola norhern

fasola pnąca
fasola sojowa
fasolka szparagowa
fasola tamaryndy
fasola zielona
groszek w strąkach
groszek zielony

Unikać

fasoli aduke
fasoli adzuki (azuki)
fasoli czarnej
groszku „czarne oczko"
ciecierzycy (*garbanzo*)

fasoli pinto
soczewicy amerykańskiej
soczewicy czerwonej
soczewicy zielonej

Przetwory zbożowe

Grupa krwi B	tygodniowo: jeżeli twoje pochodzenie jest...			
Żywność	Ilość	afrykańskie	kaukaskie	azjatyckie
wszystkie zalecane przetwory	1 szklanka	2–3 x	2–4 x	2–4 x

Kiedy osoby z grupą krwi B postępują zgodnie z założeniami ich diety, pszenica może nie stanowić dla nich problemu. Jednak pszenica nie jest dobrze tolerowana przez większość osób z grupą krwi B, gdyż zawiera lektyny, które dołączają się do receptorów insuliny w komórkach tłuszczowych. Rezultatem jest zmniejszenie wydolności insulinowej i mała stymulacja „spalania" tłuszczu.

Grupy B powinny również unikać żyta, zawierającego lektyny, które osiadają w układzie krwionośnym, powodując choroby krwi, oraz przyczyniają się do zawałów. (Interesująca jest uwaga, że głównymi ofiarami chorób układu krwionośnego, zwanych czasami „ogniem św. Antoniego", jest w większości populacja grupy B wschodnioeuropejskich Żydów. Chleb żytni jest popularną częścią ich tradycji).

Kukurydza i gryka są głównymi czynnikami sprzyjającymi nabieraniu wagi u osób z grupą krwi B. Bardziej niż jakiekolwiek inne pożywienie, przyczyniają się do spowolnienia metabolizmu, nieprawidłowości insulinowej, zatrzymania płynów w organizmie i zmęczenia.

I znów kluczem dla grup B jest równowaga. Jedz różnorodne przetwory i zboża. Ryż i owies są wspaniałym wyborem. Zachęcam również do spożywania orkiszu, zboża bardzo korzystnego dla grup B.

Wysoce wskazane

orkisz
otręby owsiane
otręby ryżowe

owsianka
proso
ryż dmuchany

Obojętne

familia	*grape nuts*
farina	pasta ryżowa
granola	

Unikać

amarantu	otrębów pszennych
gryki	płatków kukurydzianych
jęczmienia	płatków „siedem zbóż"
kamutu	(*seven-grain*)
kaszy	przetworów pszennych
mąki kukurydzianej	żyta

Chleb i grzanki

Grupa krwi B		dziennie: jeżeli twoje pochodzenie jest...		
Żywność	Ilość	afrykańskie	kaukaskie	azjatyckie
chleb, krakersy	1 kromka	0–1 x	0–1 x	0–1 x
grzanki	1 grzanka	0–1 x	0–1 x	0–1 x

Niniejsze zalecenia są podobne do tych, jak przy przetworach zbożowych. Unikaj produktów pszenicznych, kukurydzianych, gryki i żyta. Ale zostaje ci jeszcze do wyboru szeroka gama pieczywa. Spróbuj chleba esseńskiego lub Ezekiela, które możesz znaleźć w sklepach ze zdrową żywnością. To „żywe" pieczywo jest wysoce odżywcze i zdrowe, gdyż wyrabia się go z kiełkującej pszenicy; powodujące problem lektyny są niszczone w procesie kiełkowania.

Wysoce wskazane

chleb z brązowego ryżu	pieczywo z prosa
chleb esseński	pieczywo Wasa
chleb Ezekiela	wafle ryżowe
chrupki Fin	

Obojętne

bułki z otrębami owsa
chleb bezglutenowy
chleb z mąki sojowej
chleb orkiszowy

ideal flat bread
pumpernikiel
wysokobiałkowy chleb
niepszeniczny

Unikać

bułek pszennych
bułek kukurydzianych
bułek z otrębów pszennych
chleba wieloziarnistego
100% chleba żytniego

chrupek żytnich
pełnopszenicznego chleba
pieczywa z mąki durum
pieczywa rye vita

Ziarna i makarony

Grupa krwi B Żywność	Ilość	tygodniowo: jeżeli twoje pochodzenie jest...		
		afrykańskie	kaukaskie	azjatyckie
ziarno	1 szklanka	3–4 x	3–4 x	2–3 x
makarony	1 szklanka	3–4 x	3–4 x	2–3 x

Wybór zbóż i makaronów dla grupy B jest zgodny z zaleceniami dla przetworów zbożowych i pieczywa. Należy jednak umiarkowanie spożywać makarony i ryż. Nie potrzebujesz jeść zbyt wiele z tych produktów, jeśli spożywasz zalecane mięso, ryby i nabiał.

Wysoce wskazane

mąka z owsa
mąka ryżowa

Obojętne

makaron grysikowy (semolina)
makaron szpinakowy
mąka biała
mąka grahama
mąka orkiszowa

mąka quinoa
ryż basmati
ryż biały
ryż brązowy

Unikać

dzikiego ryżu	mąki glutenowej
kaszy gryczanej	mąki jęczmiennej
makarony z karczocha	mąki pełnopszennej
makaronu soba	mąki pszennej bulgur
couscous	mąki żytniej
	mąki pszennej durum

Warzywa

Grupa krwi B	dziennie: niezależnie od pochodzenia	
Żywność	**Ilość**	
surowe	1 szklanka	3–5 x
gotowane lub duszone na parze	1 szklanka	3–5 x

Dla osób z grupą krwi B jest wiele pożywnych i wysoce wskazanych warzyw. Czerp więc pełne korzyści z trzech do pięciu porcji dziennie. Jest niewiele warzyw, których należy bezwzględnie unikać. Przede wszystkim pomidorów zawierających lektyny, które mogą aglutynować każdą z grup krwi. Ale gdy lektyny pomidora nieznacznie wpływają tylko na organizmy osób z grupą krwi 0 i AB, to te z grupą krwi B i A cierpią z powodu silnych reakcji, zwykle objawiających się zaburzeniami wyściółki żołądka. Kukurydza jest również na liście produktów, których powinieneś unikać, gdyż zawiera wspomniane wcześniej lektyny zakłócające procesy metabolizmu i produkcji insuliny. Unikaj także oliwek ze względu na ich zarodki pleśni, które mogą prowadzić do reakcji alergicznych.

Z racji tego, że osoby z grupą krwi B mają mniejszą odporność na wirusy i choroby autoimmunologiczne, spożywaj obfite ilości liści zielonych warzyw, które zawierają magnez, ważny czynnik antywirusowy. Magnez jest również wskazany dla dzieci z grupą krwi B, które mają egzemę.

W większości świat roślin jest twoim królestwem. W przeciwieństwie do innych grup krwi, możesz w pełni korzystać z ziemniaków i jamów, kapusty i pieczarek oraz wielu innych produktów pochodzenia roślinnego.

Wysoce wskazane

bakłażan
brokuły
brukselska
buraki czerwone i ich liście
*collard greens**
*kale**
fasola limeńska (*lima*)
gorczyca zielona
grzyby shiitake
jamy (ignamy)
kapusta biała

kapusta chińska
kapusta czerwona
kalafior
marchew
pasternak
papryka czerwona
papryka jalapeno
papryka zielona
papryka żółta
pietruszka
słodkie ziemniaki

* Gatunki uprawianej w USA bezgłowej kapusty warzywnej (*Brassica oleracea acephala*). Podobne do nich są: kapusta włoska i jarmuż.

Obojętne

arugula
boćwina
brukiew
cebula czerwona
cebula hiszpańska
cebula zielona
cebula żółta
chrzan
cukinia
czosnek
cykoria
dymka
endywia
eskarola
glony morskie
groszek cukrowy
grzyby abalone
grzyby enoki
grzyby portobello
grzyby tree oyster
imbir
japońska rzodkiew (*daikon*)
kalarepa
kapusta pekińska
ketmia jadalna (*okra*)

kiełki lucerny (*alfalfa*)
koper
koper włoski (fenkuł)
mniszek
ogórek
orzech wodny (kotewka)
pędy bambusa
pieczarki
por
radicchio
rappini
rzepa
sałata bibb
sałata boston
sałata iceberg (lodowa)
sałata mesclun
sałata rzymska
seler
szalotka
szparagi
szpinak
trybuła ogrodowa
rukiew wodna
wszystkie dyniowate
ziemniaki białe
ziemniaki czerwone

Unikać

awokado
dyni
karczocha amerykańskiego
karczocha jerozolimskiego
kiełków mung
kiełków rzodkiewki
kukurydzy białej
kukurydzy żółtej

oliwek czarnych
oliwek greckich
oliwek hiszpańskich
oliwek zielonych
pomidorów
rzodkiewek
tempeh
tofu

Owoce

Grupa krwi B	dziennie: niezależnie od pochodzenia	
Żywność	Ilość	
wszystkie zalecane owoce	1 owoc lub 90–150 g	3–4 x

Nielicznych jedynie owoców powinny unikać osoby z grupą krwi B, a do tego są one mało powszechne. Większość osób nie odczuje boleśnie braku w diecie persymonów, granatów czy opuncji.

Ananas jest szczególnie wskazany dla osób z grupą krwi B, które są podatne na wzdęcia, zwłaszcza gdy nie jadają produktów mlecznych i mięsa. Bromelaina, enzym znajdujący się w ananasach, powoduje, że trawienie pożywienia jest łatwiejsze.

Możesz wybierać owoce dowolnie z poniższej listy. Grupy B mają tendencje do zrównoważonego przewodu pokarmowego, z prawidłowym poziomem kwas-zasada, dlatego też mogą spożywać owoce, które są zbyt kwaśne dla innych grup krwi.

Staraj się włączać do swojej diety minimum jeden lub dwa owoce z listy „wysoce wskazanych" każdego dnia, aby uzyskać pełne korzyści z ich właściwości.

Wysoce wskazane

ananas
banan
papaja
śliwki ciemne
śliwki czerwone
śliwki zielone

winogrona concord
winogrona czarne
winogrona czerwone
winorona zielone
żurawina

Obojętne

agrest
arbuz
borówka amerykańska
brzoskwinia
cytryna
daktyle
figi suszone
figi świeże
grejpfrut
gruszka
guawa
jabłka
jagody bzu czarnego
jeżyna
kiwi
kumkwat
limony
malina
malinojeżyna
mandarynka

mango
melon canang
melon casaba
melon christmas
melon crenshaw
melon hiszpański
melon kantalupa
melon miodunka
melon musk
morele
nektarynka
pomarańcza
porzeczka czarna
porzeczka czerwona
plantany
rodzynki
śliwki suszone
truskawka
wiśnia

Unikać

granatów
karamboli
opuncji

orzecha kokosowego
persymonów
rabarbaru

Soki i napoje

Grupa krwi B	dziennie: niezależnie od pochodzenia	
Żywność	Ilość	
wszystkie zalecane soki	240 g	2–3 x
woda	240 g	4–7 x

Osoby z grupą krwi B mogą pić większość owocowych i warzywnych soków. Każdego ranka powinineś wypijać sok wzmacniający układ immunologiczny i nerwowy, specjalnie opracowany dla osób z grupą krwi B. Nazwałem go Membrane Fluidizer Cocktail, ale zapewniam cię, że jest on dużo bardziej ponętny niż sugeruje to nazwa.

Zmieszaj 1 łyżkę stołową oleju z siemienia lnianego, 1 łyżkę stołową wysokiej jakości lecytyny w granulkach i od 180 do 240 gramów soku owocowego. Dokładnie wymieszaj (najlepiej w shakerze) i wypij. Lecytyna to enzym znajdujący się w zwierzętach i roślinach, posiadający właściwości wzmacniające układ odpornościowy i poprawiające metabolizm. Lecytynę w granulkach możesz znaleźć w sklepach ze zdrową żywnością i w niektórych supermarketach.

Membrane Fluidizer Cocktail dostarcza dużych ilości choliny, seriny i etanolaminy (fosfolipidów), które są bardzo wskazane dla osób z grupą krwi B. Możesz być zaskoczony, że napój ten jest dość smaczny, dzieje się tak, ponieważ lecytyna emulguje olej, pozwalając mu zmieszać się z sokiem.

Wysoce wskazane

sok ananasowy	sok winogronowy
sok z kapusty	sok żurawinowy
sok z papai	

Obojętne

sok z ciemnej wiśni	ogórkowy
grejpfrutowy	pomarańczowy
jabłkowy	selerowy
marchewkowy	soki warzywne (z zalecanych
morelowy	warzyw)
napój jabłkowy (*cider*)	sok z suszonych śliwek
	woda (z cytryną)

Unikać

soku pomidorowego

Przyprawy

Dla grup B najlepsze są ostre przyprawy, takie jak imbir, chrzan, curry i pieprz cayenne. Wyjątkiem są biały i czarny pieprz, które zawierają niekorzystne lektyny. Z drugiej strony słodkie przyprawy prowadzą do zaburzeń żołądka, tak więc unikaj słodu jęczmiennego, syropu kukurydzianego, skrobi kukurydzianej i cynamonu. Wyjątkiem są biały i brązowy cukier, miód i melasa, które reagują w sposób obojętny z przewodem pokarmowym grup B. Możesz jeść też cukry z umiarkowaniem, także w małych ilościach czekoladę, ale jako „przyprawę", a nie główne danie!

Wysoce wskazane

curry
chrzan
imbir

pieprz cayenne
pietruszka

Obojętne

agar
angielskie ziele
anyżek
bazylia
bergamotka
chleb świętojański
cukier biały
cukier brązowy
cząber
czekolada
czosnek
estragon
gałka muszkatołowa
golteria rozesłana
(wintergeen)
gorczyca (suszona)
goździki
kapary
kardamon
kelp
kminek zwyczajny (karolek)
kmin rzymski
kolendra
koper
kurkuma (ostryż)
liść laurowy
majeranek
mączka z bulw maranty (arrowroot)
melasa

mięta
mięta pieprzowa
mięta zielona
miso
miód
ocet balsamiczny
ocet biały
ocet jabłkowy
ocet winny czerwony
oregano
papryka
pieprz czerwony
pieprz ziarnisty
rodymenia
rozmaryn lekarski
sos sojowy
sól
syrop z brązowego ryżu
syrop klonowy
syrop ryżowy
szafran
szałwia
szczypiorek
tamarynda
trybula ogrodowa
tymianek
wanilia

Unikać

cynamonu
esencji migdałowej
kielichowca wonnego (*allspice*)
pieprzu białego
pieprzu czarnego mielonego

skrobi kukurydzianej
słodu jęczmiennego
syropu kukurydzianego
tapioki
żelatyny

Inne dodatki

Dodatki są zasadniczo albo obojętne, albo też szkodliwe dla wszystkich grup krwi. Grupy B mogą stosować je z wyjątkiem ketchupu (zawierającego niebezpieczne lektyny pomidora), ale z punktu widzenia prawidłowego odżywiania sugeruję ograniczyć spożywanie produktów, które nie przynoszą realnych korzyści.

Obojętne

dżem (z zalecanych owoców)
galaretki (z zalecanych owoców)
marynaty koszerne
marynaty kwaśne
marynaty słodkie
marynowany koper
majonez

mus jabłkowy
musztarda
sosy do sałatek (dressingi)
(o niskiej zawartości tłuszczu
z akceptowanych składników)
przyprawy smakowe (*relish*)
sos Worcestershire

Unikać

ketchupu

Herbatki ziołowe

Tylko kilka herbatek ziołowych jest niewskazanych dla grupy B. Imbir służy do rozgrzania, mięta pieprzowa przeciwdziała zaburzeniom układu pokarmowego. Żeńszeń wywiera pozytywny efekt na układ nerwowy. Ale bądź ostrożny, gdyż żeńszeń może działać stymulująco, dlatego więc powinien być pity rano. Lukrecja jest szczególnie wskazana dla grup B. Ma ona właściwości antywirusowe, redukuje twoją podatność na choroby autoimmunologiczne. Wiele osób z grupą krwi B doświadczyło spadku poziomu cukru we krwi po posiłku (hipoglikemia), a wówczas lukrecja jest bardzo pomocna, gdyż reguluje poziom cukru we krwi.

Ostatnio odkryto, że lukrecja jest również pomocna dla ludzi cierpiących na syndrom chronicznego zmęczenia (zob. rozdział 9).

Wysoce wskazane

imbir
korzeń lukrecji*
lukrecja
liście malin
mięta pieprzowa

owoce dzikiej róży
pietruszka
szałwia
żeńszeń

* Stosować za zgodą lekarza.

Obojętne

bez aptekarski
brzoza brodawkowata (biała)
cayenne
dong quai
dziurawiec
echinacea
głóg
kocimiętka
kora białego dębu
gwiazdnica pospolita
krwawnik pospolity
liście truskawek
lucerna (*alfalfa*)

łopian
mięta zielona
mniszek
morwa
rumianek
sarsaparilla
śliski (czerwony) wiąz
szanta
szczaw
tymianek
waleriana (kozłek lekarski)
werbena
zielona herbata

Unikać

aloesu
chmielu
czerwonej koniczyny
dziewanny
goryczki
gorzknika kanadyjskiego
kozieradki pospolitej

lipy
podbiału
rabarbaru
senesu
tasznika pospolitego
znamion kukurydzy

Używki

Osoby z grupą krwi B poczują się lepiej, gdy ograniczą się do ziół, zielonej herbaty, wody i soku. I chociaż kawa, hebata i wino nie są szkodliwe, to jednak aby osiągnąć swój cel, grupy B powinny maksymalizować swoje wysiłki w celu uzyskania najkorzystniejszych efektów, a nie tylko spożywać produkty, które są obojętne. Jeśli zwykłeś pijać kawę kofeinową lub herbatę, spróbuj zastąpić je zieloną herbatą, która również zawiera kofeinę, ale także korzystne antyutleniacze.

Wysoce zalecane

zielona herbata

Obojętne

białe wino
czarna herbata bezkofeinowa
czarna herbata
czerwone wino

kawa bezkofeinowa
kawa z kofeiną
piwo

Unikać

coca-coli
napojów gazowanych
alkoholi destylowanych

wody seltzera
wody sodowej

Planowanie posiłków dla osób z grupą krwi B

Poniższe przykładowe menu i przepisy powinny dać ci wyobrażenie o typowej diecie zalecanej dla grup B. Została ona opracowana przez dr Dinę Khader, dietetyka, z powodzeniem stosującego diety dla poszczególnych grup krwi wśród swoich pacjentów.

Te dania są niskokaloryczne i zbilansowane tak, aby uzyskać skuteczny metabolizm u osób z grupą krwi B. Osoba stosująca się do zaleceń będzie mogła utrzymać ciężar ciała bez najmniejszego problemu, a nawet stracić trochę zbędnych kilogramów. Wybór alternatywnego pożywienia jest zalecany wówczas, gdy preferujesz lekkostrawne jedzenie lub pragniesz ograniczyć spożycie kalorii, a jednocześnie spożywać dietę zrównoważoną i sprawiającą ci satysfakcję.

Czasami możesz spotkać składnik w przepisach, który znajduje się na liście do unikania. Jeśli są to małe ilości (np. szczypta pieprzu), to mogą być one przez ciebie tolerowane, w zależności od tego, jak ściśle przestrzegasz diety. Generalnie wybór potraw i podane przepisy są opracowane tak, by dobrze służyły osobom z grupą krwi B. Kiedy bardziej oswoisz się z zaleceniami, będziesz w stanie łatwo opracować własny plan menu i dostosować swoje ulubione przepisy tak, aby uczynić je przyjaznymi dla siebie.

Przykładowe dzienne menu nr 1

MENU STANDARDOWE	MENU ALTERNATYWNE

Śniadanie

Koktajl Membrane Fluidizer (zob. s. 155) (opcjonalnie)	
2 kromki chleba Ezekiela	1 kromka chleba Ezekiela
z serem jogurtowo-ziołowym*	
gotowane jajko	
herbata zielona	

Lunch

sałatka grecka: sałata, ogórek,
szalotki, seler, ser feta,
olej i cytryna
banan
mrożona herbata ziołowa

* Zob. przepisy niżej (s. 162 i nast.)

Podwieczorek

ciasto quinoa z sosem	niskotłuszczowy serek
jabłkowym*	wiejski z plasterkami
herbatka ziołowa	gruszki

Kolacja

potrawka jagnięca ze	kotlet z gotowanej
szparagami*	jagnięciny
szafran z brązowym ryżem*	szparagi
ugotowane na parze warzywa	
(brokuły, chińska kapusta itp.)	
mrożony jogurt	
(wino, jeśli chcesz)	

Przykładowe dzienne menu nr 2

MENU STANDARDOWE   **MENU ALTERNATYWNE**

Śniadanie

Koktajl Membrane Fluidizer (opcjonalnie)
otręby ryżowe z bananem i chudym mlekiem
sok winogronowy
kawa

Lunch

cienki plasterek sera   2 plasterki piersi z indyka
(szwajcarski lub munster),
cienki plasterek piersi z indyka   1 kromka chleba orkiszowego
2 kromki chleba orkiszowego   musztarda
musztarda lub majonez
zielona sałata
herbata ziołowa

Podwieczorek

słodki jogurt owocowy
herbata ziołowa

Kolacja

gotowana ryba*
warzywa gotowane na parze
pieczone jamy z rozmarynem*
mieszanka ze świeżych owoców
herbata ziołowa lub kawa
(czerwone lub białe wino, jeśli masz ochotę)

Przykładowe dzienne menu nr 3

MENU STANDARDOWE   **MENU ALTERNATYWNE**

Śniadanie

Koktajl Membrane Fluidizer
(opcjonalnie)

granola klonowo-orzechowa*
z mlekiem kozim
1 jajko gotowane na miękko
sok grejpfrutowy
zielona herbata

dmuchany ryż z mlekiem
kozim

Lunch

sałatka ze szpinaku*
1/2 szklanki tuńczyka konserwowego
(w wodzie) z majonezem
2 wafle ryżowe
herbata ziołowa

1/2 szklanki tuńczyka
1 kromka chleba esseń-
skiego

Podwieczorek

morelowy chleb owocowy*
jabłko
kawa lub herbata

niskotłuszczowy jogurt
z rodzynkami

Kolacja

Wspaniałe Fettucine*
zielona sałata
mrożony jogurt
herbata ziołowa
(czerwone lub białe wino, jeśli masz ochotę)

Przepisy

SER JOGURTOWO-ZIOŁOWY

2 l jogurtu beztłuszczowego
2 ząbki siekanego czosnku
1 łyżeczka tymianku
1 łyżeczka bazylii
1 łyżeczka oregano
sól i pieprz do smaku
1 łyżka stołowa oliwy z oliwek

Przełóż jogurt do starej poszewki na poduszkę lub specjalnej tkaniny do sera. Zwiąż tkaninę sznurkiem i pozwól wyciekać jugortowi
do zlewu lub wanny przez 4 1/2 do 5 godzin. Wyjmij jogurt z tkani-

ny i wymieszaj w misce z przyprawami i oliwą. Przykryj i ochładzaj przez 1 do 2 godzin przed podaniem. Najlepiej podawać z surowymi warzywami.

CIASTO QUINOA Z SOSEM JABŁKOWYM

1 i 3/4 szklanki mąki quinoa
1 szklanka rodzynek lub innych (dozwolonych) suszonych owoców
1/2 szklanki łuskanych pekanów
1/2 łyżeczki sody do pieczenia
1/2 łyżeczki proszku do pieczenia
1/2 łyżeczki soli
1/2 łyżeczki mielonych goździków
2 szklanki niesłodzonego sosu jabłkowego
1/2 szklanki niesłonego masła
1 szklanka cukru lub cukru klonowego
1 duże jajko

Rozgrzej piekarnik do temperatury 180˚C. Dosyp do 1/4 szklanki mąki rodzynki i orzechy. Wymieszaj sodę do pieczenia, proszek do pieczenia, sól i mielone goździki z pozostałą mąką. Dodaj suszone owoce, orzechy i sos jabłkowy. Wymieszaj. Wbij jajko i wymieszaj dokładnie z cukrem i masłem. Przełóż wszystko do wysmarowanej olejem brytfanny (24 cm x 24 cm) i włóż do piekarnika na 40–45 minut.

POTRAWKA JAGNIĘCA ZE SZPARAGAMI

450 g świeżych szparagów
300 g pokrojonego w kostkę mięsa jagnięcego
1 średnia cebula, pokrojona
3 łyżki stołowe niesolonego masła
1 szklanka wody
sól, pieprz do smaku
sok z jednej cytryny

Potnij szparagi na 5 cm kawałki, odrzucając końcówki. Umyj i odsącz.

Mięso i cebulę podsmaż na maśle do momentu aż będą jasnobrązowe. Dodaj wodę, sól i przyprawy. Gotuj do momentu, aż mięso będzie miękkie. Dodaj szparagi. Duś na wolnym ogniu 15 minut lub do chwili, kiedy będą miękkie. Na koniec polej sokiem z cytryny.

Porcja na 2 osoby.

SZAFRAN Z BRĄZOWYM RYŻEM

3 łyżki stołowe oliwy z oliwek extra-virgin
1 duża hiszpańska lub czerwona cebula
1 łyżeczka mielonej kolendry
1 łyżeczka gałki muszkatołowej
2 strąki kardamonu (tylko nasiona ze środka)
1 łyżeczka szafranu
2 łyżki stołowe wody różanej
2 szklanki brązowego ryżu basmati
4 szklanki przefiltrowanej wody (zagotowanej)

Rozgrzej oliwę, a następnie smaż przez 10 minut na wolnym ogniu cebulę ze wszystkimi przyprawami oprócz szafranu. W drugim naczyniu rozgnieć szafran i dodaj do podsmażonej cebuli wraz z połową wody różanej. Duś przez 15 minut, a następnie dodaj ryż z przegotowaną wodą. Całość duś przez 35 do 40 minut. Na chwilę przed podaniem do potrawy dodaj resztę wody różanej.

Porcja na 4 osoby.

GOTOWANA RYBA,
PRZEPIS CHERYL MILLER

6 łyżek stołowych niesłonego masła, ghee lub oleju
1 łyżeczka ostrego sosu pieprzowego
1 łyżka stołowa świeżego brązowego czosnku
4 plastry filetów z twojej ulubionej ryby
1 szklanka dmuchanego ryżu, rozgniecionego
2 łyżki stołowe świeżej natki z pietruszki, siekanej

Wymieszaj masło z sosem pieprzowym i dodaj czosnek. 4 łyżkami stołowymi otrzymanej mikstury polej naczynie do pieczenia ryby. Ułóż filety w naczyniu i polej pozostałą częścią maślanej mikstury. Gotuj przez 10 do 15 minut. Po wyjęciu z naczynia posyp pietruszką i niezwłocznie podaj.

Porcja na 4 osoby.

PIECZONE JAMY Z ROZMARYNEM

5 do 6 średniej wielkości jamów
1/4 szklanki oliwy z oliwek extra-virgin
1 łyżka stołowa świeżego rozmarynu lub dwie łyżeczki suszonego
szczypta cayenne

Wymieszaj wszystkie składniki razem i ułóż w naczyniu z Pyrexu. Piecz przez 1 godzinę w piekarniku w temperaturze 180°C do 190°C. Potrawa ta wspaniale smakuje z zieloną sałatą lub pieczonymi warzywami.
Porcja na 4 osoby.

GRANOLA KLONOWO-ORZECHOWA

4 szklanki owsa
1 szklanka otrębów ryżowych
1/2 szklanki suszonej żurawiny
1/2 szklanki suszonych porzeczek
1 szklanka łuskanych orzechów włoskich
1 łyżeczka ekstraktu z wanilii
1/4 szklanki oleju canola
3/4 szklanki syropu klonowego

Rozgrzej piekarnik do 180°C. W dużej misce wymieszaj owies, otręby ryżowe, suszone owoce, orzechy i wanilię. Dodaj olej i wymieszaj. Dolej syropu klonowego i dobrze wymieszaj do osiągnięcia kleistej konsystencji. Przelej miksturę do nasmarowanej brytfanny i wstaw na 90 minut do piekarnika, co 15 minut mieszaj aż mikstura przybierze kolor brązowy. Studź stopniowo.

MORELOWY CHLEB OWOCOWY

1 i 1/4 szklanki niskotłuszczowego jogurtu
1 jajko
1/2 szklanki konserwowych moreli (w słodkiej zalewie)
2 szklanki mąki z brązowego ryżu
1 łyżeczka mielonej gałki muszkatołowej
1 i 1/4 łyżeczki sody do pieczenia
1 szklanka suszonych moreli (lub innych suszonych owoców)
1/2 szklanki porzeczek

Nasmaruj masłem brytfannę i rozgrzej piekarnik do 180°C. W średniej wielkości misce połącz jogurt, jajko i ugniataj. Dodaj 1 szklankę mąki i połowę przypraw i sodę do pieczenia. Mieszaj, aż osiągniesz gładką konsystencję (bez grudek).

Dodaj pozostałą część mąki i przypraw. Jeżeli całość jest za gęsta, możesz dodać trochę wody lub sojowe mleko waniliowe. Wrzuć morele i porzeczki.

Wstaw do piekarnika na 40 do 45 minut. Następnie wyjmij chleb i odstaw do ostygnięcia na drucianym stojaku.

SAŁATKA ZE SZPINAKU

2 pęczki świeżego szpinaku
1 pęczek cebuli dymki
sok z jednej cytryny
1/4 łyżki stołowej oliwy z oliwek
sól i pieprz do smaku

Umyj dokładnie szpinak. Osusz. Posyp solą. Po paru minutach wyciśnij nadmiar wody. Dodaj posiekaną cebulę dymkę, sok z cytryny, oliwę, pieprz. Spożywać zaraz po przyrządzeniu.

Porcja na 6 osób.

WSPANIAŁE FETTUCCINE

250 g fettuccine ryżowego lub orkiszowego
1 łyżka stołowa oliwy z oliwek extra-virgin
3/4 szklanki maślanki
1/3 szklanki plus 2 łyżki stołowe sera parmezan
1/4 szklanki siekanej szalotki
2 łyżki stołowe siekanej świeżej bazylii lub 1 łyżeczka suszonej
1/4 łyżeczki zmielonego suszonego czosnku lub świeżo rozgnieciony
ząbek czosnku
1/4 łyżeczki roztartej skórki cytrynowej

Ugotuj fettuccine zgodnie z zaleceniami na opakowaniu. Odlej wodę i włóż makaron do rondla. Dodaj oliwę i wymieszaj. Następnie dodaj maślankę, 1/3 szklanki sera parmezan, szalotkę, bazylię i czosnek. Zagotuj wszystko na średnim ogniu. Po wyjęciu na półmisek udekoruj 2 łyżkami stołowymi sera parmezan i świeżą bazylią. Podawaj z cytryną.

Porcja na 4 osoby.

Poradnik dodatków uzupełniających dla osób z grupą krwi B

Rolą dodatków – witamin, minerałów czy ziół – jest uzupełnienie wartości odżywczych, których brakuje w diecie, i danie dodatkowej ochrony, gdy tego potrzebujesz. Dodatki uzupełniające dla grupy B nakierowane są na:

- dokładne zrównoważenie diety
- poprawę wydolności insulinowej
- wzmocnienie odporności na wirusy
- poprawę jasności umysłu i umiejętności koncentracji

Osoby z grupą krwi B stanowią specjalny (można powiedzieć szczęśliwy) przypadek. Mogą unikać większości chorób przestrzegając diety. Ponieważ jest ona wystarczająco bogata w witaminę A, B, E, C, wapń i żelazo, nie ma potrzeby uzupełniania tych witamin i minerałów. A więc ciesz się swoim wyjątkowym statusem, ale przestrzegaj diety.

A oto kilka dodatków uzupełniających, które mogą być korzystne dla osób z grupą krwi B.

Zalecane

Magnez

Gdy u innych grup krwi występuje ryzyko braku wapnia, u grupy B problemem jest niedostatek magnezu. Magnez jest katalizatorem maszynerii metabolicznej grup B. Jest jakby kapitanem drużyny, który kieruje u osób z grupą krwi B bardziej efektywnym metabolizowaniem węglowodanów. Mimo że skutecznie przyswajasz wapń, występuje ryzyko powstania braku równowagi pomiędzy poziomami wapnia i magnezu. Jeżeli to wystąpi, staniesz przed ryzykiem wystąpienia obniżonej odporności organizmu, zmęczenia, depresji i zaburzeń układu nerwowego. W tych przypadkach należy zastosować suplementację magnezową (300–500 mg). Wiele dzieci z grupą krwi B bywa dotkniętych egzemą i wówczas zażywanie magnezu może skutecznie pomóc w leczeniu schorzenia.

Każda forma magnezu jest dobra, chociaż część pacjentów zgłasza problemy luźnych stolców po zażyciu cytrynianu magnezu. Nadmierna ilość magnezu mogłaby „przynajmniej w teorii" zaburzyć poziom wapnia w organizmie, jedz więc żywność bogatą w wapń, taką jak produkty mleczne z kulturą bakteryjną. Równowaga ma tu znaczenie kluczowe!

Zalecane pożywienie dla osób z grupą krwi B bogate w magnez:

wszystkie zalecane zielone warzywa
zboża i rośliny strączkowe

Zioła i związki fitochemiczne zalecane dla osób z grupą krwi B

Lukrecja (*Glycyrrhiza glabra*). Lukrecja jest rośliną szeroko stosowaną przez zielarzy na całym świecie. Ma co najmniej cztery zalety: pomaga leczyć wrzody żołądka, syndrom chronicznego zmęczenia, ma antywirusowe właściwości przeciwko opryszczce i zwalcza hipoglikemię.

Lukrecja jest jednak rośliną, do której należy podchodzić z rezerwą. Duże dawki mogą powodować zatrzymanie sodu i podniesienie ciśnienia krwi. Jeżeli masz grupę krwi B i cierpisz na hipoglikemię, czyli stan, gdy poziom cukru we krwi spada po posiłkach, wypijaj po każdym posiłku jedną lub dwie filiżanki herbatki z lukrecji. Jeżeli cierpisz na syndrom chronicznego zmęczenia, to stosowanie preparatów opartych na lukrecji innych niż DGL i herbatka z lukrecji zalecam tylko pod kontrolą lekarza. Lukrecja nie może być zażywana dowolnie w formie uzupełnienia, gdyż w nadmiarze może być toksyczna.

Enzymy trawienne. Jeżeli masz grupę krwi B i nie przywykłeś do jedzenia mięsa lub produktów mlecznych, możesz mieć początkowo pewne trudności z przystosowaniem się do diety. Przez jakiś czas zażywaj enzymy trawienne w czasie głównych posiłków, co ułatwi ci łatwiejsze przyswajanie skoncentrowanych protein. Bromelaina, enzym znajdujący się w ananasach, jest dostępna w formie dodatku uzupełniającego w wielu sklepach ze zdrową żywnością, zwykle w poczwórnej dawce.

Zioła zwiększają zdolności koncentracji i poprawiają pamięć. Najlepszymi są syberyjski żeńszeń (*Eleutherococcus senticosus*) i *Ginkgo biloba* (miłorząb japoński), obydwa szeroko dostępne w aptekach i sklepach ze zdrową żywnością. Rosyjskie badania dowiodły, że żeńszeń syberyjski zwiększa prędkość i dokładność działania u operatorów dalekopisów. *Ginkgo biloba* jest najczęściej ze wszystkich przepisywanym lekiem w Niemczech, gdzie dziennie bierze go 5 milionów ludzi. *Ginkgo* zwiększa mikrocyrkulację w mózgu, co jest powodem, że często przepisywany jest ludziom starszym. Obecnie jest promowany jako stymulator mózgu i środek powodujący wyostrzenie zdolności kojarzenia umysłu.

Lecytyna, wzmacniacz krwi, głównie zawarta w soi, pozwala antygenom B komórek nabłonkowych na szybsze poruszanie się i lepszą ochronę układu odpornościowego. Grupy B powinny szukać tej korzyści w granulkach lecytyny, nie samej soi, jako że soja nie posiada tak skoncentrowanego działania. Zwyczaj codziennego picia Koktajlu Membrane Fluidizer (zob. s. 155) dostarcza ci (w raczej przyjemny sposób) doskonałego stymulatora dla układu odpornościowego.

Stres a ćwiczenia

Reakcja osób z grupą krwi B na stres jest pośrednia między reakcją grupy A, która charakteryzuje się nerwową aktywnością umysłową, a bardziej fizyczną, agresywną reakcją grupy 0. Grupy B łagodzą każdy z tych charakterów odpowiadając w sposób harmonijny i zrównoważony – łącząc najlepsze właściwości innych grup krwi. Odpowiedź grup B na stres to wynik ewolucyjnych doświadczeń. Ludzie dawno temu musieli charakteryzować się fizyczną wytrzymałością wymaganą do podbicia nowych lądów, jak również zręcznością i cierpliwością, aby zagospodarować te obszary. Wczesne grupy B były reprezentowane zarówno przez barbarzyńców, jak i rolników.

Osoby z grupą krwi B stawiają bardzo dobrze czoło stresowi w większości przypadków, ponieważ łatwo dostosowują się do nowych sytuacji i wyzwań. Jesteś mniej nastawiony na konfrontację niż grupy 0, ale bardziej fizycznie naładowany niż grupy A.

Grupom B dobrze służą ćwiczenia, które nie są zbyt intensywne, ani też nacelowane tylko na relaksację umysłową. Idealna równowaga polega na umiarkowanej aktywności z udziałem innych ludzi, w grę wchodzą grupowe wędrówki, wycieczki rowerowe, mniej agresywne sztuki walki, tenis i aerobik. Nie czujesz się za dobrze, kiedy sport staje się zaciekle zawodniczy – taki jak squash, football amerykański czy koszykówka.

Najbardziej efektywny plan ćwiczeń dla grupy B powinien składać się z intensywnych ćwiczeń trzy razy w tygodniu i ćwiczeń relaksacyjnych dwa razy w tygodniu.

Ćwiczenie	Czas	Częstotliwość
aerobic	45–60 min.	3 x w tygodniu
tenis	45–60 min.	3 x w tygodniu
sztuki wojenne	30–60 min.	3 x w tygodniu
kalistenik	30–45 min.	3 x w tygodniu
wędrówki piesze	30–60 min.	3 x w tygodniu
jazda na rowerze	45–60 min.	3 x w tygodniu
pływanie	30–45 min.	3 x w tygodniu
szybki marsz	30–60 min.	3 x w tygodniu
jogging	30–45 min.	3 x w tygodniu
ćwiczenia siłowe	30–45 min.	3 x w tygodniu
golf	60 min.	2 x w tygodniu
tai chi	45 min.	2 x w tygodniu
hatha yoga	45 min.	2 x w tygodniu

Przewodnik po ćwiczeniach dla osób z grupą krwi B

Trzy składniki bardzo intensywnego programu ćwiczeń to: rozgrzewka, aerobik, rozluźnienie. Rozgrzewka jest bardzo istotna, gdyż zapobiega kontuzjom, doprowadza krew do mięśni, przygotowuje je do ćwiczeń, czy to jest spacer, bieg, jazda na rowerze, pływanie czy gry sportowe. Rozgrzewka powinna obejmować rozciąganie i ćwiczenia na elastyczność, aby zapobiec naderwaniu mięśni i ścięgien. Ćwiczenia dzielą się na dwa zasadnicze rodzaje: ćwiczenia izometryczne, w których obciążane są mięśnie statyczne, i ćwiczenia izotoniczne (dynamiczne), takie jak kalistenik, bieganie lub pływanie, które wytwarzają napięcie wszystkich mięśni. Ćwiczenia izometryczne mogą zostać wykorzystane do wstępnego wzmocnienia danych mięśni, które dalej mogą być wzmacniane przez aktywne ćwiczenia izotoniczne. Izometria może być wykonywana przez pchanie lub ciągnięcie nieruchomych obiektów, a także przez kurczenie lub ściskanie mięśni przeciwstawnych.

Aby osiągnąć maksimum korzyści z aerobiku dla naczyń sercowych, musisz podnieść tempo uderzeń serca w przybliżeniu do 70% twojego maksymalnego tempa. Jak tylko osiągniesz wzrost tempa uderzeń podczas ćwiczeń, kontynuuj je, aby utrzymać to tempo przez trzydzieści minut. Ten cykl powinien być powtarzany co najmniej trzy razy w tygodniu.

Aby obliczyć maksymalne tempo uderzeń serca:

1. Odejmij swój wiek od 220.
2. Pomnóż różnicę przez 70%. Jeżeli masz więcej niż 70 lat lub jesteś w kiepskiej kondycji fizycznej, pomnóż pozostałość przez 60%.
3. Pomnóż pozostałość przez 50%.

Na przykład zdrowa 50-letnia kobieta odjęłaby 50 od 220, otrzymując maksymalne tempo uderzeń 170. Mnożąc 170 przez 0,7 uzyskujemy 119 uderzeń na minutę, co jest górną wartością, do której powinna dążyć. Pomnożenie 170 przez 0,5 dałoby najniższą liczbę uderzeń serca na minutę w jej przedziale wiekowym.

Ćwiczenia relaksacyjne

Tai chi i joga to doskonały sposób na zrównoważenie bardziej fizycznych ćwiczeń. *Tai chi chuan* lub *tai chi* jest ćwiczeniem, które wzmacnia giętkość ruchów ciała. W Chinach *tai chi* jest codziennie uprawiane przez liczne grupy ludzi, którzy gromadzą się na placach publicznych, aby wspólnie wykonywać ćwiczenia. *Tai chi* może być bardzo skuteczną techniką relaksacyjną, chociaż wymaga mistrzowskiego opanowania, koncentracji i cierpliwości.

Joga łączy w sobie wewnętrzny spokój z kontrolą oddechu i pozycjami mającymi na celu osiągnięcie pełnej koncentracji bez rozpraszania uwagi spowodowanego problemami świata zewnętrznego. *Hatha joga* jest najbardziej rozpowszechnioną formą jogi praktykowaną na Zachodzie.

Jeżeli opanujesz podstawowe pozycje jogi, będziesz mógł dostosować zakres ćwiczeń najbardziej odpowiadający swojemu stylowi życia. Jednak niektórzy pacjenci powiedzieli mi, że są zmartwieni tym, że stosowanie jogi jest sprzeczne z ich wierzeniami religijnymi, że równoznaczne jest z przyjęciem mistyki wschodniej. Odpowiadam, „jeśli jadasz włoskie potrawy, czy to oznacza, że zostaniesz Włochem?". Medytacja i joga są ważne w tym sensie, jaki z nich masz pożytek. Wizualizuj i medytuj nad tymi sprawami, które są dla ciebie istotne. Pozycje są obojętne – one są po prostu bezczasowymi i sprawdzonymi ruchami.

Proste techniki relaksacyjne jogi

Joga zaczyna się i kończy relaksacją. Stale kurczymy nasze mięśnie, ale rzadko myślimy o robieniu rzeczy przeciwnej – rozluźnianiu ich i odprężaniu. Poczujemy się lepiej i zdrowiej, jeśli regularnie będziemy rozluźniać naprężenia pozostawione w mięśniach przez stresy i kłopoty dnia codziennego. Najlepszą pozycją dla relaksacji jest leżenie na plecach. Ułóż ramiona i nogi tak, aby osiągnąć jak najwygodniejszą pozycję ciała. Celem głębokiego odprężenia jest umożliwienie ciału i umysłowi osiągnięcie stanu łagodnego spokoju, podobnie jak to się dzieje ze wzburzonym zbiornikiem wodnym.

Zacznij od oddychania brzuchem, tak jak oddychają niemowlęta, porusza się ich brzuch, a nie klatka piersiowa. Jednak wielu z nas w trakcie dorastania nieświadomie adaptuje nienaturalny i nieskuteczny zwyczaj ograniczonego oddychania klatką piersiową. Jednym z celów jogi jest uświadomienie prawdziwego centrum oddychania. Obserwuj sposób, w jaki oddychasz. Czy oddychasz szybko, płytko i nieregularnie lub czy masz tendencję do wstrzymywania oddechu? Pozwól swojemu oddychaniu, aby powróciło do bardziej naturalnej formy – pełnego, głębokiego, regularnego i bez ograniczeń. Spróbuj odizolować po prostu twoje dolne mięśnie związane z oddychaniem; zobacz, czy możesz oddychać bez poruszania klatką piersiową. Ćwiczenia oddechowe są zawsze wykonywane gładko i bez napięć. Umieść jedną rękę na pępku i poczuj ruchy oddechowe. Rozluźnij ramiona.

Zacznij ćwiczenie od kompletnego wydechu. Kiedy wdychasz, udawaj, że duży ciężar, np. książka, spoczywa na twoim pępku i że przez twój wdech próbujesz podnieść ten wyimaginowany ciężar w kierunku sufitu. Następnie kiedy wydychasz, po prostu pozwól temu wyimaginowanemu ciężarowi naciskać na brzuch, pomagać w wydechu. Wydychaj więcej powietrza, niż to zazwyczaj czynisz. To działa tak jak ćwiczenia jogi na przeponę, pomagają uwolnić napięcie w tym mięśniu. Zmobilizuj mięśnie brzucha, aby pomogły w tej grze. Kiedy wdychasz, kieruj swój oddech w dół tak głęboko, jakbyś podnosił swój wyimaginowany ciężar w kierunku sufitu. Spróbuj całkowicie skoordynować i odizolować oddychanie brzuchem bez ruchów klatki piersiowej i żeber.

Kwestia osobowości

Wczesne grupy B w konfrontacji z nowymi lądami, innym klimatem i różnymi grupami ludzi musiały być elastyczne i twórcze, aby przeżyć. Grupy B wymagały mniej uporządkowanego i harmonijnego współżycia niż osiadłe grupy A, jak również mniejszych predyspozycji myśliwskich, które charakteryzowały grupy O.

Te same charakterystyki istnieją wewnątrz komórek grup B. Biologicznie grupy B są bardziej elastyczne niż grupy O, A czy AB – mniej podatne na wiele chorób rozpowszechnionych wśród tych pozostałych. Dla grupy B istotą przetrwania jest życie w harmonii, praca, ćwiczenia i stosowanie zrównoważonej diety.

Pod wieloma względami grupy B mają to co najlepsze ze wszystkich możliwych światów. One posiadają elementy umysłowej, bardziej wrażliwie pobudzonej aktywności grupy A z czysto fizycznymi reakcjami i agresją grupy 0. Być może, grupy B łatwiej wiążą się z różnymi typami osobowości, ponieważ poprzez naturę genetyczną znajdują się w większej harmonii i w ten sposób czują mniejszą skłonność do wyzwań i konfrontacji. One mogą zrozumieć inne punkty widzenia; one są bardziej nastawione na rozumienie innych.

Godna zanotowania statystyka: podczas gdy grupa B stanowi 9% populacji Stanów Zjednoczonych, jakieś 30–40% milionerów, którzy sami doszli do wszystkiego, mają grupę B!

Chińczycy, Japończycy i wiele innych społeczności azjatyckich to populacje posiadające przeważnie grupę krwi B. Medycyna chińska – starożytna, naturalna i kompleksowa – kładzie wielki nacisk na zrównoważenie stanów fizjologicznych i emocjonalnych. Nieokiełznana radość (stan pożądany przez większość członków społeczeństw Zachodu) jest widziany przez lekarzy chińskich jako niebezpieczny dla równowagi serca. Równowaga i harmonia – to jest podstawowe zalecenie medyczne dla grupy B.

Tradycyjne żydowskie populacje mają na ogół grupę krwi B, niezależnie od ich przynależności geograficznej. Religia i kultura żydowska reprezentuje połączenie umysłu, duszy i materii. W tradycji żydowskiej inteligencja, pokój i duchowość żyje ręka w rękę z żywiołową fizycznością i gotowością do walki. Dla wielu ludzi brzmi to jak paradoks. Jest to rzeczywiste zharmonizowanie energii grupy B w działaniu.

7

Dieta dla grupy krwi AB

Grupa AB: Enigma

- *współczesne połączenie grupy A i B*
- *odpowiedź „kameleona" na zmiany środowiskowe i po-karmowe*
- *wrażliwy przewód pokarmowy*
- *zbyt tolerancyjny układ odpornościowy*
- *najlepiej reaguje na stres duchowo z pomocą fizycznej aktywności i twórczej energii*
- *ewolucyjna tajemniczość*

Dieta dla osób z grupą krwi AB

Grupa krwi AB powstała niespełna tysiąc lat temu, jest rzadko spotykana (2 do 5 procent populacji) i biologicznie złożona. Nie można jej charakterystyki dopasować jednoznacznie do jakiejkolwiek innej grupy krwi. Antygeny wytwarzane przez grupę krwi AB są czasami podobne do produkowanych przez grupę A, czasami B, a niekiedy są połączeniem ich obu. Ta różnorodność jakości może być pozytywna lub negatywna, zależnie od okoliczności. Dlatego powinieneś bardzo dokładnie zapoznać się nie tylko z zalecaną dietą dla osób z grupą krwi AB, ale również dla A i B, by lepiej zrozumieć własną.

Większość żywności, niewskazanej dla osób z grupą krwi A bądź B, jest na ogół zła także dla grupy AB, chociaż występuje kilka wyjątków. Panhemaglutininy, które są lektynami zdolnymi do zlepiania wszystkich grup krwi, wydają się lepiej tolerowane przez grupę AB. Dzieje się tak być może dlatego, że te reakcje lektyn są osłabione przez podwójne działanie przeciwciał A i B. Pomidory są tego doskonałym przykładem. Grupy krwi A i B nie tolerują lektyn w nich zawartych, podczas gdy osoby z grupą krwi AB mogą spożywać pomidory bez żadnych dostrzegalnych skutków ubocznych.

Osoby z grupą krwi AB są często silniejsze i bardziej aktywne niż z grupą krwi A, których przodkowie prowadzili osiadły tryb życia. Ta dodatkowa siła witalna może być spowodowana tym, że ich pamięć genetyczna wciąż zawiera pozostałości zamieszkujących stepy przodków grupy krwi B.

Czynniki utraty wagi

Problem tycia osób z grupą krwi AB odzwierciedla mieszany wpływ genów A i B. Czasami stwarza to osobliwe problemy. Przykładowo, masz charakterystyczny dla ludzi z grupą krwi A niski poziom kwasu żołądkowego, ale też typowe dla grupy B przystosowanie do jedzenia mięsa. Chociaż więc jesteś genetycznie zaprogramowany do konsumpcji mięsa, to jednak do skutecznego jego metabolizmu masz niedostateczny poziom kwasu żołądkowego, dlatego też zjedzone mięso magazynowane jest w organizmie w postaci tłuszczu. Jeśli chcesz więc stracić na wadze, powinieneś ograniczyć konsumpcję mięsa, i uzupełniać dietę warzywami i tofu.

Powiązanie z grupą krwi B może powodować podobne reakcje insulinowe, kiedy spożywasz fasolę nerkowatą lub lima, grykę bądź nasiona sezamu (chociaż z punktu widzenia powiązań z grupą krwi A nie powinieneś mieć żadnych problemów ze spożywaniem soczewicy i orzechów). Nadmierna produkcja insuliny powoduje hipoglikemię, czyli obniżanie się cukru we krwi po posiłku, jak również prowadzi do mniej skutecznego metabolizmu.

Grupa krwi AB nie reaguje tak źle na gluten pszenicy, jak grupy krwi 0 i B. Ale gdy zamierzasz schudnąć, powinieneś unikać pszenicy, która powoduje, że tkanka mięśniowa staje się bardziej kwaśna. Grupa krwi AB najskuteczniej wykorzystuje kalorie, kiedy jej tkanka jest o odczynie nieco alkalicznym.

Pożywienie, które sprzyja nabieraniu wagi:

czerwone mięso	słabo trawione, magazynowane w organizmie w postaci tłuszczu, zatruwa przewody jelitowe;
fasolka nerkowata (*kidney*)	zakłóca wydolność insulinową, spowalnia tempo metabolizmu, przyczyna hipoglikemii;
fasolka limeńska (*lima*)	zakłóca wydolność insulinową, spowalnia tempo metabolizmu, przyczyna hipoglikemii;
nasiona	przyczyna hipoglikemii;
kukurydza	zakłóca wydolność insulinową;
gryka	spowalnia tempo metabolizmu, przyczyna hipoglikemii;
pszenica	spowalnia tempo metabolizmu, zakłóca wydolność insulinową, powoduje nieefektywne zużywanie kalorii.

Żywność, która sprzyja utracie wagi:

tofu	wspomaga metabolizm;
ryby i owoce morza	wspomagają metabolizm;
produkty mleczne	regulują produkcję insuliny;
zielone warzywa	wspomagają metabolizm;
kelp	reguluje produkcję insuliny;
ananas	pomaga w trawieniu, stymuluje ruchliwość jelit.

Uwzględnij te wskazówki w całościowym obrazie diety grupy AB, który jest następujący:

Mięso i drób

Grupa krwi AB		tygodniowo: jeżeli twoje pochodzenie jest...		
Żywność	Ilość*	afrykańskie	kaukaskie	azjatyckie
chude czerwone mięso	120–180 g (mężczyźni) 60–150 g (kobiety i dzieci)	1–3 x	1–3 x	1–3 x
drób	120–180 g (mężczyźni) 60–150 g (kobiety i dzieci)	0–2 x	0–2 x	0–2 x

* Zalecana ilość stanowi jedynie wytyczne, które mogą pomóc w uszczegółowieniu twojej diety zgodnie ze skłonnościami odziedziczonymi po przodkach.

Podczas trawienia mięsa i drobiu grupa krwi AB zapożycza charakterystyczne cechy z grup krwi A i B. Podobnie jak grupa krwi A nie wytwarza dostatecznej ilości kwasu żołądkowego do skutecznego trawienia zwierzęcego białka. Dlatego też ważna jest wielkość porcji i częstotliwość spożywania. Grupa krwi AB potrzebuje szczególnie tych protein mięsnych, które wskazane są dla osób z grupą krwi B, i zawarte są w mięsie jagniąt, baraninie, królikach oraz indykach, ale nie w wołowinie. Lektyny, które powodują zaburzenia krwi i przewodu pokarmowego grupy krwi B, oddziałują w ten sam sposób na grupy AB. Należy więc odstawić całkowicie kurczaki.

Unikaj także mięs wędzonych i z konserwantami. Ta żywność może spowodować raka żołądka u ludzi z niskim poziomem kwasu żołądkowego, a tę cechę dzielisz wspólnie z grupą krwi A.

Wysoce wskazane

baranina   jagnięcina
indyk   królik

Obojętne

bażant
wątroba

Unikać

bekonu	kur cornish (rasa typu mięsnego)
cielęciny	mięsa bawołu
dziczyzny	przepiórek
gęsi	serc
kaczki	szynki
kuropatwy	wieprzowiny
kurczaków	wołowiny
	wołowiny mielonej

Ryby i owoce morza

Grupa krwi AB	tygodniowo: jeżeli twoje pochodzenie jest...		
Żywność	Ilość	afrykańskie	kaukaskie	azjatyckie
wszystkie zalecane	120–180 g	3–5 x	3–5 x	4–6 x

Istnieje szeroka gama ryb i owoców morza wskazanych dla grupy krwi AB i będących doskonałym źródłem białka. Podobnie jak grupa krwi A, masz trudności z przyswajaniem lektyn zawartych w takich rybach jak flądra czy sola. Dzielisz również z grupą krwi A podatność na raka piersi. Jeżeli miałeś w rodzinie kogoś chorego na raka piersi, wprowadź ślimaki do diety. Ślimak winniczek (*Helix pomatia*) zawiera potężne lektyny, które w sposób szczególny aglutynują dwie najbardziej pospolite formy zmutowanych komórek A-podobnych raka piersi (zob. rozdział 10). Jest to pozytywny rodzaj zlepiania, ponieważ lektyny ślimaka oczyszczają organizm z chorych komórek.

Wysoce wskazane

albakora (tuńczyk biały)	pikerel (r. szczupaka)
aloza	*red snapper* (z r. lucjanowatych)
anioł morski	skap
dorsz	pstrąg tęczowy
graniki	sardynka
jesiotr	szczupak
koryfena (*mahimahi*)	troć
makrela	ślimak
morszczuk	żaglica
okoń oceaniczny	

Obojętne

karp
kałamarnica
kawior
kulbiniec szary
lucjan (*snapper*)
łosoś
omułki
okoń srebrny
okoń
płytecznik
przegrzebek

rekin
skalnik (moron) biały
sieja
słuchotka (*abalone*)
stynka
sum
śledź (świeży)
tasergal (*bluefish*)
włócznik

Unikać

barakudy
bieługi
flądry
halibuta
homarów
krabów
krewetek
łososia wędzonego
łupacza (plamiaka)
małży
ostryg

ośmiornicy
raków
sardeli
sea bass
(z r. strzępielowatych)
skalnika (rokusa)
skrzydlaka (*conch*)
soli
serioli (*yellowtail*)
śledzia (marynowanego)
węgorzy
żab
żółwi

Jaja i nabiał

Grupa krwi AB		tygodniowo: jeżeli twoje pochodzenie jest...		
Żywność	Ilość	afrykańskie	kaukaskie	azjatyckie
jaja	1 jajko	3–5 x	3–4 x	2–3 x
ser	60 g	2–3 x	3–4 x	3–4 x
jogurt	120–180 g	2–3 x	3–4 x	1–3 x
mleko	120–180 g	1–6 x	3–6 x	2–5 x

Nabiał dla osób z grupą krwi AB jest równie wskazany jak dla grupy B. Szczególnie polecane są skwaśniałe produkty takie jak jogurt, kefir i niskotłuszczowa kwaśna śmietanka.

Głównym problemem, który powinineś rozwiązać, jest nadmierna produkcja śluzu. Podobnie jak u osób z grupą krwi A, twój organizm produkuje dużo śluzu. Tak więc gdy pojawią się problemy z drogami oddechowymi, zatokami bądź infekcje uszu, powinieneś odstawić produkty mleczne.

Jaja są bardzo dobrym źródłem protein. Chociaż zawierają bardzo dużo cholesterolu, a osoby z grupą krwi AB (podobnie jak A) są podatne na choroby serca, to jednak badania wykazały, że ten największy „oskarżony" to nie cholesterol zawarty w żywności, ale raczej nasycone tłuszcze. Spożywając jaja możesz zwiększyć ilość protein, ale też obniżać poziom cholesterolu, jeśli będziesz spożywał na każde żółtko dwa białka. (Uwaga, lektyny zawarte w mięśniach kurczaka nie są obecne w jajach).

Wysoce wskazane

jogurt	ser feta
kefir	ser kozi
kwaśna śmietanka (chuda)	ser mozzarella
mleko kozie	ser ricotta
ser farmer	serek wiejski

Obojętne

chude lub 2% mleko	ser monterey jack
mleko sojowe*	ser munster
ser biały	ser neufchatel
ser cheddar	ser sojowy*
ser colby	ser string
ser edamski	ser szwajcarski
ser emmentaler	serwatka
ser gouda	ser śmietankowy
ser gruyère	
ser jarslberg	

* Dobra alternatywa produktów mlecznych.

Unikać

lodów	sera brie
masła	sera camembert
maślanki	sera parmezan

pełnego mleka
sera amerykańskiego
sera blue

sera provolone
sera sherbet

Oleje i tłuszcze

Grupa krwi AB	tygodniowo: jeżeli twoje pochodzenie jest...			
Żywność	Ilość	afrykańskie	kaukaskie	azjatyckie
oleje	1 łyżka stołowa	1–5 x	4–8 x	3–7 x

Ludzie z grupą krwi AB powinni raczej preferować oliwę z oliwek, a nie inne oleje roślinne czy tłuszcze zwierzęce. Oliwa z oliwek jest jednonasyconym tłuszczem i przyczynia się do obniżenia cholesterolu we krwi. Można także używać do gotowania niewielkich ilości ghee, czyli półpłynnego masła popularnego w Indiach.

Wysoce wskazane

oliwa z oliwek

Obojętne

olej canola (rzepakowy)
olej z orzeszków ziemnych

olej z siemienia lnianego
olej z wątroby dorsza

Unikać

oleju bawełnianego
oleju krokoszowego
oleju kukurydzianego

oleju sezamowego
oleju słonecznikowego

Orzechy i pestki

Grupa krwi AB	tygodniowo: jeżeli twoje pochodzenie jest...			
Żywność	Ilość	afrykańskie	kaukaskie	azjatyckie
orzechy i pestki	6–8 orzechów	2–5 x	2–5 x	2–3 x
masło orzechowe	łyżka stołowa	3–7 x	3–7 x	2–4 x

Orzechy i pestki można – i to tylko niektóre – jeść w niewielkich ilościach. Chociaż są dobrym źródłem uzupełnienia protein, to jednak wszystkie pestki zawierają lektyny hamujące insulinę, co stwarza problemy dla grupy krwi B. Z drugiej strony, możesz spożywać – jak grupa krwi A – orzeszki ziemne, które wzmacniają układ odpornościowy.

Ludzie z grupą krwi AB mają też tendencje do problemów związanych z pęcherzykiem żółciowym, tak więc masło orzechowe jest bardziej preferowane od całych orzechów.

Wysoce wskazane

kasztany
masło z orzeszków ziemnych

orzechy włoskie
orzeszki ziemne

Obojętne

makadamia
masło migdałowe
migdał
orzeszki pinii (piniole)

orzech brazylijski
orzeszki nerkowca (*cashews*)
orzech hikorii
orzeszki liczi
orzeszki pistacjowe

Unikać

masła sezamowego (*tahini*)
masła słonecznikowego
maku
nasion sezamu

orzechów laskowych
pestek dyni
pestek słonecznika

Fasole i inne rośliny strączkowe

Grupa krwi AB Żywność	tygodniowo: jeżeli twoje pochodzenie jest...			
	Ilość	afrykańskie	kaukaskie	azjatyckie
wszystkie zalecane fasole i rośliny strączkowe	1 szklanka	3–5 x	2–3 x	4–6 x

Fasole i rośliny strączkowe są kolejnym niejednoznacznym źródłem pożywienia dla grupy krwi AB. Na przykład soczewica zawiera ważne elementy potrzebne do walki z rakiem dla grupy AB, chociąż nie jest zalecana dla grupy B. Przede wszystkim soczewice są znane z zawartości antyutleniaczy przeciwrakowych. Z drugiej strony fasola nerkowata i lima mogą spowalniać produkcję insuliny u grup A, a więc mogą mieć to samo działanie dla grupy AB.

Wysoce zalecane

fasolka czerwona	fasolka pinto
fasola czerwonej soi	soczewica zielona
fasolka navy	

Obojętne

bób	fasolka szparagowa
fasolka biała	fasolka tamaryndy
fasola cannellini	fasola zielona
fasola copper	soczewica amerykańska
fasola jicama	soczewica czerwona
fasola northern	strąki grochu
fasolka pnąca	zielony groszek

Unikać

fasoli adzuki (azuki)	fasoli limeńskiej (*lima*)
fasoli aduke	fasoli nerkowatej (*kidney*)
fasoli czarnej	groszku „czarne oczko"
fasoli garbanzo (ciecierzycy)	
fasoli fava	

Przetwory zbożowe

Grupa krwi AB	tygodniowo: jeżeli twoje pochodzenie jest...		
Żywność	Ilość	afrykańskie	kaukaskie	azjatyckie
wszystkie przetwory	1 szklanka	2–3 x	2–3 x	2–4 x

Wskazówki dla osób z grupą krwi AB oparte są na zaleceniach dla grup krwi A i B. Generalnie, dobrze one reagują na pożywienie zbożowe, także na pszenicę, chociaż tę ostatnią należy ograniczać, ponieważ wewnętrzne jądro ziarna pszenicy jest zbyt kwaśne dla grupy AB. Pszenica nie jest także zalecana, jeżeli masz kłopoty z wagą, a także gdy chorujesz na astmę, ponieważ powoduje nadmierną produkcję śluzu w organizmie. Dokonaj doświadczenia na sobie, aby określić, ile pszenicy możesz zjeść. Gdy mówię o zbytniej kwasowości pszenicy, mam tutaj na myśli nie kwas żołądkowy, ale kwaso/zasadową równowagę w tkance mięśniowej. Grupa krwi AB czuje się najlepiej, jeśli jej tkanka mięśniowa jest lekko alkaliczna. Natomiast wewnętrzne jądro ziarna pszenicy jest zasadowe dla grup 0 i B, ale staje się kwaśne dla grup A i AB.

Ogranicz spożywanie kiełków i otrębów pszenicy do jednego razu w tygodniu. Owsianka, płatki sojowe, proso, skrobia, ryż, soja w granulkach są dobre dla grupy AB, ale powinieneś unikać gryki i kukurydzy.

Wysoce zalecane

orkisz
otręby ryżowe
otręby owsiane

owsianka
proso
ryż dmuchany
żyto

Obojętne

amarant
farina
granola
granulat sojowy
jęczmień
kiełki pszenicy

otręby pszenicy
pasta z pszenicy
pasta ryżowa
płatki familia
płatki „siedem zbóż"
płatki sojowe
przetwory z pszenicy

Unikać

gryki
kamutu
kaszy

mąki kukurydzianej
płatków kukurydzianych

Chleb i grzanki

Grupa krwi AB	dziennie: jeżeli twoje pochodzenie jest...			
Żywność	Ilość	afrykańskie	kaukaskie	azjatyckie
chleb, krakersy	1 kromka	0–1 x	0–1 x	0–1 x
grzanki	1 grzanka	0–1 x	0–1 x	0–1 x

Zalecenia odnośnie jedzenia pieczywa są podobne do tych, które podano dla przetworów zbożowych. Ogólnie jest to dość przyjazna żywność, ale jeśli masz problemy z nadmierną ilością śluzu produkowaną przez organizm, to odradzamy ci spożywanie produktów pszenicznych. Mąka sojowa i ryż są dobrym zamiennikiem. Bądź świadomy, że chleby z kiełków pszenicznych sprzedawane komercyjnie zawierają często niewielkie ilości samych kiełków pszenicy i oparte są na pełnym ziarnie pszenicy. Przed kupnem przeczytaj dokładnie skład produktu. Unikaj kukurydzianych bułek i chleba. Chociaż chleby esseński i Ezekiela (sprzedawane w sklepach ze zdrową żywnością) są chlebami z kiełków pszenicy, to jednak nie zawierają lektyny glutenowej, gdyż jest ona niszczona w procesie kiełkowania.

Wysoce wskazane

chleb z brązowego ryżu
chleb esseński
chleb Ezekiela
chleb z kiełków pszenicy
chleb z mąki sojowej
100% chleb żytni

chrupki fin
chrupki żytnie
pieczywo chrupkie wasa
pieczywo z prosa
pieczywo rye vita
wafle ryżowe

Obojętne

bagietki pszeniczne
bułki z otrębami owsa
bułki z otrębami pszennymi
chleb bezglutenowy
chleb z mąki orkiszowej
chleb pszenny macowy

chleb wieloziarnisty
ideal flat bread
pełnopszeniczny chleb
pieczywo z mąki durum
pumpernikiel
wysokobiałkowy chleb

Unikać

bułek kukurydzianych

Ziarna i makarony

| Grupa krwi AB | tygodniowo: jeżeli twoje pochodzenie jest... | | |
Żywność	Ilość	afrykańskie	kaukaskie	azjatyckie
ziarno	1 szklanka	2–3 x	3–4 x	3–4 x
makarony	1 szklanka	2–3 x	3–4 x	3–4 x

Grupa krwi AB osiąga większe korzyści z diety bogatej w ryż niż opartej na makaronie, aczkolwiek możesz spożywać makaron z semoliny albo ze szpinaku raz lub dwa razy w tygodniu. Powinieneś również przedkładać owies i żyto nad kukurydzę i grykę. Ogranicz także konsumpcję otrębów i kiełków pszenicy do jednego razu w tygodniu.

Wysoce wskazane

makarony z mąki z kiełków pszenicy ryż basmati
makarony z mąki owsianej ryż biały
makarony z mąki ryżowej ryż brązowy
makarony z mąki żytniej ryż dziki

Obojętne

couscous makaron z semoliny
makaron ze szpinaku mąka pełnopszenna
mąka biała mąka orkiszowa
mąka glutenowa mąka pszenna bulgur
mąka grahama mąka pszenna durum
 mąka quinoa

Unikać

kaszy gryczanej makaronu soba
makaronu z karczocha mąki jęczmiennej

Warzywa

Grupa krwi AB	dziennie: niezależnie od pochodzenia	
Żywność	Ilość	
surowe warzywa	1 szklanka	3–5 x
gotowane lub duszone na parze	1 szklanka	3–5 x

Świeże warzywa są ważnym źródłem związków fitochemicznych, naturalnych substancji zawartych w żywności, mogących mieć korzystne działanie w zapobieganiu chorobom raka i serca, najczęściej dotykających osoby z grupą krwi A i AB, a będących rezultatem słabszego układu odpornościowego. Powinny one być spożywane kilkakrotnie w ciągu dnia. Osoby z grupą krwi AB mogą wybierać z szerokiej gamy warzyw korzystnych dla grup A i B.

Jednym z wyjątków są panhemaglutininy zawarte w pomidorach, które oddziałują na wszystkie grupy krwi. W grupie krwi AB ukryty jest materiał genetyczny pozostałych grup i wydaje się, że grupa ta jest chyba zdolna do unikania chorobowego działania tej lektyny. Przebadałem wielu ludzi z grupą krwi AB, którzy spożywali dużo pomidorów, i ich skala indican była prawidłowa.

Tofu powinno stanowić regularną część diety w połączeniu z niewielką ilością mięsa i nabiału. Potwierdzono, że tofu wpływa korzystnie na walkę z rakiem. Podobnie jak grupa krwi B, musisz unikać świeżej kukurydzy i wszystkich produktów na niej bazujących.

Wysoce wskazane

bakłażany
brokuły
burak czerwony i jego liście
collard greens*
czosnek
gorczyca zielona
grzyby maitake
jamy (ignamy) (wszystkie rodzaje)
kale*
kalafior

kiełki lucerny (alfalfa)
mniszek lekarski
ogórek
pasternak
pietruszka
seler
tempeh
tofu
ziemniaki słodkie

* Zob. str. 108.

Obojętne

arugula
brukiew
brukselka
boćwina (burak liściowy)
cebula czerwona
cebula zielona
cebula hiszpańska
cebula żółta
chrzan
cukinia
cykoria
dymka
dynia
endywia

fenkuł
grzyby abalone
grzyby enoki
ketmia (okra)
marchew
oliwki hiszpańskie
oliwki greckie
oliwki zielone
orzech wodny (kotewka)
pędy bambusa
pieczarki
pomidor
por
radicchio

eskarola
glony morskie
groszek cukrowy
grzyby tree oyster
grzyby portobello
grzyby shiitake
imbir
japońska rzodkiew (*daikon*)
kalarepa
kapusta biała
kapusta chińska
kapusta czerwona
kapusta pekińska
kminek
kolendra

rappini
rukiew wodna
rzepa
sałata bibb
sałata boston
sałata iceberg
sałata mesclun
sałatka rzymska
szalotka
szparagi
szpinak
trybuła ogrodowa
wszystkie dyniowate
ziemniaki białe
ziemniaki czerwone

Unikać

awokado
fasoli limeńskiej (*lima*)
karczocha amerykańskiego
karczocha jerozolimskiego
kiełków mung
kiełków rzodkiewki
kukurydzy białej

kukurydzy żółtej
oliwek czarnych
papryki czerwonej
papryki jalapeno
papryki zielonej
papryki żółtej
rzodkiewki

Owoce

Grupa krwi AB	dziennie: niezależnie od pochodzenia	
Żywność	Ilość	
wszystkie zalecane owoce	1 owoc lub 120–150 g	3–4 x

Grupa krwi AB powinna kłaść nacisk na spożywanie owoców bardziej alkalicznych (np. winogrona, śliwki i jagody), które mogą dopomóc zrównoważyć działanie zbóż powodujących odczyn kwaśny tkanki mięśniowej. Osoby z grupą krwi AB powinny unikać niektórych tropikalnych owoców – przede wszystkim mango i guawy. Znakomicie natomiast pomaga w trawieniu ananas.

Unikaj pomarańczy, nawet gdy należą do twoich ulubionych owoców. Drażnią żołądek i wytrącają z organizmu ważne minerały. Powtórzę raz jeszcze, że kwaso/ alkaliczna reakcja przebiega w żołądku i w tkance mięśniowej. Z powodu niskiego poziomu kwasu żołądkowego u ludzi z grupą krwi AB może dojść po zjedzeniu pomarańczy do podrażnienia wyściółki żołądka. Grejpfrut jest blisko spokrewniony z pomarańczami i należy do owoców kwaśnych, to jednak ma korzystny wpływ, gdyż wykazuje zasadowe tendencje po trawieniu. Cytryny także są korzystne dla grup AB, pomagają w trawieniu i oczyszczaniu organizmu ze śluzu. Witamina C zawarta w takich owocach jak grejpfrut czy kiwi jest ważnym antyutleniaczem, szczególnie wskazanym w zapobieganiu powstania raka żołądka.

Lektyny banana niekorzystnie działają na żołądek grup AB, dlatego też należy je zastępować innymi wysokopotasowymi owocami takimi jak morele, figi i niektóre melony.

Wysoce wskazane

agrest
ananasy
cytryny
figi suszone
figi świeże
grejpfrut
kiwi
malinojeżyny
śliwki czerwone

śliwki ciemne
śliwki zielone
winogrona concord
winogrona czarne
winogrona czerwone
winogrona zielone
wiśnie
żurawina

Obojętne

arbuzy
borówki
brzoskwinie
daktyle
gruszki
jabłka
jeżyny
kumkwat
limony
maliny
mandarynki
melony christmas
melony canang
melony casaba
melony crenshaw

melony hiszpańskie
melony kantalupa
melony miodunka
melony musk
morele
nektarynki
jagody bzu czarnego
papaja
plantany
porzeczki czarne
porzeczki czerwone
rodzynki
śliwki suszone
truskawki

Unikać

bananów
granatów
guawy
karamboli
mango

opuncji
orzechów kokosowych
persimony
pomarańczy
rabarbaru

Soki i napoje

Grupa krwi AB	dziennie: niezależnie od pochodzenia	
Żywność	Ilość	
wszystkie zalecane soki	240 g	2–3 x
woda	240 g	4–7 x

Osoby z grupą krwi AB powinny zaczynać każdy dzień od wypicia szklanki ciepłej wody ze świeżo wyciśniętym sokiem z połowy cytryny, by oczyścić organizm ze śluzu zgromadzonego podczas snu. Ta „cytrynowa woda" pomaga również w trawieniu, podobnie jak rozpuszczony w wodzie sok grejpfruta lub papai.

Koniecznie spożywaj wysokozasadowe soki z owoców takich jak ciemna wiśnia, żurawina lub winogrona.

Wysoce wskazane

sok z ciemnej wiśni
sok z kapusty
sok marchwiowy
sok z papai

sok selerowy
sok winogronowy
sok żurawinowy

Obojętne

napój jabłkowy (*cider*)
napój z suszonych śliwek
sok ananasowy
sok grejpfrutowy
sok jabłkowy

sok morelowy
sok ogórkowy
soki warzywne (korespondujące z zalecanymi warzywami)
woda z cytryną

Unikać

soków pomarańczowych

Przyprawy

Używaj sól morską i kelp, zamiast soli kuchennej. Zawartość w nich sodu jest niska, do tego wywierają korzystny wpływ na serce i układ odpornościowy. Pomagają również przy utrzymaniu stałej wagi ciała. Miso przyrządzone z soi jest wskazane dla grup AB, należy je podawać w postaci delikatnych zup lub sosów.

Unikaj wszystkiego, co zawiera pieprz i ocet. Zamiast octu używaj cytryny, a oleju i ziół jako dodatku do warzyw lub sałaty. I nie bój się stosować dużo czosnku. Jest on potężnym naturalnym antybiotykiem, szczególnie korzystnym dla grupy AB.

Wysoce wskazane

chrzan
curry
czosnek

miso
pietruszka

Obojętne

agar
angielskie ziele (*pimiento*)
bazylia
bergamotka
chleb świętojański
cukier biały
cukier brązowy
cynamon
cząber
czekolada
estragon
gałka muszkatołowa
gorczyca (suszona)
golteria rozesłana (*wintergreen*)
goździki
kardamon
kelp
kmin rzymski
kolendra
koper
kurkuma (ostryż)
liść laurowy
majeranek
mączka z bulw maranty (*arrowroot*)

melasa
mięta
mięta pieprzowa
mięta zielona
miód
ocet jabłkowy
ocet balsamiczny
ocet winny czerwony
papryka
rodymenia (*dulse*)
rozmaryn
sos sojowy
sól
syrop klonowy
syrop ryżowy
syrop z brązowego ryżu
szafran
szałwia
szczypiorek
tamarynda
tamari
trybuła ogrodowa
tymianek
wanilia

Unikać

anyżku
esencji migdałowej
kaparów
kielichowca wonnego (*allspice*)
octu białego
pieprzu białego
pieprzu cayenne
pieprzu czarnego

pieprzu czerwonego
pieprzu ziarnistego
skrobi kukurydzianej
słodu jęczmiennego
syropu kukurydzianego
tapioki
żelatyny

Inne dodatki

Z powodu podatności grupy AB na raka żołądka należy unikać wszystkich przypraw marynowanych. Należy również wystrzegać się ketchupu, który zawiera ocet.

Obojętne

galaretki i dżemy z zalecanych owoców
majonez
musztarda
niskotłuszczowe sosy do sałatek (*dressingi*) z zalecanych składników

Unikać

ketchupu
kwaśnych marynat
marynat z koprem
marynat koszernych

marynat słodkich
relish (przypraw smakowych)
sosu Worcestershire

Herbatki ziołowe

Zalecam stosowanie herbatek ziołowych w celu wzmocnienia układu odpornościowego i ochrony przed chorobami serca i nowotworami. Lucerna (*alfalfa*), łopian, rumianek i echinacea wzmacniają układ odpornościowy. Głóg i korzeń lukrecji mają korzystne działanie na układ sercowo-naczyniowy. Zielona herbata również wzmacnia układ odpornościowy. Mniszek lekarski, korzeń łopianu i herbata z liści truskawek ułatwiają organizmowi przyswajanie żelaza i zapobiegają anemii.

Wysoce wskazane

echinacea
głóg
imbir
korzeń lukrecji*
liście truskawki
lucerna (*alfalfa*)

łopian
owoce dzikiej róży
rumianek
zielona herbata
żeńszeń

* Nie zażywaj bez zgody lekarza.

Obojętne

bez aptekarski (czarny)
brzoza brodawkowata
cayenne
dong quai
dziurawiec
gorzknik kanadyjski
gwiazdnica pospolita
kocimiętka
kora białego dębu
krwawnik pospolity
liście malin
mięta zielona

mięta pieprzowa
mniszek lekarski
morwa
pietruszka
sarsaparilla
szałwia
szanta
szczaw
śliski (czerwony) wiąz
tymianek
waleriana (kozłek lekarski)
werbena pospolita

Unikać

aloesu
chmielu
czerwonej koniczyny
dziewanny
goryczki
podbiału

kozieradki
lipy
rabarbaru
senesu
tasznika pospolitego
znamion kukurydzy

Używki

Czerwone wino jest wskazane dla osób z grupą krwi AB z powodu jego dodatniego wpływu na układ naczyniowo-sercowy. Szklanka czerwonego wina każdego dnia zmniejsza ryzyko chorób serca zarówno u kobiet, jak i mężczyzn. Filiżanka lub dwie dziennie regularnej (kofeinowej) lub bezkofeinowej kawy powoduje wzrost poziomu kwasu żołądkowego, a ponadto kawa ma te same enzymy co soja. Pij zamiennie kawę i zieloną herbatę dla uzyskania lepszych korzyści.

Wysoce wskazane

kawa bezkofeinowa
kawa regularna (z kofeiną)
zielona herbata

Obojętne

wino czerwone
piwo
woda seltzera

wino białe
woda sodowa

Unikać

coca-coli
herbaty czarnej bezkofeinowej
herbaty czarnej (z kofeiną)

alkoholi destylowanych
napojów gazowanych

Planowanie posiłków dla osób z grupą krwi AB

Poniższe menu i przepisy powinny dać ci wyobrażenie o typowej diecie zalecanej dla grupy AB. Została ona opracowana przez dr Dinę Khader, dietetyka, który z powodzeniem stosuje dietę dla poszczególnych grup krwi wśród swoich pacjentów.

Zalecane dania są niskokaloryczne i zbilansowane. Osoba stosująca się do zaleceń będzie mogła utrzymać ciężar ciała bez najmniejszego problemu, a nawet stracić trochę kilogramów. Wybór alternatywnego pożywienia jest zalecany wówczas, gdy preferujesz lekkostrawne jedzenie lub pragniesz ograniczyć spożycie kalorii, a jednocześnie stosować dietę zrównoważoną i sprawiającą ci satysfakcję.

Czasami możesz spotkać składnik w przepisach, który znajduje się na liście do unikania. Są to małe ilości (na przykład szczypta pieprzu) i mogą być przez organizm tolerowane, zwłaszcza jeśli przestrzegasz diety.

Wybór potraw i podane przepisy są opracowane z myślą, by dobrze służyły twojej grupie krwi. Kiedy bardziej oswoisz się z zaleceniami, będziesz w stanie łatwo opracować własny jadłospis i dostosować swoje ulubione przepisy tak, aby uczynić je dla siebie przyjaznymi.

Przykładowe dzienne menu nr 1

MENU STANDARDOWE   **MENU ALTERNATYWNE**

Śniadanie

woda z cytryną (po wstaniu)
200 ml soku grejpfrutowego
2 kromki chleba Ezekiela   1 kromka chleba Ezekiela
ser jogurtowo-ziołowy*   1 jajko w koszulce
kawa

* Zob. przepisy niżej.

Lunch

20 dag plasterek z piersi indyka
2 kromki chleba żytniego   1 kromka chleba żytniego
sałatka Cezara   lub
śliwki   2 suchary żytnie
herbata ziołowa

Podwieczorek

ciasteczka z tofu i sera*   1/2 szklanki jogurtu nisko-
mrożona herbata ziołowa   tłuszczowego z owocami

Kolacja

omlet tofu*
duszone warzywa
sałatka owocowa

kawa bezkofeinowa
(ewentualnie czerwone wino)

Przykładowe dzienne menu nr 2

MENU STANDARDOWE   **MENU ALTERNATYWNE**

Śniadanie

woda z cytryną (po wstaniu)
świeży sok z grejpfruta
granola klonowo-orzechowa*
mleko sojowe
kawa

Lunch

tabbouleh*
kiść winogron lub jabłko
mrożona ziołowa herbata

Podwieczorek

ciastka z wiórkami z chleba   melon miodunka
świętojańskiego*   z serkiem wiejskim
kawa lub herbata ziołowa

Kolacja

pieczony królik*
sałatka z fasolki szparagowej*
ryż basmati   brokuły gotowane na parze
mrożony jogurt   i kalafior
kawa bezkofeinowa
(ewentualnie czerwone wino)

Przykładowe dzienne menu nr 3

MENU STANDARDOWE   **MENU ALTERNATYWNE**

Śniadanie

woda z cytryną (po wstaniu)
świeży sok z grejpfruta

1 jajko w koszulce
2 kromki chleba esseńskiego
z masłem migdałowym
kawa

1 kromka chleba esseń-
skiego z niskosłodzonym
dżemem

Lunch

tofu sardynkowe*
lub
Lasagna Tofu-Pesto*
sałatka z zielonych warzyw
śliwki
herbata ziołowa

duszone tofu warzywne

Podwieczorek

sok owocowy z jogurtem

Kolacja

gotowany łosoś ze świeżym
koperkiem i cytryną
szafran z brązowym ryżem*
sałatka ze szpinaku*
kawa bekofeinowa
(ewentualnie czerwone wino)

szparagi

Przepisy

SER JOGURTOWO-ZIOŁOWY

2 kg jogurtu beztłuszczowego
2 ząbki siekanego czosnku
1 łyżeczka tymianku
1 łyżeczka bazylii
1 łyżeczka oregano
1 łyżka stołowa oliwy z oliwek

Przełóż jogurt do starej poszewki na poduszkę lub specjalnej tkaniny do sera. Zwiąż tkaninę sznurkiem i pozwól wyciekać jogurtowi
do zlewu lub wanny przez 4 1/2 do 5 godzin.
Wyjmij jogurt z tkaniny i wymieszaj w misce z przyprawami i oli-

wą. Przykryj i ochładzaj przez 1 do 2 godzin przed podaniem. Najlepiej podawać z surowymi warzywami.

CIASTECZKA Z TOFU I SERA (PIECZONE)
(PRZEPIS YVONNE CHAPMAN)

700 g sprasowanego tofu
2/3 szklanki mleka sojowego
1/4 łyżeczki soli (jeśli chcesz)
2 łyżeczki świeżego soku z cytryny
starta skórka z jednej cytryny
1 łyżeczka ekstraktu z wanilii

Wymieszaj wszystkie składniki.

CIASTO NA PLACEK

3/4 szklanki zalecanej mąki (np. żytniej)
1/2 szklanki mąki z owsa
1/2 łyżeczki soli
1/2 szklanki oleju
2 łyżki stołowe zimnej wody

Wymieszaj suche składniki, dodaj olej, później wodę i mieszaj aż całość uzyska stałą konsystencję. Rozwałkuj i potnij na 20 cm kawałki. Zrób wgłębienia w cieście widelcem po obu stronach. Wypełnij środek miksturą z tofu, piecz w temperaturze 160°C przez 30 do 45 minut.

Porcja na 8 osób.

OMLET TOFU

450 g tofu, osuszone i utarte na papkę
5–6 grzybów portobello, posiekanych
200 g utartej szalotki
1 łyżeczka japońskiej mirin lub sherry
1 łyżeczka sosu sojowego tamari
1 łyżeczka stołowa świeżej pietruszki
1 łyżeczka mąki z brązowego ryżu

4 jajka, lekko ubite
2 łyżeczki oliwy z oliwek extra-virgin

Połącz wszystkie składniki z wyjątkiem oliwy. Rozgrzej oliwę na dużej patelni. Wlej połowę otrzymanej mikstury i przykryj pokrywką patelnię. Duś na małym ogniu przez około 15 minut, aż jajka będą ugotowane. Następnie danie wyjmij z patelni i przyrządź drugą część. Podawać ciepłe. Porcja na 3 do 4 osób.

GRANOLA KLONOWO-ORZECHOWA

4 szklanki owsa
1 szklanka otrębów ryżowych
1/2 szklanki suszonych porzeczek
1/2 szklanki suszonych żurawin
1 szklanka łuskanych orzechów włoskich lub migdałów
1 łyżeczka ekstraktu z wanilii
1/4 szklanki oleju canola
3/4 szklanki syropu klonowego

Rozgrzej piekarnik do 180°C. W dużej misce połącz owies, otręby ryżowe, suszone owoce, orzechy i wanilię. Dodaj olej i wymieszaj.

Dolej syropu klonowego i mieszaj aż do osiągnięcia kleistej konsystencji. Przelej miksturę do nasmarowanej brytfanny i wstaw na 90 minut do piekarnika, co 15 minut mieszaj aż mikstura przybierze kolor brązowy. Podawaj ochłodzone.

TABBOULEH

1 szklanka gotowanego prosa
1 pęczek siekanej zielonej cebuli
4 pęczki siekanej pietruszki
1 pęczek siekanej mięty lub 2 łyżki stołowe suszonej mięty
1 duży ogórek, obrany i posiekany (do wyboru)
1/3 szklanki oliwy z oliwek
sok z 3 cytryn
1 łyżeczka soli

Wsyp proso do dużego naczynia. Dodaj posiekane warzywa i dobrze wymieszaj. Dodaj oliwę, sok z cytryn i sól. Podawaj na świeżych liściach zielonej sałaty. Całość tworzy smaczną przekąskę lub sałatkę piknikową.

Porcja na 4 osoby.

CIASTKA Z WIÓRKAMI Z CHLEBA ŚWIĘTOJAŃSKIEGO

1/2 szklanki oleju canola
1/2 szklanki syropu klonowego
1 łyżeczka ekstraktu z wanilii
1 jajko
1 i 3/4 szklanki mąki owsianej lub z brązowego ryżu
1 łyżeczka sody do pieczenia
1/2 szklanki wiórków z chleba świętojańskiego (niesłodzone)

Nasmaruj olejem dwie brytfanny i rozgrzej piekarnik do temperatury 190°C. W średniej wielkości misce połącz olej, syrop klonowy i wanilię. Roztrzep jajko i dodaj je do mieszanki. Stopniowo dodawaj mąkę i sodę do pieczenia, aż do momentu osiągnięcia gęstej konsystencji. Zagnieć w cieście wiórki z chleba świętojańskiego i nakładaj łyżką na wysmarowaną blachę. Wstaw do piekarnika na 10 do 15 minut, dopóki ciasteczka nie zrobią się lekko brązowe. Wyjmij z piekarnika i ostudź.
Porcja na 3 lub 4 osoby.

PIECZONY KRÓLIK

2 króliki
1 szklanka winnego octu jabłkowego
1 mała cebula, siekana
2 łyżeczki soli
1/4 szklanki wody
1 szklanka mąki ryżowej
1/4 łyżeczki papryki
szczypta cynamonu
1/3 szklanki margaryny

Zdejmij skórę z królików i potnij je na kawałki. Marynuj mięso w occie, cebuli i słonej wodzie przez kilka godzin. Przed przyrządzeniem osusz.

Połącz mąkę z solą i przyprawami w talerzu. Kawałki mięsa zanurzaj w rozpuszczonej margarynie i obtaczaj w mieszaninie mąki z bułką tartą tworząc grubą panierkę. Piecz w temperaturze 190°C przez 30 do 40 minut.

Porcja na 4 do 6 osób.

TOFU SARDYNKOWE
(przepis Ivonne Chapman)

1 puszka sardynek bez ości
2 plasterki (po 2,5 cm) średniego lub twardego tofu
1/4 łyżeczki startego chrzanu
szczypta octu jabłkowego
oliwa z oliwek

Ugnieć sardynki widelcem i połącz z tofu. Dodaj chrzan i ocet. Wymieszaj dokładnie składniki.

Formuj nieduże kotleciki. Gotuj je w oliwie w ciężkim rondlu aż do zbrązowienia po obu stronach. Możesz je również opiekać w ruszcie. Podawać z sałatą.

Porcja na 2 osoby.

SAŁATKA Z FASOLKI SZPARAGOWEJ

450 g fasolki szparagowej
sok z jednej cytryny
3 łyżki stołowe oliwy z oliwek
2 ząbki czosnku, rozgniecione
2 do 3 łyżeczek soli

Umyj dokładnie fasolkę i usuń końcówki. Potnij na 5 cm kawałki. Gotuj w wodzie aż będą kruche. Osusz. Po ostygnięciu ułóż w salaterce. Przypraw sokiem z cytryny, oliwą z oliwek, czosnkiem i solą.

Porcja na 4 osoby.

LASAGNA TOFU-PESTO

450 g tofu zmieszango z 2 łyżkami stołowymi oliwy z oliwek
1 szklanka pokruszonego sera mozzarella
lub ricotta
1 jajko (do wyboru)
2 paczki mrożonego lub świeżego szpinaku
1 łyżeczka soli
1 łyżeczka oregano
9 szklanek ryżu lub lasagna z makaronu orkiszowego, gotowane
4 szklanki sosu pesto (może być mniej)
1 szklanka wody

Wymieszaj tofu z jajkiem, szpinakiem i przyprawami. Warstwę jednej szklanki sosu umieść w brytfannie 24x38 cm. Następnie ułóż warstwę makaronu, dodaj ser, a następnie sos. Powtarzaj te czynności aż zakończysz makaronem i sosem na wierzchu.

Piecz w temperaturze 180°C od 30 do 40 minut.

Porcja na 4 do 6 osób.

SZAFRAN Z BRĄZOWYM RYŻEM

3 łyżki stołowe oliwy z oliwek extra-virgin
1 duża hiszpańska lub czerwona cebula
1 łyżeczka mielonej kolendry
1 łyżeczka gałki muszkatołowej
2 strąki kardamonu (tylko nasiona ze środka)
1 łyżeczka szafranu
2 łyżki stołowe wody różanej
2 szklanki brązowego ryżu basmati
4 szklanki przefiltrowanej wody (zagotowanej)

Rozgrzej oliwę, a następnie podsmaż przez 10 minut na wolnym ogniu cebulę ze wszystkimi przyprawami oprócz szafranu. W drugim naczyniu rozgnieć szafran i dodaj do podsmażonej cebuli wraz z połową wody różanej. Gotuj przez 15 minut, a następnie dodaj ryż z przegotowaną wodą. Całość gotuj przez 35 do 40 minut. Na chwilę przed podaniem do potrawy dodaj resztę wody różanej.

Porcja na 4 osoby.

SAŁATKA ZE SZPINAKU

2 pęczki świeżego szpinaku
1 pęczek cebuli dymki,
sok z jednej cytryny
1/4 łyżki stołowej oliwy z oliwek
sól i pieprz do smaku

Umyj dokładnie szpinak. Posyp solą. Po paru minutach wyciśnij nadmiar wody. Dodaj posiekaną dymkę, sok z cytryny, oliwę, pieprz. Spożywaj zaraz po przyrządzeniu.

Porcja na 6 osób.

Poradnik dodatków uzupełniających dla osób z grupą krwi AB

Rolą dodatków (witamin, minerałów lub ziół) jest:
- wzmocnienie układu odpornościowego
- dostarczenie przeciwutleniaczy zwalczających raka
- wzmocnienie serca

Osoby z grupą krwi AB potrzebują tylko niektórych dodatków uzupełniających. Chociaż dzielisz z grupą A układ odpornościowy i skłonność do chorób, twoja dieta dostarcza ci bogatą różnorodność składników odżywczych pomocnych w zwalczaniu tych przypadłości. Na przykład dieta grup AB zawiera mnóstwo witaminy A, B_{12}, niacyny i witaminy E i dostarcza tym samym składniki chroniące przed rakiem i chorobami serca. Sugerowałbym stosowanie dodatków uzupełniających wówczas, gdybyś nie przestrzegał ściśle diety. Nawet żelazo, którego brakuje w diecie wegetariańskiej grupy A, jest łatwo dostępne w żywności wskazanej dla grup AB. Istnieją jednak pewne dodatki uzupełniające, które dla grup AB mogą być wskazane.

Witamina C

Dla grupy AB, mającej wyższą zachorowalność na raka żołądka z powodu niskiego poziomu kwasu żołądkowego, jest bardzo korzystne zażywanie dodatków uzupełniających z witaminą C. Na przykład azotyn, składnik, który powstaje na skutek wędzenia i peklowania mięsa, stanowi szczególny problem, ponieważ jego potencjalna rakotwórczość jest większa u ludzi z niskim poziomem kwasu żołądkowego. Witamina C jako antyutleniacz blokuje takie reakcje (przede wszystkim powinieneś jednak unikać żywności wędzonej i peklowanej). Jednak nie oznacza to wcale, że powinieneś zażywać ją w dużych ilościach. Odkryłem, że grupie AB nie służą dobrze zbyt wysokie dawki witaminy C (1000 mg i wyższe), ponieważ ma ona tendencje do podrażniania żołądka. Zażywanie w ciągu dnia po 2–4 kapsułki 250 mg witaminy najlepiej pochodzącej z owoców głogu nie powinno powodować problemów trawiennych.

Zalecana żywność dla osób z grupą krwi AB bogata w witaminę C:

ananasy
brokuły
cytryny

grejpfruty
jagody
wiśnie

Cynk (ostrożnie)

Odkryłem, że małe dawki cynku (do 3 mg dziennie) często pomagają chronić dzieci przed infekcjami, a zwłaszcza przed infekcjami uszu. Suplementy cynku stanowią jednak kij o dwóch końcach. Małe okresowe dawki wzmacniają odporność, ale długo zażywane wyższe dawki obniżają ją i mogą zaburzać wchłanianie innych minerałów. Uważaj więc z cynkiem! Jest szeroko dostępny bez recepty, ale naprawdę nie powinieneś zażywać go bez zalecenia lekarskiego.

Zalecana żywność dla osób z grupą krwi AB bogata w cynk:

– zalecane mięsa (szczególnie ciemne mięso indyka)
– jaja
– rośliny strączkowe

Selen

Selen może być wartościowy dla grup AB, ponieważ wydaje się działać jako składnik antyutleniającej obrony organizmu. Jednak zdarzały się przypadki zatrucia selenem u ludzi zażywających nadmierne jego dawki. Skonsultuj się ze swoim lekarzem, zanim zaczniesz brać ten minerał.

Zioła i związki fitochemiczne zalecane dla osób z grupą krwi AB

Głóg (*Crataegus oxyacantha*). Z powodu skłonności do chorób serca osoby z grupą krwi AB muszą wzmocnić ochronę układu sercowo-naczyniowego. Przestrzeganie diety znacznie zmniejsza niebezpieczeństwo, ale gdy wśród członków twojej rodziny były przypadki chorób serca czy tętnic, należy jeszcze dodatkowo chronić cały układ. Z pomocą może przyjść ci wówczas głóg zawierający związki fitochemiczne o wyjątkowych właściwościach zapobiegawczych. Głóg jest wspaniałym antyutleniaczem. Zwiększa elastyczność tętnic i wzmacnia serce, ale także obniża ciśnienie krwi i wywiera łagodny wpływ na rozpuszczanie płytek w naczyniach. Głóg nie jest powszechnie znany, z wyjątkiem Niemiec, gdzie oficjalnie zaaprobowano go do użytku farmaceutycznego. Wyciągi i nalewki są dostępne tam w gotowej postaci u lekarzy medycyny naturalnej, w sklepach ze zdrową żywnością i aptekach. Niemieckie monografie rządowe dowodzą, że ta roślina nie ma negatywnych działań ubocznych. W pełni popieram pozytywne opinie o tej roślinie i gdyby to ode mnie zależało, to wyciągi z głogu byłyby dodawane do płatków śniadaniowych, tak jak witaminy.

Zioła zwiększające odporność. Ponieważ układ odpornościowy osób z grupą krwi AB jest podatny na wirusy i infekcje, łagodne zioła zwiększające odporność, takie jak *Echinacea purpurea* mogą pomóc w ustrzeżeniu się przed zaziębieniami lub grypą. Ułatwiają też wychwytywanie komórek rakotwórczych przez układ immunologiczny organizmu. Wielu ludzi zażywa echinaceę w płynie lub w postaci tabletek. Jest ona szeroko dostępna. Chińskie zioło *huang-ki (Astragalus membranaceous)* jest także stosowane jako środek wzmacniający układ odpornościowy, ale nie jest łatwo je dostać. W obydwu ziołach czynnikami aktywnymi są cukry, które działają jako mitogeny, stymulujące wzrost liczby białych krwinek, które – jak wspomniałem – bronią układu odpornościowego.

Zioła uspokajające. Osoby z grupą krwi AB mogą stosować łagodne relaksujące środki ziołowe, takie jak rumianek i korzeń waleriany, jako czynnik antystresowy. Te zioła dostępne są w formie herbatek i powinny być często zażywane. Waleriana ma nieco odpychający zapach, który w rzeczywistości staje się przyjemny, jak się do niego przyzwyczaisz.

Kwercetyna. Kwercyna jest bioflawonoidem obficie występującym w warzywach, szczególnie w żółtej cebuli. Suplementy kwercetynowe są szeroko dostępne w sklepach ze zdrową żywnością, najczęściej w kapsułkach 100–500 mg. Kwercetyna jest niezwykle potężnym przeciwutleniaczem, setki razy silniejszym niż witamina E. Może stanowić istotne uzupełnienie w przeciwdziałaniu niebezpieczeństwa chorób raka dla grup AB.

Ostropest plamisty (*Silybum marianum*). Podobnie jak kwecetyna ostropest jest skutecznym przeciwutleniaczem ze specjalną właściwością osiągania wysokiej koncentracji w wątrobie i drogach żółciowych. Grupy AB mogą cierpieć na zaburzenia na tle wątroby lub woreczka żółciowego. Jeśli w twojej rodzinie wystąpiły problemy z wątrobą, trzustką lub pęcherzykiem żółciowym, rozważ dodanie do diety suplementu z ostropestu (łatwego do znalezienia w większości sklepów ze zdrową żywnością). Pacjenci cierpiący na raka, którzy leczeni są chemioterapią, powinni stosować dodatek uzupełniający w postaci tego zioła, aby zwiększyć ochronę wątroby przed uszkodzeniem.

Bromelaina (enzymy z ananasów). Jeżeli należysz do grupy AB i cierpisz na wzdęcia i inne oznaki kiepskiej absorpcji białka, stosuj suplementy bromelainowe. Ten enzym posiada umiarkowaną zdolność do przetrawiania protein zawartych w diecie, pomagając w ten sposób przewodowi pokarmowemu w lepszym przyswajaniu białek.

Stres a ćwiczenia

Zdolność do odwrócenia negatywnych skutków stresu ukryta jest w naszej krwi. Tak jak omawialiśmy to w rozdziale 3, stres sam w sobie nie jest problemem. Problemem jest reakcja na stres. Grupy AB mają dokładnie taki sam wzorzec stresu jak grupy A. Nie wykazują natomiast żadnego podobieństwa do grupy B.

Grupy AB reagują na pierwsze stadium stresu – stadium alarmowe – intelektualnie. Naładowane adrenaliną żarówki rozbłyskują w mózgu powodując niepokój, rozdrażnienie i nadczynność. Kiedy te sygnały stresu pulsują w twoim układzie odpornościowym, stajesz się słabszy. Podwyższona wrażliwość układu nerwowego stopniowo osłabia przeciwciała ochronne. Stajesz się zbyt zmęczony, aby zwalczać infekcje i bakterie, które czyhają, aby zaatakować jak rabusie nie podejrzewającą niczego ofiarę.

Jeśli jednak zastosujesz techniki uspokajające takie jak joga lub medytacja, możesz osiągnąć wielkie korzyści przezwyciężając negatywne stresy przy pomocy skupienia i relaksacji. Grupy AB nie reagują dobrze na ciągłą konfrontację, dlatego też powinny rozważyć i praktykować sztukę osiągania spokoju.

Gdy osoba z grupą krwi AB pozostaje w ciągłym stanie napięcia, stres może powodować choroby serca i różne odmiany raka. Ćwiczenia, które dostarczają spokoju i skupienia, stanowią remedium, które wyciąga grupy AB z objęć stresu.

Tai chi chuan, powolny ruch, rytualny wzorzec chińskiego boksu i *hatha joga* – odwieczny hinduski system ćwiczeń rozciągających (*stretching*), przynoszą uspokojenie na drodze koncentracji. Umiarkowane ćwiczenia dynamiczne (np. wędrówki, pływanie i jazda na rowerze) są także wskazane. Kiedy doradzam ćwiczenia uspokajające, to nie oznacza, że nie możesz „wyciskać" z siebie potu. Rzeczywisty klucz stanowi tutaj psychiczne zaangażowanie się w aktywność fizyczną. na przykład, typowo zawodnicze sporty i ćwiczenia związane z dużym wysiłkiem wyczerpią jedynie twoją energię, uczynią cię ogólnie napiętym i pozostawią układ odpornościowy otwarty na choroby.

Zwracaj szczególną uwagę na długość trwania ćwiczeń. Aby osiągnąć rzeczywiste uwolnienie się od napięcia i odnowienie energii, powinieneś wykonywać jedno lub więcej z tych ćwiczeń 3–4 razy na tydzień.

Ćwiczenie	Czas	Częstotliwość
tai chi	30–45 min.	3–5 x w tygodniu
hatha joga	30 min.	3–5 x w tygodniu
aikido	60 min.	2–3 x w tygodniu
golf	60 min.	2–3 x w tygodniu
jazda na rowerze	60 min.	2–3 x w tygodniu
szybki marsz	20–40 min.	2–3 x w tygodniu
pływanie	30 min.	3–4 x w tygodniu
taniec	30–45 min.	2–3 x w tygodniu
aerobic (o małym natężeniu)	30–45 min.	2–3 x w tygodniu
wędrówki piesze	45–60 min.	2–3 x w tygodniu
ćwiczenia rozciągające	15 min.	zawsze przed ćwiczeniami

Przewodnik po ćwiczeniach dla osób z grupą krwi AB

Tai chi chuan lub tai chi jest ćwiczeniem, które wzmacnia giętkość ruchu ciała. Wolne, pełne wdzięku eleganckie gesty zgodne z zasadami tai chi chuan wydają się maskować pełną szybkość ciosów i bloków przy użyciu rąk i stóp. W Chinach tai chi jest codziennie uprawiane przez grupy, które gromadzą się na placach publicznych, aby wykonywać wspólnie ćwiczenia. Tai chi może być bardzo skuteczną techniką relaksacyjną, chociaż wymaga mistrzowskiego opanowania, koncentracji i cierpliwości.

Joga jest także dobra dla wzorca stresowego grupy AB; łączy w sobie wewnętrzną prawość z kontrolą oddechu i pozycjami umożliwiającymi pełną koncentrację bez rozpraszania uwagi spowodowanego troskami świata zewnętrznego. Hatha joga jest najbardziej rozpowszechnioną formą jogi praktykowaną na Zachodzie.

Jeżeli opanujesz podstawowe pozycje jogi, będziesz mógł stosować zakres ćwiczeń najbardziej odpowiadający swojemu stylowi życia. Wiele osób z grupą krwi AB, które zaadaptowały metody relaksacji oparte na jodze, mówią mi, że nie opuszczą domu, zanim nie wykonają swojego zakresu ćwiczeń. Jednak niektórzy pacjenci są zmartwieni tym, że wykonywane przez nich ćwiczenia jogi są sprzeczne z ich wierzeniami religijnymi. Obawiają się, że praktykowanie jogi jest równoznaczne z przyjęciem mistyki wschodniej. Odpowiadam, „jeśli jadasz włoskie potrawy, czy to oznacza, że będziesz Włochem?". Medytacja i joga są dla ciebie tym, jaki z nich masz pożytek. Wizualizuj i medytuj nad tymi rzeczami, które są dla ciebie istotne. Pozycje są obojętne – one są po prostu bezczasowymi i sprawdzonymi ruchami.

Proste techniki relaksacyjne jogi

Joga zaczyna się i kończy rozluźnieniem. Stale kurczymy nasze mięśnie, ale rzadko myślimy o robieniu rzeczy przeciwnej – rozluźnianiu ich i odprężaniu. Poczujemy się lepiej i zdrowiej, jeśli regularnie będziemy rozluźniać naprężenia pozostawione w mięśniach przez stresy i problemy dnia codziennego. Najlepszą pozycją dla relaksacji jest leżenie na plecach. Ułóż ramiona i nogi tak, aby osiągnąć jak najwygodniejszą pozycję ciała. Celem głębokiego odprężenia jest umożliwienie ciału i umysłowi osiągnięcie stanu łagodnego spokoju, podobnie jak to się dzieje ze wzburzonym zbiornikiem wody. Zacznij od oddychania brzusznego, tak jak oddychają niemowlęta, porusza się ich brzuch, a nie klatka piersiowa. Jednak wielu z nas w trakcie wzrastania nieświadomie adaptuje nienaturalny i nieskuteczny zwyczaj ograniczonego oddychania klatką piersiową. Jednym z celów jogi jest uświadomienie prawdziwego centrum oddychania. Obserwuj sposób, w jaki oddychasz. Czy oddychasz szybko, płytko i nieregularnie lub czy masz tendencję do wstrzymywania oddechu? Pozwól swojemu oddychaniu, aby powróciło do bardziej naturalnej formy – pełnego, głębokiego, regularnego i bez ograniczeń. Spróbuj odizolować po prostu dolne mięśnie związane z oddychaniem; sprawdź, czy możesz oddychać bez poruszania klatką piersiową. Ćwiczenia oddechowe są zawsze wykonywane gładko i bez napięć. Umieść jedną rękę na swoim pępku i poczuj ruchy oddechowe. Rozluźnij ramiona.

Zacznij ćwiczenie od kompletnego wydechu. Kiedy wdychasz, wyobraź sobie, że np. ciężka książka spoczywa na twoim pępku i że przez wdech próbujesz podnieść ten wyimaginowany ciężar w kierunku sufitu. Następnie kiedy wydychasz, po prostu pozwól temu wyimaginowanemu ciężarowi naciskać na brzuch, pomagając w wydechu. Wydychaj więcej powietrza niż byś to robił normalnie, jak gdybyś „wyciskał" je z płuc. To będzie działało tak jak rozciąganie jogi na twoją przeponę i pomoże uwolnić napięcie w tym mięśniu. Zmobilizuj mięśnie brzucha, aby pomogły w tej grze. Kiedy wdychasz powietrze, kieruj swój oddech w dół tak głęboko, jakbyś podnosił swój wyimaginowany ciężar w kierunku sufitu. Spróbuj całkowicie skoordynować i odizolować oddychanie brzuchem bez ruchów klatki piersiowej lub żeber.

Nawet jeśli wykonasz więcej ćwiczeń aerobikowych w ciągu tygodnia, spróbuj zintegrować ćwiczenia relaksujące i uspokajające, które pomogą ci w najlepszym rozładowaniu stresu.

Kwestia osobowości

Zwolennicy analizy osobowości powiązanej z grupą krwi, a posiadający grupę AB najchętniej wyobrażają sobie, że Jezus Chrystus był przedstawicielem ich grupy krwi. Ten dowód pochodzi z testów krwi przeprowadzonych na Całunie Turyńskim. Jest to dyskusyjny wniosek. Moje wątpliwości wynikają z tego, że Jezus przypuszczalnie żył 1000 lat przed wyłonieniem się grupy AB.

Ale to charakteryzuje grupę AB, która nie zawsze zwraca uwagę na dopracowanie detali. Grupa AB jest połączeniem skrajnej, wrażliwej grupy A z bardzo zrównoważoną i skoncentrowaną grupą B. Wynikiem jest duchowa, cokolwiek powierzchowna natura, która obejmuje wszystkie aspekty życia bez szczególnego przykładania uwagi do konsekwencji. Te charakterystyki są wyraźnie widoczne u grupy AB. Układ immunologiczny grup AB jest najlepszym przyjacielem dla prawie każdego wirusa i choroby na ziemi. Jeśli grupa 0 posiada wrota bezpieczeństwa o wyrafinowanej technice do swojego układu odpornościowego, grupa AB nie ma nawet zamka do tych drzwi.

Naturalnie te cechy czynią ludzi z grupy krwi AB bardzo atrakcyjnymi i popularnymi. Jest łatwo polubić ludzi, którzy witają cię z otwartymi ramionami, nie czyniących zarzutów, kiedy ich zawiedziesz, i zawsze zachowujących się w każdej sytuacji z wrodzoną dyplomacją. Nic więc dziwnego, że wielu uzdrawiaczy i nauczycieli duchowych ma taką grupę krwi.

Systemy odpornościowe grup AB są tak bezkrytyczne, że zaczynasz podejrzewać, że nie są one lojalne względem żadnej grupy. Jako przykład mógłby posłużyć Benedict Arnold; najsłynniejszy zdrajca amerykańskiego narodu miał grupę krwi AB.

Z drugiej strony grupa AB uważana jest za najbardziej urzekającą oraz interesującą z grup krwi. Ale ich wrodzona charyzma często prowadzi do zawodów sercowych. John F. Kennedy i Marilyn Monroe mieli grupę krwi AB i chociaż dawno odeszli, pamięć po nich pozostaje wciąż niezatarta. Zdobyli tak silną publiczną sympatię, że ich wpływ na amerykańską psychikę istnieje do dnia dzisiejszego. Ale za całą tą popularność ich charyzma zażądała strasznej zapłaty.

CZĘŚĆ III
Zdrowie twojej grupy krwi

8

Strategia medyczna: powiązania między grupami krwi

Udowodniłem już istnienie silnych zależności pomiędzy grupą krwi a zdrowiem. Mam nadzieję również, że rozumiesz, iż możesz je kontrolować, nawet gdy jesteś podatny na pewne choroby. Twój plan dla grupy krwi jest podstawą zdrowego stylu życia. W następnych trzech rozdziałach podamy więcej informacji dotyczących specyficznych zagadnień medycznych charakterystycznych dla wszystkich ludzi oraz takich, które są właściwe dla danej grupy krwi, by na ich podstawie dokonać najlepszego wyboru służącemu zdrowiu. Zaczniemy od lekarstw i sposobów leczenia, które są zjawiskiem powszednim w naszym współczesnym życiu.

Lekarstwa były używane w medycynie od tysięcy lat. Kiedy szaman lub znachorka przygotowywali lekarstwo, miało ono nie tylko właściwości lecznicze, ale również duchową siłę. Chociaż napar był często cuchnący i wstrętny, zawierał magię, tak że pacjent bez oporu wypijał gorzki płyn z nadzieją wyleczenia. Od tamtej pory niewiele się zmieniło.

Obecnie lekarze zbyt często przepisują lekarstwa, a my je nadużywamy. To jest poważny problem. Chociaż wielu lekarzy medycyny naturalnej odrzuca zupełnie nowoczesną farmakologię, sądzę, że musimy na to spojrzeć inaczej: bardziej rozumnie i elastycznie. Większość medykamentów jest bowiem przeznaczona dla szerokiej rzeszy ludzi, ale powinna być używana jedynie w przypadkach poważnych i potencjalnie niebezpiecznych. Trzymajmy więc lekarstwa z daleka: wszystkie są bowiem truciznami. Niektóre, stosowane od wieków, są jednak niczym innym jak tylko selektywnymi truciznami. Inna, szersza grupa to mniej selektywne trucizny. Dobrym przykładem tych ostatnich, to leki stosowane przez onkologów w chemioterapii. W procesie niszczenia komórek rakowych wiele z nich równie skutecznie atakuje zdrowe komórki. (Nie jest moją intencją oczerniać onkologów. Taki jest po prostu stan sztuki lekarskiej). Pozytywną stroną tego stanu rzeczy jest to, że chemioterapia czasami leczy. Złą wiadomością jest to, że chemioterapia czasem działa, ale pacjent umiera w wyniku komplikacji związanych z leczeniem.

Współczesna nauka oferuje środowisku medycznemu oszałamiającą ilość medykamentów, a wszystkie z nich są przepisywane przez profesjonalnych lekarzy na całym świecie. Ale czy jesteśmy wystarczająco ostrożni przy zażywaniu antybiotyków i szczepionek? Skąd wiesz, które lekarstwo jest dobre dla ciebie, twojej rodziny, dzieci? I znowu odpowiedź ukryta jest w grupie krwi.

Ogólne środki zapobiegawcze (OTC)

Istnieje szeroki zakres ogólnych środków zapobiegawczych (z ang. – OTC) przeznaczonych do zwalczania każdej typowej dolegliwości – od bólu głowy poprzez ból stawów; od przekrwienia do niestrawności. Na pierwszy rzut oka wydają się one tanimi, dogodnymi i skutecznymi środkami zaradczymi.

Jako lekarz medycyny naturalnej próbuję unikać zapisywania lekarstw OTC. W większości przypadków istnieją bowiem ich naturalne odpowiedniki, które działają równie dobrze lub nawet lepiej, a poza tym w przypadku używania wielu medykamentów OTC należy się liczyć z niebezpiecznymi efektami działań ubocznych, a mianowicie:

● Aspiryna posiada właściwości rozrzedzające krew, co może być źródłem kłopotów dla ludzi z grupą krwi 0, którzy i tak mają już rzadką krew. Ponadto zażywanie aspiryny może maskować symptomy poważnych infekcji lub chorób;

● Antyhistamina może podwyższać ciśnienie krwi – co jest szczególnie niebezpieczne dla osób z grupą krwi A i AB. Może ona również powodować bezsenność i pogorszyć problemy z prostatą;

● Nałogowe używanie środków przeczyszczających z czasem może powodować zaparcia, zaburzające naturalny proces wydalania. To również może być szkodliwe dla ludzi z chorobą Crohna – podstawowy problem dla ludzi z grupą krwi 0;

● Środki na kaszel, ból gardła i klatki piersiowej często powodują efekty uboczne, włącznie z wysokim ciśnieniem krwi, ospałością i zawrotami głowy.

Zanim zażyjesz środek OTC przeciwko bólowi głowy, skurczom lub innych dolegliwościom, zbadaj ewentualne przyczyny ich powstania. Często są one spowodowane niewłaściwą dietą lub stresem. Na przykład spróbuj odpowiedzieć sobie na poniższe pytania:

● Czy mój ból głowy jest rezultatem stresu?

● Czy moje problemy żołądkowe są powodowane przez pożywienie niewskazane dla mojej grupy krwi?

● Czy moje problemy z zatokami są rezultatem śluzu powstającego na skutek zbyt obfitego spożywania niewłaściwego pożywienia (np. pszenicy przy grupie krwi 0)?

● Czy moja wirusowa grypa jest rezultatem osłabionego układu odpornościowego?

● Czy moje przekrwienie lub bronchit spowodowany jest nadprodukcją śluzu w drogach oddechowych?

● Czy mój ból zęba spowodowany jest infekcją, która wymaga natychmiastowego leczenia?

● Czy moje nadmierne zażywanie dostępnych w sprzedaży środków przeczyszczających nie zakłóca naturalnego procesu wydalania i powoduje biegunki?

Namawiam cię do korzystania z porady lekarskiej, jeśli twoje przypadłości są chroniczne lub szczególnie poważne. Ból, osłabienie, kaszel, gorączka, krwawienie i biegunki mogą być objawami jakiejś poważniejszej choroby, którą możesz zamaskować lekarstwami, ale w ten sposób jej nie wyleczysz.

Przy okazjonalnych skurczach, bólach i różnych nieprawidłowościach wymienione poniżej środki są doskonałą naturalną alternatywą dla leków OTC. Są one łatwo dostępne w postaci herbatek, kompresów, nalewek, ekstraktów, proszków i kapsułek. By zrobić swoją własną herbatkę ziołową, zagotuj wodę i zaparzaj zioła przez pięć minut. Zwróć proszę uwagę na klucz wskazujący, w jaki sposób je stosować w zależności od posiadanej grupy krwi.

Klucz

● Grupa 0 unikać
■ Grupa A unikać
◆ Grupa B unikać
✟ Grupa AB unikać
✳ Specjalna uwaga dla wszystkich grup krwi

BÓL GŁOWY

rumianek
damiana ●
feverfew (wyciąg z kwiatu chryzantemy)

waleriana (kozłek lekarski)
kora białej wierzby (*salix*)

ZAPALENIE ZATOK

kozieradka ◆ ⚱

tymianek

ARTRETYZM

lucerna (*alfalfa*) ●
boswella
wapń

kąpiel w soli epsom
moczenie w herbatce
rozmarynu lekarskiego

BÓL UCHA

krople do uszu oparte na oleju czosnkowo-dziewannowym

BÓL ZĘBA

nacieranie dziąseł zmiażdżonym czosnkiem

nacieranie dziąseł olejkiem z goździków

NIESTRAWNOŚĆ, ZGAGA

bromelaina (z ananasów)
gencjana (goryczka) ● ⚱
imbir

gorzknik kanadyjski
mięta pieprzowa

SKURCZE, GAZY

herbatka rumiankowa
herbatka z kopru włoskiego
imbir

herbatka miętowa
suplement probiotyczny
z czynnikiem *bifidus*

MDŁOŚCI

cayenne ■
imbir

herbatka z korzenia
lukrecji

GRYPA

echinacea
czosnek
gorzknik kanadyjski

herbatka z owoców dzikiej
róży

GORĄCZKA
kocimiętka ■
feverfew

werbena
kora białej wierzby

KASZEL
podbiał ● ◆
szanta

lipa ◆

BÓL GARDŁA
płukanka z kozieradki ◆
płukanka z gorzknika
kanadyjskiego i szałwii

stone root (collinsonia)

PRZEKRWIENIE
herbatka z lukrecji
dziewanna wielokwiatowa ◆

pokrzywa
werbena

ZAPARCIA
sok z aloesu vera ● ◆ ✟
błonnik ✳ ✳
kora modrzewia (ARA-6) ✳

psyllium
śliski wiąz

BIEGUNKA
jagody borówki
amerykańskiej
(bądź czarnych jagód)
jagody bzu czarnego

L. acidophilus
(kultura jogurtowa)
liść maliny

SKURCZE MENSTRUACYJNE
jamajski dereń (*jamaican dogwood*)

✳ W chwili obecnej w moim ośrodku dostępna jest chroniona patentem substancja w postaci sproszkowanej ARA-6, pochodząca z kory modrzewia. Została ona przetestowana jako znakomity naturalny środek wspomagający układ odpornościowy. Ponadto, substancja zawarta w korze modrzewia, nazywana maślanem, jest bezpiecznym i naturalnym źródłem błonnika dla wszystkich grup krwi.

✳ ✳ Naturalny błonnik dostępny jest w wielu owocach, warzywach i ziarnach. Zanim dokonasz wyboru źródła błonnika, upewnij się, czy jest ono na liście żywności odpowiedniej dla twojej grupy krwi.

Szczepionki: wrażliwość grup krwi

Szczepienie jest kontrowersyjną metodą zarówno w konwencjonalnym, jak i alternatywnym środowisku medycznym. Z bardziej ortodoksyjnego punktu widzenia szczepionka stanowi pierwszą linię obrony w medycynie zapobiegawczej. Wzrastający nacisk wywierany jest przez federalne, stanowe i lokalne szczeble władzy na obowiązkowe szczepienia powszechne. Co jest konsekwencją takiej strategii?

Szczepionki są niezaprzeczalną zdobyczą ludzkości, chroniące setki tysięcy istnień i zapobiegające zbędnemu cierpieniu. Rzadkie są przypadki niekorzystnych reakcji na szczepionki, występujące u szczególnie wrażliwych osób. Nasza wiedza o układzie odpornościowym nie rozstrzyga jeszcze kwestii, czy szczepionki nie powodują jakiś efektów ubocznych, być może obniżając trochę naszą wrodzoną odporność na raka. Wiele publicznych autorytetów medycznych i naukowców jakby z rozmysłem unika odpowiedzi na pytanie, czy każdą szczepionkę należy wstrzykiwać do naszych organizmów.

Tymczasem rodzice chcą wiedzieć, którą szczepionkę, jeśli w ogóle jakąś, powinny przyjąć ich dzieci. Ludzie starsi, nadwrażliwi, kobiety w ciąży itp. obawiają się skutków szczepienia. Nie powinno cię dziwić zatem, że nie ma jednej odpowiedzi dla wszystkich. Reakcja na szczepionkę jest głęboko związana z posiadaną grupą krwi.

Wrażliwość na szczepionki ludzi z grupą krwi 0

Rodzice dzieci mających grupę krwi 0 powinni być wyczuleni na każdy symptom zapalenia, taki jak gorączka czy ból stawów, ponieważ układ odpornościowy grupy 0 jest skonny do takich reakcji. Unikaj zatem wstrzykiwania form szczepionki polio dla dzieci z grupą krwi 0 i zamiast nich stosuj preparaty doustne, ponieważ osoby z grupą krwi 0 mają nadczynny układ odpornościowy i dlatego reagują lepiej na słabsze dawki szczepionek.

Zaszczepione dzieci powinny być uważnie obserwowane przez kilka dni dla pewności, czy nie wystąpią komplikacje. Nie należy podawać acetominofenu, najczęściej przepisywanego lekarstwa z grupy OTC na problemy występujące po zaszczepieniu. Z mojego doświadczenia wynika, że dzieci z grupą krwi 0 wydają się słabo reagować na to lekarstwo. Zamiast niego stosuj naturalny środek dostępny w sklepach ze zdrową żywnością. Jest to specyfik nazywany *feverfew*, otrzymywany z kwiatu chryzantemy (*Chrysanthemum parthenium*). Będący w formie nalewki, *feverfew* może być podawany dziecku co kilka godzin. Cztery do ośmiu kropel nalewki na szklankę soku wystarczy, aby uzyskać pożądany efekt.

Dla kobiet w ciąży z grupą krwi 0 przeciwgrypowe szczepionki niosą wyjątkowe niebezpieczeństwo, zwłaszcza gdy ojciec dziecka ma grupę krwi A lub AB. Szczepionki przeciwgrypowe mogą zwiększać obecność przeciwciał w organizmie przeciwnych grupie krwi A, które mogą atakować i niszczyć płód.

Wrażliwość na szczepionki ludzi z grupą krwi A i AB

Dzieci mające grupę krwi A bądź AB dobrze reagują na szczepionki. Pełny program szczepień – łącznie ze szczepionką na koklusz – nie powinien powodować skutków ubocznych. W przeciwieństwie do grupy 0, dzieci z grupą krwi A i AB powinny otrzymywać szczepionkę polio w formie zastrzyków, ponieważ ich śluz trawienny nie reaguje dobrze na szczepionkę podawaną doustnie.

Wrażliwość na szczepionki ludzi z grupą krwi B

U dzieci z grupą krwi B występują czasami poważne neurologiczne reakcje na szczepionki. Rodzice powinni zwracać uwagę na wszelkie sygnały wskazujące na komplikacje, takie jak: zmiana w sposobie chodzenia dziecka, zataczanie się lub jakakolwiek zmiana osobowości. Jeśli zamierzasz szczepić dziecko grupy krwi B, musisz mieć pewność, że jest całkowicie zdrowe – wolne od przeziębienia, grypy lub zapalenia ucha. Podobnie jak przy grupie 0, dzieci z grupą B powinny zażywać doustną formę szczepionki polio.

Dlaczego dzieci z grupą krwi B mają tendencję do negatywnych reakcji na szczepionki? Wytwarzają one bowiem znaczne ilości antygenu B w układzie nerwowym. Jestem przekonany, że w chwili wprowadzenia szczepionki do ich organizmu zachodzą reakcje krzyżowe, które powodują wytwarzanie przeciwciał atakujących własną tkankę mięśniową. Przyczyną takich reakcji krzyżowych może być szczepionka sama w sobie lub tylko jeden ze związków chemicznych używany do zwiększenia efektywności tej szczepionki. Być może jest to rodzaj podłoża kulturowego służącego do hodowania szczepionki. Tego jeszcze nie wiemy.

Kobiety w ciąży z grupą krwi B również powinny unikać szczepionki przeciw grypie, szczególnie kiedy ojciec ich dziecka posiada grupę krwi A lub AB. Szczepionka przciwgrypowa może powodować wzrost wytwarzanej ilości przeciwciał przeciwnych A, które mogą zakłócać zdrowy rozwój płodu.

Za i przeciw terapii antybiotykami

Jeśli lekarz lub pediatra dziecięcy często przepisuje antybiotyki na zwykłe przeziębienia i grypy, mam jedną radę: znajdź innego lekarza. Stałe, niewłaściwe użycie antybiotyków hamuje zdolność do zwalczania choroby. Ich nadużywanie sprzyja rozwojowi coraz bardziej odpornych zarazków, które wymagają coraz mocniejszych antybiotyków. Daleko bardziej skuteczne niż jakiekolwiek obecnie stosowane antybiotyki jest przestrzeganie właściwej diety, odpowiedni wypoczynek i unikanie stresu.

Pomiędzy rozwojem infekcji a odpowiedzią na nią naszego układu odpornościowego upływa pewien czas. To wygląda trochę jak telefonowanie do pogotowia ratunkowego. Lekarz nie stanie od razu w twoich drzwiach po przyjęciu wezwania. Antybiotyki mogą dotrzeć szybciej do infekcji, ale odkładają słuchawkę twojego własnego pogotowia ratunkowego – układu odpornościowego. Generalnie antybiotyki przerywają więc odpowiedź układu odpornościowego, a odpowiedzialność za walkę z infekcją spada na lekarstwa.

Prześcigamy się w leczeniu gorączki antybiotykami, mimo że gorączka ogólnie jest dobrym znakiem. Wskazuje ona, że metabolizm twojego organizmu doznał nagłego przyspieszenia, spalając najeźdźców przez czynienie środowiska tak niegościnnym, jak to tylko możliwe.

Dzięki mojej własnej praktyce odkryłem, że większość ludzi może eliminować infekcję bez używania antybiotyków. Czy wiesz, że antybiotyki redukują jedynie wielkość infekcji? Układ odpornościowy wciąż domaga się zakończenia bitwy. Kiedy pozwolisz mu toczyć wojnę na własnych warunkach, bez interwencji antybiotyków, rozwinie się w nim nie tylko pamięć specjalnych przeciwciał na aktualną infekcję i jej podobne, ale także zdolność do bardziej skutecznej walki, kiedy następnym razem organizm zostanie wyzwany lub zaatakowany.

U niektórych ludzi antybiotyki wywołują alergie, ale z reguły nie powodują wielu poważnych dolegliwości. Bardzo często jednak stałe używanie silnych antybiotyków niszczy nie tylko infekcję, ale wszystkie dobre bakterie w przewodzie pokarmowym. Z tego powodu wielu ludzi doświadcza biegunek, a kobiety często padają ofiarą powtarzających się infekcji drożdżakowych. Aby przywrócić właściwą równowagę bakteryjną w przewodzie pokarmowym, należy uzupełniać niedobór przyjaznych bakterii trawiennych *L. acidophilus*, pijąc jogurt.

Zdarzają się oczywiście przypadki, kiedy antybiotyk jest niezbędny i powinien zostać użyty. Jeśli go stosujesz, zażywaj jednocześnie dodatek uzupełniający w postaci bromelainy, zapewni to jego szybsze rozchodzenie się i łatwiejsze wnikanie do tkanek. Zażywaj bromelainę w tabletkach lub pij sok ananasowy, gdyż ananasy zawierają ten enzym.

Rodzice chorych dzieci, które zażywają antybiotyki, powinni nastawić budzik na trzecią lub czwartą rano, aby dzieci przyjęły dawkę ekstra podczas snu. To zapewni szybszą koncentrację leku w walce z infekcją.

Powtórzmy raz jeszcze: jeśli potrzebujesz antybiotyków, bierz je, zwłaszcza w sytuacji, gdy infekcja się przedłuża. Jednak ja uważam, że układowi odpornościowemu powinno się pozwolić na robienie tego, do czego został stworzony – do przeciwstawiania się infekcjom.

Wrażliwość na antybiotyki ludzi z grupą krwi 0

Ludzie z tą grupą krwi powinni unikać penicyliny, gdyż układ odpornościowy jest bardziej wrażliwy alergicznie na tę klasę leków. Unikajcie także leków sulfamidowych, takich jak np. *bactrim*, gdyż mogą powodować wysypki na skórze. Staraj się unikać antybiotyków klasy makrolidowej. Erytromycyna i nowsze makrolidy *biaxin* i *zithromax* mogą pogłębić tendencje do krwawienia w przypadku twojej grupy krwi. Bądź więc szczególnie ostrożny, zwłaszcza gdy bierzesz lekarstwa rozrzedzające krew, takie jak *coumadin* lub *warferin*.

Wrażliwość na antybiotyki ludzi z grupą krwi A

Antybiotyki klasy *carbacephem* (np. *Lorabid*) wydają się dobrze służyć osobom z tą grupą. Wywołują one niewiele efektów ubocznych. Większość ludzi z tą grupą krwi dobrze reaguje na antybiotyki klasy penicyliny i sulfamidy. Najlepiej znoszą tetracyklinę lub nowsze antybiotyki klasy makrolidowej.

Jeśli osoba z grupą krwi A ma zalecone zażywanie antybiotyków klasy makrolidowej, to lepsza jest erytromycyna niż *zithromax* czy *clarythromycin*, gdyż obydwa te antybiotyki mogą powodować problemy z trawieniem i zaburzać metabolizm żelaza.

Wrażliwość na antybiotyki ludzi z grupą krwi
AB bądź B

Jeśli możesz, unikaj antybiotyków klasy chinolinowej, takich jak *floxin i cipro*. Jeżeli musisz je zażywać, rób to (tak jak Europejczycy) w mniejszych dawkach niż przepisano. Kiedy stosujesz ten antybiotyk, zwracaj uwagę na każdy sygnał zaburzenia układu nerwowego, taki jak pogorszenie widzenia, zawroty głowy lub bezsenność. W takiej sytuacji należy natychmiast odstawić lekarstwo i skontaktować się z lekarzem.

Leczenie antybiotykami przez dentystów

Dentyści często stosują antybiotyki jako środek zapobiegawczy przeciw infekcji. Szczególnie u pacjentów z chorobami serca, mających problemy z zastawką dwudzielną prawie zawsze przepisują antybiotyki w celu ochrony przed jakąkolwiek możliwością infekcji bakteryjnej i dalszemu uszkadzaniu zastawki.

Jednakże, jak dowodzą ostatnie badania opublikowane w brytyjskim piśmie medycznym „Lancet", u większości pacjentów nie ma powodów do zażywania antybiotyków podczas zabiegów dentystycznych. Jednak, jeśli jesteś osobnikiem niewydzielającym (patrz załącznik E), występuje u ciebie znacznie większe ryzyko zapadnięcia na infekcje w wyniku chirurgii dentystycznej niż u osobnika wydzielającego. Istnieje wiele przykładów obecności bakterii paciorkowca powodującej zapalenie wsierdzia (zapalenie wyściółki mięśnia sercowego) i gorączkę reumatyczną u osobników niewydzielających, ponieważ wytwarzają oni znacznie mniej ochronnych przeciwciał w błonach śluzowych ust i gardła. Osobnicy wydzielający z kolei mają wyższe poziomy IgA (immunoglobuliny A), które wychwytują bakterie i niszczą je, zanim zdołają się one dostać do krwiobiegu. Niewydzielacze zawsze powinni podejmować zapobiegawcze leczenie antybiotykami poprzedzające inwazyjną procedurę dentystyczną – od głębokiego oczyszczania po chirurgię ust.

Jeśli posiadasz grupę krwi 0, możesz prosić o zaniechanie terapii antybiotykiem, o ile nie występuje wewnątrzkorzeniowa infekcja lub nie zapowiada się silne krwawienie. Zamiast tego spróbuj leczenia ziołowego przeciwko paciorkowcowi; takie działanie wykazuje gorzknik kanadyjski (*Hydrastis canadensis*).

Jeśli osoby z grupą krwi A, B bądź AB źle reagują na antybiotyki, mogą żądać przedyskutowania terapii alternatywnych z lekarzem. Wielu dentystów odmawia leczenia pacjentów, którzy nie chcą profilaktycznego zażywania antybiotyków. Jeśli należysz do osób zdrowych, które nie miały wcześniej problemów z infekcją, rozważ leczenie stomatologiczne w innej placówce.

Chirurgia: lepsza rekonwalescencja

Każda operacja stanowi szok dla organizmu. Nigdy jej nie bagatelizuj, nawet gdy jest to drobny zabieg chirurgiczny. Przygotuj wcześniej swój układ odpornościowy, niezależnie od tego, jaką masz grupę krwi. Witaminy A i C wywierają pozytywny wpływ na leczenie ran i minimalizują powstawanie blizn pooperacyjnych. Bez względu na grupę krwi każdy skorzysta na przyjmowaniu tych witamin przed operacją. Zażywaj witaminy A i C co najmniej na cztery do pięciu dni przed i co najmniej tydzień po operacji. Wszyscy moi pacjenci, którzy postępowali zgodnie z tym zaleceniem, podają, że zarówno oni, jak i ich chirurdzy byli zdziwieni szybkością powrotu do zdrowia.

ZALECANY CHIRURGICZNY ZESTAW WITAMIN		
Grupa krwi	Dzienna dawka witaminy C	Dzienna dawka witaminy A
0	2000 mg	30 000 IU
A	500 mg	10 000 IU
AB, B	1000 mg	20 000 IU

Środki ostrożności podjęte podczas operacji osób z grupą krwi 0

Osoby z tą grupą krwi tracą często więcej krwi niż inni podczas operacji, ponieważ posiadają niższy poziom czynników krzepliwości w surowicy krwi. Zasadnicze znaczenie dla krzepliwości ma dostarczenie organizmowi przed operacją dużej ilości witaminy K. Kale*, szpinak i collard greens* zawierają duże ilości tych witamin. Jeśli chciałbyś uzupełnić dietę płynnym chlorofilem, to pamiętaj, że uzupełniające dodatki chlorofilowe są dostępne w sklepach ze zdrową żywnością.

Osoby z grupą krwi 0 z historią zapalenia żył lub zażywający środki rozrzedzające krew powinni skonsultować z lekarzem przyjmowa-

* Zob. str. 108.

nie dodatków uzupełniających. (Warte zanotowania jest to, że rzadsza krew grup 0 niekoniecznie chroni przed zakrzepami krwi. Zapalenie żył często zaczyna się jako stan zapalny żył, który dotyka przepływu krwi).

Grupy 0 mogą także wzmocnić swój układ odpornościowy i metabolizm przez aktywny wysiłek fizyczny. Jeśli realia przed operacją na to pozwolą, ćwiczenia fizyczne zapewnią organizmowi szybszy powrót do zdrowia po operacji i przezwyciężą stres operacyjny.

Środki ostrożności podjęte podczas operacji osób z grupą krwi B

Osoby te mają lepszą sytuację, gdyż są mniej narażone na komplikacje pooperacyjne. Powinny jednak stosować omówioną wyżej kurację witaminową. Osoby o słabszej kondycji fizycznej mogą także przeprowadzić przed operacją kurację z herbatek ziołowych wzmacniających układ odpornościowy. Korzeń łopianu (*Arctium lappa*) i *Echinacea purpurea* doskonale wzmacniają odporność organizmu. Kilka filiżanek herbatki dziennie wypijane przez kilka tygodni może stanowić pozytywny stymulator dla układu odpornościowego.

Środki ostrożności podjęte podczas operacji osób z grupą krwi A bądź AB

Osoby te są podatne na pooperacyjne infekcje bakteryjne, które mogą stać się główną przeszkodą w powrocie do zdrowia i pogorszyć już i tak trudną sytuację. Dlatego powinny koniecznie przeprowadzić kurację witaminową na tydzień lub dwa przed operacją w celu wzmocnienia układów krwionośnego i odpornościowego. Witamina B_{12}, kwas foliowy i dodatkowe żelazo powinny być zażywane dwa razy dziennie wraz z sugerowanymi już dawkami witamin A i C. Koncentracja witamin, której potrzebujesz, jest trudna do uzyskania z diety, toteż ich uzupełnienie stanowi tu najlepsze wyjście.

Floradix jest preparatem ziołowym zawierającym płynne żelazo, które łagodnie działa na przewód pokarmowy oraz jest dobrze przyswajane. Gorąco polecam używanie tego dodatku uzupełniającego, ponieważ żelazo jest zwykle czynnikiem podrażniającym przewody pokarmowe dla osób z grupą krwi A i AB. Zafunduj sobie dwie doskonałe herbatki ziołowe wzmacniające odporność, z korzenia łopianu i echinacei. Wypijaj kilka filiżanek dziennie tych herbatek przez co najmniej kilka tygodni przed operacją.

Bardziej niż inni, osoby mające grupę A i AB doświadczają głębokiego stresu psychicznego, umysłowego i emocjonalnego związanego z operacją. Techniki relaksacyjne, takie jak medytacja i wizualizacja, mogą im bardzo ogromnie pomóc. Przez stosowanie tych technik możesz wywrzeć ogromny wpływ na proces zdrowienia. Niektórzy anestezjolodzy pracują nad wizualizacją z pacjentami będącymi w stanie znieczulenia. Nalegam, abyś poprosił o to swojego lekarza. Jest to doskonała metoda.

Po operacji

Calendula succus (nagietek) używany jest po to, aby pomóc w gojeniu się rany i utrzymywaniu jej w czystości. Roztwór tego homeopatycznego zioła – kwiatu nagietka – jest cudownym środkiem leczniczym na wszystkie rany i zadrapania. Sok posiada łagodne właściwości antybiotyczne i może być długo przechowywany. Upewnij się, że kupujesz sok, lub *succus*, a nie nalewkę, która posiada wysoką zawartość alkoholu. Nalewka będzie naprawdę piekąca, jeśli spróbujesz przemyć nią ranę.

Kiedy twoja rana się wygoi i szwy lub klamry zostaną usunięte, zastosowany miejscowo preparat z witaminy E zminimalizuje pozostanie śladów pooperacyjnych (szram) i ściągania się skóry. Wielu ludzi po prostu otwiera kapsułkę witaminy E i rozsmarowuje ją, ale te formy doustne nie są przeznaczone do używania ich jako środka gojącego rany skóry. Użyj zatem miejscowo kremu lub płynu przeznaczonego do tego właśnie celu.

Słuchaj swojej grupy krwi

Istnieje wiele witamin i ziołowych dodatków uzupełniających, które pomagają organizmowi zarówno w obronie, jak i powrocie do zdrowia. Zalecana suplementacja chirurgiczna stanowi jedynie minimum tego, co powinieneś uczynić, aby się chronić i wzmacniać.

Każda z diet dla ludzi z daną grupą krwi zawiera odpowiednie informacje, które pozwolą ci dokonać właściwego wyboru tego, co powinieneś i czego nie powinieneś jeść i pić. Wybór taki może wywrzeć głęboki wpływ na twoje zdrowie i życie. Oparty na wiedzy wybór właściwej dla organizmu diety wpłynie pozytywnie zarówno na przebieg leczenia, jak i powrót do zdrowia po operacji. Pomoże ci to nie tylko kontrolować zaistniałą sytuację, ale również   zapewni zdrowie w przyszłości.

Rodzice, których dzieci są w wieku szczepień, ludzie, którzy mają infekcje wirusowe, osoby oczekujące na operację – każdy może zyskać dzięki wiedzy na temat zależności od posiadanej grupy krwi. To ma sens. To stanowi także rozwiązanie zagadki, dlaczego jedni ludzie miewają się świetnie w czasie leczenia konwencjonalnego, podczas gdy u innych pojawiają się komplikacje i ból. Nalegam, abyś Ty zaliczał się do tych, którzy czują się dobrze.

9

Grupa krwi: moc przezwyciężania chorób

Każdy, kto zachoruje, chce wiedzieć „dlaczego ja?" Nawet w epoce ogromnych osiągnięć technologicznych często nie mamy pewnej odpowiedzi na to pytanie. Faktem jest jednak, że istnieją osoby, które są bardziej podatne na pewne choroby z powodu posiadanej grupy krwi. Może jest to właśnie brakujące ogniwo, dzięki któremu zrozumiemy przyczyny chorób i odkryjemy zapisane w naszym dziedzictwie sposoby bardziej skutecznego ich zwalczania i eliminowania.

Dlaczego niektórzy ludzie są podatni... a inni nie

Czy przypominasz sobie takie momenty w życiu, kiedy twój bliski przyjaciel namawiał cię, abyś zrobił coś, na co nie miałeś ochoty? Zapalił papierosa? Podkradł nieco whisky z barku ojca? Czy zapaliłeś, czy wypiłeś whisky? Jeśli tak, to wykazałeś podatność, czyli brak odporności na namowy przyjaciela. Podatność lub brak odporności jest zasadniczą przyczyną powstawania większości chorób. Wiele mikrobów posiada zdolność do naśladowania antygenów, które są uważane za przyjazne przez siły bezpieczeństwa danej grupy krwi. To sprytne naśladownictwo pomaga obejść straże i wniknąć do wewnątrz organizmu. A skoro się tam znajdą, szybko go opanowują i przejmują kontrolę.

Czy nigdy cię nie dziwi, dlaczego jedna osoba pozostaje w doskonałym zdrowiu, podczas gdy inna pada ofiarą najlżejszego przeziębienia lub grypy? Dzieje się tak, ponieważ grupa krwi osoby zdrowej nie jest podatna na tych szczególnych intruzów.

Powiązania między grupami krwi

Choroby są wywoływane przez różnorodne przyczyny, powiązane wyraźnie z określoną grupą krwi. Na przykład, ludzie z grupą krwi A z rodzinną historią choroby naczyniowo-sercowej powinni przyjrzeć się szczególnie uważnie swojej diecie. Czerwone mięsa i tłuszcze nasycone wszelkich rodzajów to zły wybór dla grup A, których przewód pokarmowy nie jest przystosowany do ich przerabiania, co prowadzi do podwyższenia poziomu tak trójglicerydów, jak i cholesterolu. Przyjacielski układ odpornościowy grupy A jest także bardziej podatny na raka, ponieważ trudno mu rozpoznać wroga.

Grupy 0, jak pisałem, są bardzo wrażliwe na lektyny aglutynujące znajdujące się w pełnej pszenicy. Te lektyny oddziałują na wyściółkę jelita i wytwarzają dodatkowe zapalenia. Jeśli masz grupę 0 i cierpisz na chorobę Crohna, zapalenie okrężnicy lub syndrom podrażnienia jelit, pszenica działa na twój organizm jak trucizna. Chociaż układ odpornościowy grupy 0 jest, generalnie, wytrzymały, to i on ma swoje ograniczenia. Pierwotne grupy 0 miały niewiele mikrobów do zwalczania, dlatego ta grupa krwi nie przystosowuje się łatwo do złożonych wirusów, które współcześnie przeważają.

Profile chorobowe grup B wykazują tendencję do podatności na wolno rozwijające się, czasami dziwaczne choroby wirusowe, które nie ujawniają się przez wiele lat – takie jak stwardnienie rozsiane i rzadkie przypadłości neurologiczne – czasami wywoływane przez lektyny w żywności, np. znajdujące się w kurczakach i kukurydzy.

Grupy AB mają najbardziej złożony profil chorobowy, ponieważ posiadają zarówno przeciwciała typu A jak i B. Ich podatność na choroby w większości podobna jest do grupy A, toteż gdybyś chciał je sklasyfikować, powiedziałbyś, że są bardziej typu A niż B.

Zależności pomiędzy grupą krwi a dobrym zdrowiem bądź chorobą są potężnym narzędziem w naszych poszukiwaniach najlepszej drogi do prawidłowego traktowania organizmu.

Jednakże muszę tu poruszyć coś innego, abyś nie myślał, że proponuję formułę magiczną. Istnieje wiele czynników w każdym indywidualnym życiu, które powodują choroby. Sugestia, że grupa krwi to jedyny determinujący czynnik jest uproszczona i z pewnością głupawa. Jeśli każda z osób z grupą krwi 0, A, B i AB wypiją po kubku arszeniku, każda z nich umrze. Tak samo, gdyby czterech ludzi o różnych grupach krwi było nałogowymi palaczami, wszyscy byliby podatni na raka płuc. Znajomość grup krwi nie stanowi panaceum, lecz ważną informację, która umożliwi ci funkcjonowanie na szczycie twoich możliwości.

Wróćmy do najczęściej spotykanych i sprawiających najwięcej problemów chorób i stanów, które są powiązane z grupą krwi. Niektóre zależności grupa krwi – choroba dają się wyraźniej zidentyfikować niż inne. Wciąż się uczymy. Ale każdego dnia grupa krwi jest odkrywana jako dominujący czynnik – brakujące wcześniej ogniwo w naszych poszukiwaniach pełni zdrowia.

KATEGORIE*

- choroby starości
- alergie
- astma i katar sienny
- samoistne zaburzenia układu odpornościowego
- zaburzenia krwi
- choroby sercowo-naczyniowe
- choroby wieku dziecięcego
- cukrzyca
- choroby przewodu pokarmowego
- infekcje
- choroby wątroby
- choroby skórne
- ciąża i kobiece

*Uwaga: Rak jest tak złożonym tematem, że poświęcam mu cały, kolejny rozdział.

Choroby starości

Wszyscy ludzie starzeją się, niezależnie od tego, jaką posiadają grupę krwi. Ale dlaczego się starzejemy – i czy możemy zwolnić ten proces? Te pytania fascynowały nas odkąd tylko sięgamy pamięcią. Obietnica źródła młodości pojawiała się w każdej epoce. Dzisiaj, z naszą wymyślną technologią medyczną i naszą zwiększoną znajomością czynników odpowiedzialnych za starzenie się, jesteśmy coraz bliżej odpowiedzi.

Ale pojawia się kolejne pytanie: dlaczego indywidualne wzorce starzenia tak wielce się różnią? Dlaczego pięćdziesięcioletni biegacz, chudy i, jak się wydaje, sprawny pada martwy na atak serca, podczas gdy osiemdziesięciodziewięcioletnia staruszka, która nigdy w życiu nie pokryła się potem, pozostaje zdrowa i czerstwa? Dlaczego u niektórych ludzi rozwija się choroba Alzheimera i zanik pamięci, podczas gdy u innych nie? W jakim wieku pogorszenie stanu fizycznego staje się nieuniknione?

Znamy niektóre kawałki tej układanki. Znaczącą tu rolę odgrywa genetyka; unikatowe zmiany w chromosomach odpowiedzialne są za podatność, powodującą gwałtowne pogorszenie stanu fizycznego u jednych osób bardziej niż u innych. Ale badania te są niekompletne. Odkryłem jednak ogniwo łączące grupę krwi i starzenie – konkretnie, związek pomiędzy aglutynującym działaniem lektyn i dwiema największymi przypadłościami, które towarzyszą starzeniu się – niewydolnością nerek i degradacją mózgu.

W trakcie starzenia doświadczamy stopniowego pogorszania się funkcjonowania nerek do tego stopnia, że u przeciętnej osoby w wieku siedemdziesięciu lat nerki działają tylko przy 25 procentach swoich możliwości. Funkcjonowanie nerek wyraża się objętością krwi, która zostaje oczyszczona i powraca do krwiobiegu. Ten system filtrowania jest bardzo delikatny – na tyle duży, że różne elementy krwi przechodzą przez niego, lecz na tyle mały, żeby uniemożliwić przepuszczanie całych komórek krwi.

Rozważmy sposób, w jaki aglutynujące działanie lektyn zaburza ich prawidłowe działanie. Ponieważ nerki odgrywają centralną rolę w filtrowaniu krwi, działanie lektyn może po jakimś czasie zaburzyć ten delikatny proces. Te lektyny, które znajdują drogę do krwiobiegu, kończą ją aglutynując i zalegając w nerkach. Proces ten przypomina zatykanie drenu. Po jakimś czasie system przestaje funkcjonować. Gdy następuje coraz większa aglutynacja, coraz mniej krwi zostaje oczyszczone. Jest to proces powolny, ale niewątpliwie prowadzący do śmierci. Niewydolność nerek jest jedną z wiodących przyczyn pogorszenia się stanu fizycznego osób starszych.

Druga największa przypadłość towarzysząca starzeniu się występuje w mózgu. Tutaj lektyny odgrywają równie destruktywną rolę. Naukowcy zaobserwowali, że różnica pomiędzy starym mózgiem a młodym polega na tym, że w mózgu starym wiele elementów neuronów jest splątanych. To splątanie, które prowadzi do zaniku pamięci i ogólnego pogorszenia (i mogłoby być nawet powodem choroby Alzheimera), zachodzi bardzo powoli, stopniowo, na przestrzeni dziesięcioleci naszego dorosłego życia.

Jak lektyny docierają do mózgu? Pamiętaj: lektyny występują we wszystkich kształtach i rozmiarach; niektóre są małe na tyle, że przenikają przez barierę krew – mózg. Jak tylko osiągną mózg, zaczynają aglutynować komórki krwi, stopniowo zaburzając działanie neuronów. Proces ten zachodzi na przestrzeni wielu dekad, lecz ostatecznie neurony są na tyle splątane, że ma to wpływ na funkcjonowanie mózgu.

Oczywiste jest dla mnie, że poprzez ograniczanie lub eliminowanie najbardziej szkodliwych lektyn w diecie możesz zachować zdrowsze nerki i sprawniejsze funkcjonowanie mózgu przez dłuższy okres życia. To właśnie dlatego niektórzy starsi ludzie mają umysł jasny i są aktywni fizycznie.

Trzeci dowód na to, że lektyny odpowiadają za starzenie się, to ich wpływ na funkcjonowanie hormonów. W miarę starzenia się ludzie mają znacznie więcej problemów z przyswajaniem i metabolizowaniem składników odżywczych. Jest to jedna z odpowiedzi na pytanie, dlaczego ludzie starsi stają się źle odżywieni, nawet wówczas, gdy ich dieta nie zmieniła się. Wytyczne dietetyczne uwzględniają zatem stosowanie dodatków uzupełniających u osób starszych. Lecz prawdopodobne jest, że jeśli lektyny aglutynujące nie opanują organizmu i nie będą przeszkadzały działaniu hormonów, to ludzie starsi będą mogli przyswajać składniki odżywcze tak skutecznie, jak wtedy, gdy byli młodsi.

Nie chcę dowodzić, że dieta zapewni młodość! Nie jest to formuła na odwrócenie procesów starzenia. Możesz jednak zmniejszyć zniszczenia komórkowe przez ograniczenie naboru złych lektyn w każdym wieku. Przede wszystkim plan dla twojej grupy krwi przeznaczony jest do walki ze starością – umożliwi ci spowolnienie procesu starzenia się w ciągu całego dorosłego życia.

Alergie

Alergie na żywność

Według mnie żadna dziedzina medycyny naturalnej nie jest tak naszpikowana niedorzecznościami jak alergia na żywność. Złożone i kosztowne testy, jakie są przeprowadzane praktycznie na każdym pacjencie, prowadzą do powstania wykazów żywności powodujących reakcje alergiczne.

Moi pacjenci zwyczajowo nazywają każdą reakcję na coś co zjedli „alergią na żywność", chociaż w większości przypadków to, co opisują, to nie alergia, a raczej nietolerancja żywności. Jeśli masz na przykład problemy z laktozą w mleku, nie jesteś na nie uczulony; brakuje Ci enzymu, aby ją strawić. Wykazujesz nietolerancję laktozy, a nie jesteś na nią uczulony. Ta nietolerancja niekoniecznie oznacza, że zachorujesz, jeśli wypijesz mleko. Grupy B, które nie tolerują laktozy, często są w stanie wprowadzać stopniowo do swojej diety produkty mleczne. Istnieją także produkty z dodatkami enzymu laktozy, które czynią produkty mleczne bardziej przyswajalnymi dla osób z nietolerancją.

Uczulenie na żywność to odmienny typ reakcji, która występuje w układzie odpornościowym, a nie w przewodzie pokarmowym. Twój układ odpornościowy wytwarza przeciwciała na żywność. Reakcja jest błyskawiczna i nieprzyjemna – wysypki, opuchlizny, skurcze i inne specyficzne objawy, które wskazują, że organizm walczy, aby pozbyć się trującej żywności. Nie wszystko w naturze daje się dokładnie zaszufladkować. Zdarzało mi się spotkać osobę, która wykazuje alergie na żywność znajdującą się na liście produktów przewidzianych w diecie dla jej grupy krwi. Rozwiązanie jest proste: odstawić żywność, która szkodzi. Zasadniczy problem polega na tym, że większe zagrożenie stanowią ukryte lektyny wnikające do organizmu, aniżeli alergie żywnościowe. Pomimo że nie czujesz się chory, kiedy jesz taką żywność, to tak czy owak ona oddziałuje na organizm. Grupy A powinny być także świadome tego, że wytwarzany przez nie nadmierny śluz może okazać się alergią i powinni wówczas unikać żywności sprzyjającej powstawaniu śluzu.

Astma i katar sienny

Osoby z grupą krwi 0 wygrywają w totalizatora alergicznego bez wysiłku! Są one bardziej podatne na astmę, a nawet katar sienny, które – będąc zmorą dla tak wielu – wydają się być typowe dla tej grupy krwi. Tak liczne pyłki kwiatowe zawierają lektyny, które stymulują uwalnianie się potężnych histamin, i bum! Swędzenie, pociąganie nosem, kapanie z nosa, odchrząkiwanie, kaszel, zaczerwienienie i wysięk z oczu – wszystkie symptomy alergii.

Wiele lektyn pokarmowych, szczególnie pszenicznych, współdziała z przeciwciałami IgE (immunoglobulina-E) znajdującymi się we krwi. Przeciwciała te stymulują białe ciałka krwi zwane leukocytami zasadochłonnymi do uwolnienia nie tylko histamin, lecz innych potężnych alergenów, zwanych kininami. One mogą powodować ostre reakcje alergiczne, opuchliznę tkanki gardła i zablokowanie płuc.

Osoby cierpiące na astmę i katar sienny powinny ściśle przestrzegać diety zalecanej dla ich grupy krwi, gdyż w ich sytuacji jest to najlepsze rozwiązanie. Na przykład grupy 0, które eliminują z diety pszenicę, często odczuwają ulgę w wielu symptomatycznych reakcjach, takich jak pociąganie nosem, problemy z oddychaniem, chrapanie lub uporczywe zaburzenia trawienne.

Osoby z grupą krwi A mają odmienne problemy. Zamiast reakcji środowiskowych, rozwija się u nich często astma związana ze stresem, będąca wynikiem profili intensywnego stresu (patrz plan dla grupy A). Kiedy grupy A cierpią na nadmierną produkcję śluzu, powodowaną przez nieodpowiednią dietę, to astma związana ze stresem staje się bardziej dokuczliwa. Pamiętaj, że grupy A w sposób naturalny wytwarzają ogromne ilości śluzu, toteż kiedy jedzą żywność sprzyjającą jego produkcji (np. produkty mleczne) cierpią na nadmiar śluzu, co może pogarszać problemy z drogami oddechowymi. W przypadku gdy grupy A są ostrożne i unikają żywności sprzyjającej produkcji śluzu oraz gdy zostaną złagodzone przyczyny stresu, ich stany astmatyczne zawsze poprawiają się lub zostają wyeliminowane.

Jest regułą, że grupy B nie są podatne na rozwój uczuleń. Posiadają one wysoki próg dla alergii, o ile nie spożywają nieodpowiedniej żywności. Na przykład, trujące dla grupy B lektyny kurczaków i kukurydzy będą wywoływać alergie u nawet najbardziej odpornych grup B.

Grupy AB wydają się mieć najmniej problemów z uczuleniami, prawdopodobnie dlatego, że ich układ odpornościowy jest najbardziej przyjazny środowisku. Połączenie przeciwciał typu A i typu B daje grupom AB podwójną dawkę przeciwciał do zwalczania niekorzystnych wpływów środowiskowych.

Samoistne zaburzenia układu odpornościowego

Samoistne zaburzenia prowadzą do załamania układu odpornościowego. W twoich obronnych ciałach odpornościowych rozwija się coś, co prowadzi do ich swoistej „amnezji"; one już nie rozpoznają siebie samych. W wyniku tego działają jak w amoku, wytwarzając autoantyciała, które atakują własne tkanki. Te wojownicze autoantyciała sądzą, że bronią swojego terenu, ale w rzeczywistości niszczą własne organy i powodują stany zapalne. Przykładem chorób związanych z zaburzeniami układu odpornościowego są: artretyzm reumatoidalny, toczeń nerek, syndrom chronicznego zmęczenia Epstein-Barra, stwardnienie rozsiane i stwardnienie zanikowe boczne (choroba Lou Gehriga).

Artretyzm

Osoby z grupą krwi 0 należą do najbardziej podatnych na artretyzm. Jest to efekt samoistnych zaburzeń układu odpornościowego, związany z nietolerancją na wpływy środowiskowe i wiele rodzajów pożywienia, np. ziarna i ziemniaki, których lektyny powodują stany zapalne ich stawów.

Mój ojciec zaobserwował wiele lat temu, że grupy 0 mają tendencję do zapadania na „piaszczysty" rodzaj artretyzmu, chroniczne pogarszanie się stanu chrząstek kostnych. Jest to odmiana artretyzmu zwana osteoartretyzmem, typowa dla ludzi starszych, która jest ostrzejszą reumatoidalną formą tej choroby, bolesnym i osłabiającym defektem stawów złożonych.

W mojej własnej praktyce zauważyłem, że większość pacjentów, którzy cierpią na artretyzm reumatoidalny, to osoby z grupą krwi A. Ta anomalia grup A z ich immunologicznie tolerancyjnymi systemami, polegająca na rozwijaniu się u nich tej formy artretyzmu, może być związana ze specyficznymi dla grupy A lektynami. Po wstrzyknięciu zwierzętom laboratoryjnym lektyn charakterystycznych dla grupy A rozwinęło się u nich zapalenie stawów, a w końcu ich zniszczenie, które objawami bardzo przypominało artretyzm reumatoidalny.

Występuje też zapewne powiązanie ze stresem. Pewne badania dowodzą, że ludzie z artretyzmem reumatoidalnym mają tendencję do wyższych stanów napięcia psychicznego i mniejszej odporności emocjonalnej. Choroba postępuje bardzo szybko, gdy mają oni słabe mechanizmy pokonujące stresy życiowe. W świetle tego, co wiemy o czynniku stresu i grupach A, które cechują się wrodzonym wysokim napięciem, osoby z tą grupą krwi chore na artretyzm reumatoidalny powinny na pewno stosować codzienne techniki relaksacyjne oraz ćwiczenia uspokajające.

Syndrom chronicznego zmęczenia

W ostatnich latach leczyłem wielu ludzi, którzy cierpieli na kłopotliwą chorobę nazywaną syndromem chronicznego zmęczenia (z ang. CFS). Zasadniczym symptomem tej choroby jest ciągłe olbrzymie zmęczenie. Inne objawy to: bóle mięśni i stawów, przewlekłe bóle gardła, problemy trawienne, uczulenia i wrażliwość na związki chemiczne.

Najważniejszym wnioskiem, jaki wynika z moich badań i pracy klinicznej, jest to, że CFS może nie być chorobą na tle samoistnych zaburzeń odpornościowych, lecz raczej chorobą wątroby. Chociaż CFS maskuje się jako wirus lub choroba na tle samoistnych zaburzeń odpornościowych, zasadniczą jej przyczyną jest najprawdopodobniej słaby metabolizm wątroby. Innymi słowy, wątroba nie jest w stanie oczyścić organizmu z trujących związków chemicznych. Moim zdaniem, ten właśnie defekt pracy wątroby mógł spowodować problemy immunologiczne, jak również trawienne czy mięśniowo-szkieletowe.

Odkryłem, że pacjentom z grupą 0 z rozpoznaniem CFS jako dodatek do diety dobrze służy lukrecja i uzupełnienia potasowe. Lukrecja oddziałuje na organizm na różne sposoby, lecz dopiero w wątrobie pokazuje, na co ją stać. Drogi żółciowe (gdzie zachodzi detoksyfikacja) stają się bardziej wydajne, zwiększa się ochrona przed uszkodzeniami chemicznymi. To wstępne usunięcie stresu do wątroby wydaje się pozytywnie wpływać na nadnercze i cukier we krwi, zwiększając energię i powodując poprawę samopoczucia. Aktywne ćwiczenia stosowane dla danej grupy krwi wydają się także dobrze służyć jako wartościowy przewodnik niosący pomoc w powrocie do właściwych form aktywności fizycznej. (Uwaga: Proszę nie używać lukrecji bez nadzoru lekarza).

HISTORIA PRZYPADKU:
SYNDROM CHRONICZNEGO ZMĘCZENIA (CFS)
od dr. Johna Prentice, Everett, Washington
Karen, 44 lata: grupa krwi B

Mój kolega, dr John Prentice, wypróbował po raz pierwszy plan dla grupy krwi na pacjentce z ostrym przypadkiem CFS. Nie był całkowicie przekonany, że zadziała, ponieważ jednak wszystkie jego wysiłki, by pomóc bardzo chorej pacjentce, zawiodły, skontaktował się ze mną, usłyszawszy o mojej pracy z pacjentami z CFS.

Karen była ciężkim przypadkiem. Cierpiała na straszne zmęczenie przez całe swoje dorosłe życie i potrzebowała w ciągu doby dwunastu godzin snu, od kiedy była nastolatką. Gdyby mogła, spałaby cały czas. W ciągu ostatnich siedmiu lat jej wyczerpanie uniemożliwiało jej utrzymanie pracy. W dodatku ciągle bolała ją szyja, barki i plecy, cierpiała też na osłabiające bóle głowy. Ostatnio Karen zaczęła doświadczać strasznych ataków niepokoju, z palpitacją serca tak silną, że dzwoniła na pogotowie. Czuła, jak gdyby jej krążenie ustawało w całym ciele.

Karen była bogatą kobietą, lecz większość jej dziedzictwa została wydana na lekarzy. Zanim trafiła do dr. Prentice, leczyła się u ponad pięćdziesięciu lekarzy, zarówno medycyny konwencjonalnej jak i alternatywnej.

Dr Prentice zaczął od zalecenia Karen ścisłego przestrzegania diety dla grupy krwi B wraz z uzupełnieniami i reżimem ćwiczeń. Obydwoje z Karen byli zdziwieni, kiedy stwierdzili, że już po tygodniu nastąpił u niej ogromny przyrost energii. W ciągu kilku tygodni większość symptomów choroby zanikła.

Dr Prentice mówi mi, że dzisiaj Karen jest nową osobą. „To działa jak w zegarku", mówi. „Kiedy ona tylko zje coś nie wskazanego dla jej diety, jej organizm reaguje ostrymi symptomami. Dlatego przestrzega diety bardzo starannie". Podzielił się listem, który napisała do niego: „Zaczęłam nowe życie. Wszystkie moje objawy chorobowe praktycznie ustąpiły, pracuję na dwóch etatach, mając wielką energię przez czternaście godzin dziennie. Wierzę, że dieta jest kluczem do tej niesamowitej zmiany. Jestem nadzwyczaj aktywna i czuję, jak gdyby nic nie mogło mnie zatrzymać. Bardzo Panu dziękuję!"

Stwardnienie rozsiane, choroba Lou Gehriga

Zarówno stwardnienie rozsiane, jak i choroba Lou Gehriga (stwardnienie zanikowe boczne) są bardzo często spotykane u osób z grupą krwi B. Jest to przykład podatności tej grupy na wolno rozwijające się zaburzenia wirusowe i neurologiczne. Wysoki wskaźnik wśród grupy B Żydów dowodzi, dlaczego tak wielu spośród nich cierpi na te choroby. Niektórzy badacze sądzą, że stwardnienie rozsiane i chorobę Lou Gehriga wywołuje zarażenie w młodości wirusem o wyglądzie podobnym do antygenu grupy B. Wirus ten nie może zostać zwalczony przez układ odpornościowy grupy B, niezdolny do wytwarzania przeciwciał przeciw B. Od momentu wtargnięcia do układu wirus rozmnaża się powoli i nie stwarza problemów przez kolejne dwadzieścia lub więcej lat.

Również grupom AB zagraża ryzyko chorób typowych dla grupy B, ponieważ ich organizmy nie wytwarzają przeciwciał anty B. Grupa 0 i A, dzięki swoim silnym przeciwciałom anty B wydają się być bardziej na nie odporne.

HISTORIA PRZYPADKU:
SAMOISTNE ZABURZENIA UKŁADU ODPORNOŚCIOWEGO
Joan, 55 lat: grupa krwi 0

Joan, żona dentysty, była klasycznym przykładem spustoszenia, jakiego mogą dokonać samoistne zaburzenia układu odpornościowego. Cierpiała z powodu groźnych symptomów chronicznego zmęczenia Epsteina-Barra, artretyzmu i strasznego dyskomfortu powodowanego przez gazy i wzdęcia. Układ trawienny Joan był tak niesprawny, że praktycznie wszystko co zjadła powodowało napady biegunki. Do momentu, kiedy pojawiła się w moim gabinecie, walczyła z tym stanem przez ponad rok. Nie ma potrzeby mówić, że była przeraźliwie osłabiona i cierpiała straszliwe katusze. Była także zniechęcona. Ponieważ samoistne zaburzenia odpornościowe mogą być trudne do uchwycenia, wielu ludzi (nawet niektórzy lekarze) nie wierzy, że cierpiący na chroniczne zmęczenie są naprawdę chorzy. Wyobraźcie sobie poniżenie i frustrację tych, którzy czują się śmiertelnie chorzy, a którym mówi się, że to wytwór ich wyobraźni.

Co gorsza, lekarze Joan eksperymentowali z szeregiem terapii lekowych, łącznie ze sterydami, które powodowały, że czuła się jeszcze gorzej i prowadziły do wzdęć. Zalecano jej także stosowanie bogatej w ziarna i warzywa diety oraz ograniczenie lub wyeliminowanie czerwonego mięsa – dokładnie na odwrót, niż powinna czynić grupa 0.

Mimo że tak groźne były objawy u Joan, leczenie było całkiem proste: program odtrucia, dieta dla grupy 0 i zestaw uzupełniających dodatków odżywczych. Po dwóch tygodniach u Joan nastąpiła istotna poprawa. Po sześciu miesiącach czuła się znowu „normalnie". Do dzisiejszego dnia poziom energii u Joan jest dobry, jej trawienie prawidłowe, a artretyzm odzywa się tylko wtedy, gdy pozwala sobie czasami na kanapkę lub loda.

HISTORIA PRZYPADKU:
TOCZEŃ
Od dr. Thomasa Kruzela, N.D., Gresham, Oregon
Marcia, 30 lat: grupa krwi A

Mój kolega, dr Kruzel, interesował się próbami leczenia związanego z grupami krwi, choć początkowo podchodził do tego sceptycznie. Dopiero przypadek tocznia nerkowego udowodnił mu, że leczenie chorób tą metodą jest wysoce skuteczne. Marcia, krucha, młoda kobieta, która cierpiała na toczeń, została przyprowadzona do gabinetu dr Kruzela przez jej brata tuż po zwolnieniu ze szpitalnego oddziału intensywnej opieki medycznej. Cierpiała na niewydolność nerek na tle krążeniowego kompleksu immunologicznego związanego z jej chorobą. Marcia była na dializie tętniczo-żylnej przez kilka tygodni i była planowana do transplantacji nerek w okresie następnych sześciu miesięcy.

Dr Kruzel zanalizował historię jej choroby i dowiedział się, że dieta Marcii była bogata w produkty mleczne, pszenicę i czerwone mięso – wszystkie niebezpieczne produkty żywnościowe dla osoby z grupą A znajdującą się w tym stanie. Zalecił jej ściśle wegetariańską dietę wspomaganą hydroterapią i preparatami homeopatycznymi. W przeciągu dwóch tygodni stan Marcii uległ poprawie, a stosowanie dializy zmniejszyło się. Niesamowite – po dwóch miesiącach Marcii zupełnie odstawiono dializę, a planowana u niej poprzednio transplantacja nerek została odwołana. Trzy lata później Marcia wciąż miewa się dobrze.

Nie powinno budzić zdziwienia, że choroby związane z krwią, takie jak anemia i zaburzenia krzepliwości, wiążą się z grupą krwi.

Anemia złośliwa

Grupy A cechują się największą liczbą cierpiących na anemię złośliwą, lecz stan ten nie ma nic wspólnego z wegetariańską dietą. Anemia złośliwa jest wynikiem braku witaminy B_{12}, a grupy A mają największe trudności z wchłanianiem B_{12} ze swego pożywienia. Grupy AB mają także tendencję do zapadania na anemię złośliwą, chociaż nie tak często jak osoby z grupą krwi A.

Przyczyną braku B_{12} jest to, że wykorzystanie przez organizm tej witaminy wymaga dużej zawartości kwasu żołądkowego i obecności czynnika wewnętrznego: wytwarzanego przez wyściółkę żołądka związku chemicznego, który jest odpowiedzialny za asymilację B_{12}. W przeciwieństwie do innych grup krwi, grupy A i AB mają niższy poziom tego czynnika wewnętrznego i nie wytwarzają tak wiele kwasu żołądkowego. Z tego powodu większości osób z grupą krwi A i AB, cierpiących na anemię złośliwą, najbardziej pomaga podawanie witaminy B_{12} w postaci zastrzyków. Przez eliminację potrzeby procesu trawienia w celu zasymilowania tego życiodajnego i potężnego składnika odżywczego udostępnia się go organizmowi w bardziej skoncentrowany sposób. Jest to przypadek, gdy same dietetyczne rozwiązania nie działają, chociaż grupy A i AB są w stanie absorbować *Floradix*, żelazo w płynie i uzupełniający dodatek ziołowy.

Grupy 0 i B nie wykazują tendencji do zapadania na anemię; posiadają one bowiem wysoką zawartość kwasów w żołądkach i właściwy poziom czynnika wewnętrznego.

HISTORIA PRZYPADKU:
ANEMIA
Od doktora medycyny Jonathana V. Wrighta, Kent, Washington
Carol, 35 lat, grupa krwi 0

Od kiedy zacząłem dzielić się wiedzą o dietach stosowanych w zależności od grupy krwi z moimi kolegami po fachu, temat ten zaczął powoli wkraczać do medycyny konwencjonalnej. Dr Wright z powodzeniem zastosował dietę w leczeniu kobiety cierpiącej na chronicznie niski poziom żelaza we krwi. Carol próbowała – bez powodzenia – każdej dostępnej formy uzupełniania żelaza. Dr Wright stosował szereg innych kuracji – bezskutecznie. Jedyna rzecz, która działała, to wstrzykiwanie żelaza, lecz było to tylko rozwiązanie tymczasowe, gdyż poziom żelaza w organizmie ponownie spadał w sposób nieunikniony.

Ponieważ rozmawiałem z dr. Wrightem wcześniej o moich metodach, zatelefonował do mnie po dalsze szczegóły. Zdecydował się na wypróbowanie na Carol diety dla grupy 0. Po wyeliminowaniu niekorzystnych lektyn, które być może niszczyły jej czerwone ciałka krwi, i ścisłym trzymaniu się wysokoproteinowej diety opartej na białku zwierzęcym poziom żelaza we krwi Carol zaczął się podnosić, a poprzednio nieskuteczne uzupełnienia zaczęły pomagać. Zgodziliśmy się z dr. Wrightem, że aglutynacja przewodu jelitowego przez niekompatybilne lektyny żywnościowe przeszkadzała w asymilacji żelaza.

Zaburzenia krzepliwości

Największe problemy z krzepliwością krwi ma grupa 0, której brakuje najczęściej dostatecznej ilości różnych czynników wpływających na krzepliwość krwi. Może to prowadzić do poważnych problemów szczególnie w trakcie operacji chirurgicznej lub w sytuacjach, w których dochodzi do utraty krwi. Kobiety na przykład – w przeciwieństwie do kobiet z innymi grupami krwi – mają tendencję do utraty znacznie większej ilości krwi po urodzeniu dziecka.

Osoby z grupą krwi 0 z historią zaburzeń krwawienia i udaru powinny skoncentrować się na żywności zawierającej chlorofil, co wzmocni czynniki krzepliwości. Chlorofil znajduje się niemal we wszystkich warzywach zielonych. Można go też zażywać, przyjmując preparaty z chlorofilem. Grupy A i AB nie cierpią na zaburzenia krzepliwości, lecz ich gęściejsza krew może niekorzystnie działać w inny sposób. Gęsta krew jest bardziej skłonna do odkładania płytek miażdżycowych w tętnicach; jest to jedna z przyczyn podatności grup A i AB na choroby sercowo-naczyniowe. Jeśli kobiety z grupą krwi A bądź AB nie będą kontrolowały diety, mogą mieć problemy ze zbyt dużą krzepliwością krwi podczas miesiączkowania.

Grupy B nie wykazują tendencji do zaburzeń krzepliwości lub gęstej krwi. Tak długo, jak będą przestrzegały diety, ich zrównoważone układy będą działały skutecznie.

Choroby sercowo-naczyniowe

Choroby sercowo-naczyniowe stanowią epidemię w społecznościach Zachodu, za co obarcza się winą wiele czynników, zwłaszcza nieodpowiednią dietę, brak ćwiczeń, palenie i stres. Czy istnieje związek pomiędzy grupą krwi a podatnością na te choroby? Znany Ośrodek Studiów nad Sercem w Framigham (Massachusetts) badał związek pomiędzy grupą krwi a chorobami serca, ale nie znalazł jednak żadnej jasno określonej, wyróżniającej cechy w grupie krwi u tych, którzy zapadają na chorobę serca. Odkrył jednak, że wśród tych, którzy przeżyli zawał serca, istotną rolę odgrywała posiadana grupa krwi. Ośrodek wykazał, że pacjenci z grupą 0, chorujący na serce w przedziale wieku 39–72, mają znacznie wyższy współczynnik przeżywalności, niż pacjenci chorzy na serce z grupy A w tym samym przedziale wiekowym. Było to najbardziej widoczne u mężczyzn pomiędzy pięćdziesiątym a pięćdziesiątym dziewiątym rokiem życia.

Chociaż w Framigham nie zbadano tego tematu zbyt głęboko, wydaje się, że te same czynniki, które umożliwiają przeżycie choroby seca, dają przede wszystkim większą ochronę przeciwko zapadaniu na nią. Biorąc pod uwagę te czynniki, zrozumiałe jest, że istnieje większe ryzyko dla grup A i AB. Zbadajmy je.

Najbardziej istotnym czynnikiem jest cholesterol, główny sprawca choroby wieńcowej. Większość cholesterolu wytwarzana jest w wątrobie, ale istnieje enzym zwany fosfatazą, wytwarzany w jelicie cienkim, który jest odpowiedzialny za wchłanianie spożywanych tłuszczów. Wysoko zasadowe poziomy fosfatazy, które przyspieszają absorpcję i metabolizm tłuszczów, prowadzą do obniżenia poziomów cholesterolu w surowicy krwi. Krew grupy 0 posiada najwyższe naturalne poziomy tego enzymu. W grupie B, AB i A obserwuje się coraz niższe poziomy zasadowego enzymu fosfatazy, przy czym grupa B posiada najwyższy – po grupie 0 – jej poziom.

Innym czynnikiem większej przeżywalności w grupie 0 jest krzepliwość krwi. Jak omawialiśmy to wcześniej, grupy 0 mają mniej czynników krzepliwości we krwi. Ten defekt może w tym przypadku działać na korzyść, jako że ta wyraźnie rzadsza krew z mniejszym prawdopodobieństwem będzie składowała płytki miażdżycowe, zatykające przepływ krwi w tętnicach. Z drugiej strony grupa A i w nieco mniejszym zakresie – AB mają wyższy poziom cholesterolu w surowicy krwi i trójglicerydów niż grupy 0 i B.

HISTORIA PRZYPADKU:
CHOROBA SERCA
Wilma, 52 lata, grupa krwi 0

Wilma, Libanka z zaawansowaną chorobą wieńcową. Kiedy badałem ją pierwszy raz, wyszła właśnie ze szpitala po wykonaniu angioplastyki balonikowej – procedury używanej w leczeniu niedrożnych tętnic wieńcowych. Powiedziała mi, że jej cholesterol wynosił ponad 350 w momencie diagnozy początkowej (norma to 200 do 220), a jej trzy tętnice były zablokowane w ponad 80 procentach.

Ponieważ Wilma miała grupę krwi 0, jej choroba nieco mnie zdziwiła, jako że na ogół grupy 0 mają niższy procent zapadalności na choroby serca. Była ona także znacznie młodsza niż większość kobiet, które zgłaszają się z tak poważnymi blokadami; u kobiet tendencja do rozwijania się choroby serca nie występuje wcześniej niż dłuższy czas po menopauzie. (Pamiętaj jednak, że zawsze są wyjątki. Podatność to nie jest pewność!)

Wilma zawsze stosowała tradycyjną libańską dietę, składającą się z dużej ilości oliwy, ryb i zbóż, które, zdaniem wielu lekarzy, są korzystne dla układu krążenia. jednak w wieku czterdziestu siedmiu lat zaczęła odczuwać ból w szyi i ramionach. Choroba serca nie przyszła jej nawet na myśl! Zakładała, że ból powoduje artretyzm i była bardzo zdziwiona, kiedy doktor zdiagnozował jej problem jako dusznicę bolesną, a ból był powodowany niedostatkiem krwi i tlenu dostarczanego do mięśnia sercowego.

Po angioplastyce naczyń kardiolog poradził jej zażywanie lekarstwa *mevacor* na obniżenie cholesterolu. Dobrze obeznana ze sprawami dotyczącymi zdrowia Wilma martwiła się długoterminowymi problemami terapii lekowej i chciała spróbować naturalnego leczenia, zanim zdecyduje się na lek. Dlatego też przyszła do mnie. Ponieważ miała grupę 0, zasugerowałem, żeby dodała czerwone chude mięso do diety. W związku ze swoim stanem była, co zrozumiałe, zaniepokojona, że ma jeść mięso, które jest zwykle zakazywane ludziom z wysokim cholesterolem lub chorobą serca. Natychmiast skonsultowała się ze swym kardiologiem, który był również przerażony tym pomysłem. Znów nalegał, aby brała *mevacor*. Ponieważ Wilma była przeciwna terapii lekami, zdecydowała się na stosowanie diety dla grupy 0 przez trzy miesiące i wykonanie po tym czasie badania na cholesterol.

Wilma potwierdziła wiele moich teorii o skłonności do wysokiego cholesterolu. Często, czy to dziedzicznie, czy przez inne mechanizmy, ludzie miewają wysokie poziomy cholesterolu we krwi, pomimo ściśle przestrzeganej diety. Zwykle mają jakiś defekt w regulacji wewnętrznego metabolizmu cholesterolowego. Podejrzewam, że kiedy grupy 0 jadają za dużo węglowodanów (zazwyczaj produktów pszenicznych), to powoduje u nich dłuższe i silniejsze działanie insuliny. W związku ze zwiększonym działaniem insuliny organizm magazynuje więcej tłuszczu w tkankach i podnosi zapasy trójglicerydów.

Oprócz zalecenia Wilmie, aby zwiększyła udział procentowy czerwonego mięsa w diecie, pomogłem jej także w znalezieniu substytutów dla wielkich ilości pszenicy, które konsumowała, oraz przepisałem jej wyciąg z głogu (zioło używane jako tonizujące dla serca i tętnic) i niewielką dawkę niacyny, która pomaga redukować poziom cholesterolu.

Wilma była sekretarką z bardzo stresującą pracą i uprawiała niewiele ćwiczeń. Była zaintrygowana, kiedy opisałem jej zależność pomiędzy stresem a fizyczną aktywnością u ludzi z grupą krwi O, jak również związek pomiędzy stresem a chorobą serca. Nigdy regularnie nie uprawiała ćwiczeń i nie bardzo wiedziała, jak zacząć. Program ćwiczeń fizycznych rozpoczęliśmy od spacerów, a w miarę nabywania przez Wilmę lepszej kondycji, poszerzyliśmy o aerobik. Po kilku tygodniach Wilma oznajmiła, że spacery dobrze jej robią i że nigdy nie czuła się tak dobrze.

Po sześciu miesiącach cholesterol Wilmy ustabilizował się na poziomie 187. Była zachwycona tym faktem. Wydawało się to niemożliwe. Internista medycyny naturalnej, który pracował w moim ośrodku, był zdziwiony i wprawiony w zakłopotanie. Wszystkie konwencjonalne metody dowodzą, że ludzie z wysokim cholesterolem powinni unikać czerwonych mięs. Wilma jednak osiągnęła sukces. Grupa krwi stanowiła brakujące ogniwo.

HISTORIA PRZYPADKU:
NIEBEZPIECZNIE WYSOKI CHOLESTEROL
John, 23 lata, grupa krwi O

John, świeżo upieczony absolwent college'u, miał niewiarygodnie wysoki poziom cholesterolu, trójglicerydów i cukru we krwi. Były to bardzo niezwykłe objawy jak na młodego człowieka, szczególnie że miał grupę krwi O. Ponieważ choroby serca często występowały w historii rodziny, jego rodzice byli naturalnie zaniepokojeni. Po długich i wyczerpujących konsultacjach z kardiologami w Yale John dowiedział się, że jego predyspozycje genetyczne są tak dominujące, że nawet stosowanie lekarstw na obniżenie cholesterolu niewiele pomoże. W końcu powiedziano mu, że skazany jest na rozwój choroby wieńcowej.

W biurze John wyglądał na załamanego i pogrążonego jakby w letargu. Narzekał na silne zmęczenie. „Tak lubiłem mocno popracować – mówił – ale teraz nie mam po prostu energii". John cierpiał także na częste bóle gardła i puchnięcie węzłów chłonnych. Chorował już na zwiększenie liczby krwinek białych monocytopodobnych we krwi (mononukleoza) i dwukrotnie na chorobę Lyme. John stosował przez jakiś czas dietę wegetariańską przepisaną przez kardiologa. Przyznał jednak, że czuł się na tej diecie gorzej, a nie lepiej.

Po zaledwie kilku tygodniach stosowania diety dla grupy krwi O wyniki były zadziwiające. Po kilku miesiącach jego cholesterol, trójglicerydy i cukier w surowicy krwi opadły do normalnego poziomu. Powtórzony po trzech miesiącach profil krwi ujawnił podobne wyniki.

Jeśli John będzie kontynuował stosowanie diety dla grupy krwi 0, regularnie ćwiczył i brał uzupełniające składniki odżywcze, to będzie miał duże szanse na pokonanie przekleństwa dziedzictwa genetycznego.

Wysokie ciśnienie krwi

Nieprzerwanie pracujące w naszym organizmie serce rytmicznie pompuje krew. Proces ten normalnie jest tak oczywisty, że rzadko o nim myślimy. Dlatego też wysokie ciśnienie krwi (lub nadciśnienie) nazywane jest milczącym zabójcą. Można mieć niebezpiecznie wysokie ciśnienie krwi, będąc tego całkowicie nieświadomym.

Podczas pomiaru ciśnienia krwi odczytujemy dwie liczby. Odczyt skurczowy (górna liczba) mówi o ciśnieniu w tętnicach, gdy twoje serce wypycha krew. Odczyt rozkurczowy (liczba na dole) mówi o ciśnieniu obecnym w tętnicach, gdy serce odpoczywa pomiędzy uderzeniami. Normalne ciśnienie skurczowe wynosi 120, a rozkurczowe 80. W skrócie mówimy 120 na 80 (120/80). Wysokie ciśnienie krwi (nadciśnienie) wynosi dla osób poniżej czterdziestu lat 140/90 i 160/95 powyżej czterdziestki.

W zależności od stanu zaawansowania i czasu trwania wysokie ciśnienie krwi, pozostawione bez leczenia, otwiera gościnnie drzwi problemom zdrowotnym, łącznie z atakami serca i udarami.

Niewiele wiadomo na temat powiązań występowania nadciśnienia z posiadaną grupą krwi. Jednakże nadciśnienie często występuje w połączeniu z chorobą serca, a więc grupy A i AB powinny być szczególnie czujne. Nadciśnienie niesie ze sobą takie samo ryzyko, co choroba naczyń sercowych. Palacze, diabetycy, kobiety po menopauzie, otyli, prowadzący siedzący tryb życia i ludzie na stresujących stanowiskach powinni zwracać szczególną uwagę na program dla ich grupy krwi – szczególnie zaś na dietę i ćwiczenia.

HISTORIA PRZYPADKU:
NADCIŚNIENIE
Bill, 54 lata, grupa krwi A

Bill, sprzedawca obligacji; średni wiek; miał wysokie ciśnienie krwi. Gdy zobaczyłem go po raz pierwszy w marcu 1991 r., jego ciśnienie krwi było niemal wybuchowe od 150/105 do 135/95. Nie zajęło mi dużo czasu odkrycie tak wysokich liczb; były wynikiem jego niewiarygodnie stresującego życia, spowodowanego problemami w firmie i w domu. Wbrew naleganiom lekarza, Bill przerwał leczenie nadciśnienia, ponieważ lekarstwa powodowały u niego zawroty głowy i zaparcia. Chciał spróbować bardziej naturalnej terapii, ale musiał decydować się na nią natychmiast.

Zaleciłem Billowi dietę dla grupy krwi A, co stanowiło ogromne wyrzeczenie się dla tego krzepkiego Amerykanina włoskiego pochodzenia. Od razu też podjąłem środki zaradcze przeciwko stresowi Billa, zalecając mu reżim ćwiczeń przeznaczony dla grup A. Początkowo był zszokowany wykonywaniem jogi i ćwiczeń relaksujących, lecz wkrótce przekonał się, że czuje się ogólnie lepiej i jest spokojniejszy.

Podczas pierwszej wizyty Bill wyznał także, że ma jeszcze inny problem. On i jego partnerzy byli właśnie w trakcie negocjacji planu ubezpieczeń zdrowotnych dla ich biura i gdyby wykryto podczas badań kontrolnych jego nadciśnienie, firma musiałaby zapłacić znacznie wyższą składkę. Przy wykorzystaniu technik redukcji stresu i kilku roślin, Bill bez problemów przeszedł badania.

Choroby wieku dziecięcego

Ogromna liczba pacjentów, którzy przewijają się przez mój gabinet, to dzieci cierpiące na liczne choroby – od chronicznej biegunki po wielokrotne infekcje ucha. Ich matki są zwykle na krawędzi obłędu. Kilka moich najbardziej zadowalających wyników notuję właśnie w pracy z dziećmi.

Zapalenie spojówek

Zapalenie spojówek, powszechnie nazywane „zaczerwienieniem oka", jest powodowane zazwyczaj zarażeniem gronkowcem jednego dziecka od drugiego. Dzieci z grupą krwi A i AB są bardziej podatne na zapalenie spojówek niż z grupą 0 lub B, prawdopodobnie z powodu ich słabszych z natury układów odpornościowych. Konwencjonalne metody leczenia tego stanu obejmują maści z antybiotykiem lub krople do oczu. Zaskakującą alternatywą dla tej terapii jest świeżo ukrojony plasterek pomidora. (Nie próbuj tego z sokiem pomidorowym!) Sok ze świeżo skrojonego pomidora zawiera lektyny, które potrafią zaglutynować i unieszkodliwić bakterie gronkowca. Lekka kwasowość pomidora wydaje się przypominać kwasowość własną wydzieliny oka. Wyciśnięcie wodnistego soku ze świeżego pomidora na gazik i zastosowanie go na zaatakowane oko także działa kojąco.

Jest to jeden z przykładów na to, w jaki sposób te same lektyny w żywności, które mogą być niebezpieczne, stają się wysoce wskazane w leczeniu choroby. W dalszej części omówimy wiele innych przykładów, w których lektyny odgrywają podwójną rolę – dobrego i złego policjanta – w naszych organizmach. Szczególnie w walce z rakiem.

Biegunka

Biegunka może być zaburzeniem, ale i niebezpiecznym stanem u dzieci. Nie tylko osłabia organizm i jest straszliwie kłopotliwa, ale może również prowadzić do groźnego odwodnienia, powodując osłabienie i gorączkę. Większość biegunek u dzieci powodowana jest przez nieodpowiednie pożywienie, dlatego program diet dla grup krwi wyodrębnia żywność wywołującą problemy trawienne.

Dzieci z grupą 0 często doświadczają łagodnej do umiarkowanej biegunki w reakcji na produkty mleczne, a z grupą A i AB są podatne na lambliozę, bardziej znaną jako Zemsta Montezumy, ponieważ pasożyty naśladują cechy A. Dzieci z grupą krwi B nabawią się biegunki, pozwalając sobie na nadmiar produktów pszenicznych lub spożywając znaczne ilości kurczaków i kukurydzy. Jeżeli biegunka jest powodowana przez nietolerancję na tle żywnościowym lub alergię, objawami, które zaobserwujesz u dziecka, będą: ciemne podpuchnięte obwódki wokół oczu, egzema, łuszczyca, na astmie kończąc.

O ile biegunka nie jest wynikiem bardziej poważnego stanu, jak infekcja pasożytnicza, częściowa blokada jelit lub zapalenie zwykle z czasem zanika. Gdyby jednak stolec dziecka zawierał krew lub śluz, natychmiast zasięgnij porady lekarza. Biegunka ostra może także być zaraźliwa; aby chronić resztę rodziny przed zarazkami, najlepszym wyjściem jest skrupulatne przestrzeganie czystości.

Aby przywrócić właściwą równowagę płynów w trakcie napadów biegunki u dziecka, ogranicz soki owocowe. Zamiast tego podawaj dziecku warzywny lub mięsny wywar w zupach. Jogurt z aktywnymi kulturami *L. acidophilus* pomaga utrzymać dobre bakterie w przewodzie jelitowym.

Infekcje ucha

Możliwe jest, że aż czworo spośród dziesięciorga dzieci poniżej sześciu lat ma chroniczne infekcje ucha, czyli pięć, dziesięć, piętnaście, a nawet dwadzieścia infekcji każdej zimy, jedna po drugiej. Większość z tych dzieci cierpi na alergie, zarówno środowiskowe, jak i wynikające z pożywienia. Najlepszym rozwiązaniem jest dieta dla grupy krwi.

Konwencjonalnym podejściem do infekcji ucha jest terapia antybiotykowa. Jest ona zawodna, gdy mamy do czynienia z infekcją chroniczną. Zamiast stosować modne i najbardziej zachwalane lekarstwa – przez co rozumiem najbardziej złożone antybiotyki najnowszej generacji – zwalczajmy przyczyny wywołujące infekcję. Wówczas damy organizmowi szansę na mobilizację własnej, potężnej odpowiedzi. Na początku poznajmy skłonności związane z grupami krwi.

Z powodu nieodpowiedniej diety dzieci z grupą krwi A i AB mają większe problemy z wydzielaniem śluzu, czynnikiem sprawczym przy infekcjach ucha. U dzieci z grupą krwi A winowajcą są zwykle produkty mleczne, podczas gdy grupy AB mogą doświadczyć uczulenia na kukurydzę dodawaną do mleka. Ogólnie rzecz biorąc, u dzieci tych istnieje większe prawdopodobieństwo występowania infekcji gardła i dróg oddechowych, które przenoszą się często do uszu. Ponieważ układ odpornościowy dzieci z grupą krwi A i AB wykazuje tolerancję na wiele bakterii, część problemów wynika z braku agresywnej odpowiedzi organizmu na infekcję.

Kilka badań udowodniło, że w płynach usznych u dzieci z historią chronicznych infekcji ucha brakuje specyficznych związków chemicznych nazywanych komplementami, które są niezbędne do atakowania i niszczenia bakterii. Inne badania dowiodły, że w płynie usznym u dzieci z chroniczną infekcją brak jest pewnej lektyny. Lektyna ta najwyraźniej wiąże cukry mannozy na powierzchni bakterii i aglutynuje je, umożliwiając ich szybsze usunięcie. Obydwa te ważne czynniki odpornościowe rozwijają się ostatecznie we właściwych dla siebie ilościach, co może wyjaśniać, dlaczego częstotliwość infekcji ucha stopniowo spada wraz z wiekiem dzieci. Oprócz właściwej diety, leczenie infekcji uszu u dzieci z grupą krwi A bądź AB prawie zawsze powinno polegać na zwiększeniu odporności. Najprostszym sposobem zwiększenia tej odporności jest wyeliminowanie spożywania przez dzieci cukru. Liczne badania dowodzą, że cukier upośledza układ odpornościowy, powodując, że białe krwinki robią się ospałe i niesklonne do atakowania wdzierających się wrogów.

Medycyna naturalna korzystała od wielu lat z łagodnego, ziołowego stymulatora odporności, Echinacea purpurea. Wykorzystywana początkowo przez Indian, echinacea posiada nadzwyczajne właściwości szybkiego stymulowania odporności organizmu na bakterie i wirusy, będąc przy tym bezpieczną i skuteczną. Ponieważ wiele funkcji, które wzmacnia echinacea, zależy od odpowiednich poziomów witaminy C, często przepisuję wyciąg z bogatego w witaminę C głogu.

W ostatnich trzech latach wykorzystywałem wyciąg z rosnącego na zachodzie modrzewia, będącego czymś w rodzaju super-echinacei. Produkt ten, początkowo wykorzystywany w przemyśle papierniczym, zawiera znacznie więcej skoncentrowanych składników aktywnych, niż można wydobyć z echinacei. Według mnie, wyciąg jest ekscytującym osiągnięciem, które zrewolucjonizuje sposób leczenia szeregu rodzajów upośledzeń odporności, łącznie z infekcją ucha. Jestem pewien, że wiele jeszcze o nim wkrótce usłyszymy.

Infekcje ucha są strasznie bolesne dla dzieci i niezbyt przyjemne dla rodziców. Większość z tych infekcji prowadzi do zatrzymania szkodliwych płynów i gazów w uchu środkowym, co spowodowane jest zablokowaniem się przewodu łączącego, trąbki Eustachiusza. Trąbka ta może napuchnąć na skutek reakcji alergicznych, słabości tkanek otaczających lub infekcji.

U wielu rodziców narasta frustracja z powodu coraz większej nieskuteczności antybiotyków na infekcje uszne. Istnieje powód, dlaczego tak się dzieje. Pierwsza infekcja ucha u niemowlęcia jest leczona typowo łagodnym antybiotykiem takim jak *Amoxicillina*. Przy następnej infekcji *Amoxicillina* jest podawana ponownie. Ale gdy pojawiają się kolejne infekcje, *Amoxicillina* już nie skutkuje. Zaczyna się zjawisko eskalacji – proces używania coraz silniejszych leków i coraz bardziej inwazyjnych terapii. Kiedy antybiotyki już nie działają, a bolesne infekcje trwają, wykonywane jest nacięcie błony bębenkowej. Jest to zabieg, w którym małe rurki zwane *grommets* są chirurgicznie implantowane poprzez błonę bębenkową, aby zwiększyć drenaż płynu z ucha środkowego do gardła.

Jeśli ja leczę chroniczne infekcje ucha, skupiam się na sposobach przeciwdziałania nawrotom. Bezużyteczne jest próbowanie zażegnania jednego epizodu, kiedy wiesz, że kolejna infekcja ucha się wykluwa. Prawie zawsze znajduję rozwiązanie w diecie. W mojej praktyce widziałem wiele dzieci, o różnych grupach krwi. Odkryłem, że każde może nabawić się chronicznej infekcji ucha, jeśli jada pokarm, który kiepsko przyjmuje jego organizm. Nigdy nie widziałem przypadku, gdzie nie występował oczywisty związek choroby z ulubionym pożywieniem dziecka.

Dzieci z grupą krwi 0 i B wydają się zapadać na infekcje ucha rzadziej, a kiedy one wystąpią, są zwykle łatwiejsze do leczenia. Do eliminacji problemu wystarczy najczęściej zmiana diety. U dzieci z grupą krwi B winowajcą jest zwykle infekcja wirusowa, wywoływana przez bakterię *hemophilus*, na którą grupa B jest niezwykle podatna. Reżym dietetyczny obejmuje ograniczenie pomidorów, kukurydzy i kurczaków. Lektyny w tych rodzajach pożywienia reagują z powierzchnią przewodu pokarmowego, powodując puchnięcie i wydzielanie śluzu, które zwykle przenosi się do uszu i gardła.

Uważam, że infekcjom ucha u dzieci z grupą krwi 0 można zapobiegać po prostu przez karmienie piersią zamiast butelką. Karmienie piersią przez co najmniej rok daje układowi odpornościowemu i trawiennemu dziecka czas na rozwinięcie się. Dzieci z grupą krwi 0 będą także mogły uniknąć infekcji ucha, jeśli odstawi im się produkty pszeniczne i mleczne. We wczesnym okresie życia są one nadzwyczaj wrażliwe na tę żywność, lecz ich odporność może zostać łatwo wzmocniona przez podawanie im wysokowartościowych protein, takich jak ryby i chude czerwone mięso.

Wprowadzanie zmian dietetycznych niekiedy stanowi trudność w domach, w których są dzieci cierpiące na powtarzające się infekcje ucha. Ich cierpienia często sprawiają, że zatroskani rodzice pozwalają dzieciom na wszystko, myśląc, że w ten sposób im ulżą. Wiele z tych dzieci zachowuje się jak pieski, wykorzystuje sytuację, jedząc jedynie bardzo wąską, ulubiona gamę żywności, która bardzo często właśnie prowokuje chorobę!

HISTORIA PRZYPADKU:
INFEKCJA UCHA
Tony, 7 lat, grupa krwi B

Tony był siedmioletnim chłopcem, który cierpiał na powtarzające się infekcje ucha. Kiedy jego matka przyprowadziła go do mojego gabinetu po raz pierwszy w styczniu 1993 r., była na skraju obłędu. Tony miał kolejną infekcję, która zaczęła się natychmiast po zakończeniu stosowania antybiotyku w poprzedniej. Zapadał na nie z częstotliwością dziesięciu do piętnastu razy w sezonie zimowym. Dwa razy wykonano u niego zabieg z użyciem *grommetów*, bez rezultatów. Był to doskonały przykład dziecka w kołowrotku antybiotykowym – eskalacja coraz silniejszych antybiotyków z coraz gorszymi wynikami.

Moje pierwsze pytania do matki chłopca dotyczyły diety. Przyjęła postawę nieco obronną. „Och, nie sądzę, aby w tym tkwił problem", powiedziała. „Jadamy bardzo dobrze – mnóstwo kurczaków i ryb, owoców i warzyw".

Zwróciłem się do Tony'ego. „Jakie jest twoje ulubione jedzenie?" zapytałem.

„Filety panierowane z kurczaka", odpowiedział z entuzjazmem.

„Czy lubisz kukurydzę w kolbach?"

„Och, tak!"

„I tu leży problem", powiedziałem do matki. „Pani syn jest uczulony na kurczaki i kukurydzę".

„Czyżby?" Popatrzyła na mnie z wyrazem wątpliwości na twarzy. „Skąd pan to wie?"

„Ponieważ on ma grupę krwi B", odpowiedziałem. Wyjaśniłem powiązania grup krwi i chociaż matka Tony'ego pozostawała nie przekonana, zasugerowałem, żeby karmiła syna zgodnie z zasadami diety dla grupy krwi B przez dwa lub trzy miesiące, aby zobaczyć, co się wydarzy.

Reszta, jak mówią, to historia. Przez następne dwa lata Tony miał się bardzo dobrze, zapadając na pojedynczą infekcję w sezonie –

w przeciwieństwie do jego poprzednich dziesięciu do piętnastu. Te izolowane infekcje dawały się łatwo leczyć albo metodami medycyny naturalnej, albo łagodnymi antybiotykami o słabej mocy.

Nadpobudliwość i niezdolność do nauki

Istnieje szereg różnych przyczyn zaburzeń koncentracji (z ang. – ADD), a my mamy wciąż za mało informacji, by wyciągnąć ostateczne wnioski na temat ich powiązań z grupą krwi. Ale mamy już wiele danych, by określić reakcje grup krwi na wpływy środowiskowe. Na przykład mój ojciec zaobserwował w swojej trzydziestopięcioletniej praktyce, że dzieci z grupą krwi 0 są szczęśliwsze, zdrowsze i bardziej pobudzone, kiedy mogą ćwiczyć do granic możliwości. Dziecko grupy krwi 0 z ADD powinno być zachęcane do jak najczęstszego wykonywania ćwiczeń. Mogłoby to obejmować lekcje WF, sporty zespołowe lub gimnastykę. Dzieci z grupą krwi A i AB, z drugiej strony, wydają się odnosić korzyści z zajęć, które sprzyjają rozwijaniu umiejętności manualnych, takich jak rzeźba i prace artystyczne, i z podstawowych technik relaksacyjnych, takich jak głębokie oddychanie. Dzieciom z grupą krwi B najlepiej służy pływanie i kalistenik.

Pojawiają się pewne spekulacje wśród badaczy, że ADD jest rezultatem niewłaściwego metabolizmu cukru lub alergii na barwniki czy inne związki chemiczne. W obecnym stanie wiedzy nie da się jeszcze wyciągać ostatecznych wniosków, chociaż zauważyłem, że dzieci z ADD mają tendencję do strasznego grymaszenia przy jedzeniu, co sugeruje powiązania dietetyczne.

Ostatnio odkryłem interesujące powiązanie, które mogłoby łączyć dzieci z grupą krwi 0 z ADD. Przyprowadzono do mnie dziecko z grupą krwi 0, które cierpiało zarówno na ADD, jak i na łagodną anemię. Umieściłem je na wysokoproteinowej diecie i dałem dodatki uzupełniające w postaci witaminy B_{12} i kwasu foliowego, a anemia ustąpiła. Jego matka zauważyła również zdecydowaną poprawę w zakresie koncentracji uwagi. Leczyłem kolejne dzieci grupy 0 z ADD małymi dawkami tych witamin i widziałem poprawy wahające się od nieznacznych do przełomowych.

Jeśli twoje dziecko ma ADD, porozmawiaj ze specjalistą od odżywiania o dodaniu do diety dla grupy krwi uzupełnień w formie witaminy B_{12} i kwasu foliowego.

Angina, mononukleoza i świnka

Ponieważ wczesne objawy mononukleozy i anginy są podobne, często trudno jest rodzicom je odróżnić. Dziecko z obydwiema chorobami może mieć jeden lub więcej następujących objawów: ból gardła, nudności, gorączkę, dreszcze, ból głowy lub powiększenie węzłów chłonnych bądź migdałków. Badanie krwi i wymazu z gardła dopiero określą, która z chorób powoduje te dolegliwości.

Angina gardła, wywoływana przez paciorkowca, należy do infekcji bakteryjnych. Często daje dodatkowe objawy, takie jak zapchany nos, kaszel, bóle ucha, białe lub żółte plamy na tylnej części gardła i wysypkę, która zaczyna się od szyi i klatki piersiowej i rozszerza na brzuch i kończyny. Diagnoza oparta jest na objawach klinicznych i na wynikach wymazu z gardła. Leczenie standardowe obejmuje antybiotyki, leżenie w łóżku, aspirynę i płyny na bóle i gorączkę. I znowu skupiamy się na leczeniu bezpośredniej infekcji, a nie na rozwiązaniu szerszych, ogólniejszych problemów zdrowia. Leczenie standardowe jest nieskuteczne szczególnie wtedy, gdy dziecko cierpi na powtarzające się infekcje.

Ogólnie mówiąc, dzieci z grupą krwi 0 i B z powodu zwiększonej podatności na wirusy nabawiają się anginy częściej niż te z grupą krwi A i AB. Zdrowieją jednak łatwiej i bardziej kompletnie. Jak tylko bakteria paciorkowca dostanie się do krwiobiegu grupy A bądź AB, osiedla się tam i nie chce ustąpić. Tak więc dzieci z grupą krwi A lub AB mają skłonność do powtarzalnych infekcji.

Leczenie metodami medycyny naturalnej może pomóc zapobiegać nawrotom. Odkryłem, że używanie płukanki do ust sporządzonej z szałwii i gorzknika kanadyjskiego jest bardzo skuteczne w zapobieganiu rozwojowi paciorkowca w gardle i migdałkach. Gorzknik kanadyjski zawiera składnik nazywany berberyną, który został dobrze przebadany pod kątem działania antybakteryjnego. Problem ze spożywaniem gorzknika polega na tym, że ma on wyraźnie gorzki, ziołowy smak, za którym dzieci niezbyt przepadają. Pomocne może niekiedy okazać się nabycie niedrogiego rozpylacza lub pompki rozpylającej z butelką i po prostu wstrzyknięcie zioła do wnętrza gardła dziecka kilka razy dziennie. W celu wzmocnienia układu odpornościowego często zalecam dodatki odżywcze dla wsparcia układu odpornościowego, takie jak beta-karoten, witaminę C, cynk i echinacea, co pomoże rozwinąć u dziecka odporność.

Jeśli chodzi o wirusową infekcję mononukleozy, grupa 0 wydaje się być bardziej podatna niż A, B czy AB. Antybiotyki są nieskuteczne w leczeniu mononukleozy, ponieważ wywoływana jest przez wirusa, a nie przez bakterię. Zalecane jest leżenie w łóżku zarówno w czasie trwania gorączki, jak również w trakcie jedno- do trzytygodniowego okresu rekonwalescencji. W celu obniżenia gorączki wskazane są również odpowiednie ilości płynów i aspiryna.

Dzieci z grupą krwi B wydają się być bardziej narażone na ryzyko zapadnięcia na groźną świnkę, będącą infekcją wirusową gruczołów ślinowych pod brodą i uszami. Podobnie jak inne choroby, na które podatne są grupy B, tak i ta posiada powiązania neurologiczne. Jeśli dziecko ma grupę B i (lub) Rh- (patrz objaśnienia w załączniku E, podgrupy grup krwi) oraz zapadło na świnkę, bądź przygotowany na wystąpienie objawów uszkodzeń neurologicznych, związanych szczególnie z uszami.

Cukrzyca

Diety dla grup krwi mogą być skuteczne w leczeniu cukrzycy typu I (dziecięcej) oraz w leczeniu i zapobieganiu cukrzycy typu II (u dorosłych). Grupy A i B są bardziej podatne na cukrzycę typu I, powodowaną brakiem insuliny, hormonu wytwarzanego przez trzustkę, a odpowiedzialnego za umożliwianie wnikania glukozy do komórek organizmu. Przyczyną braku insuliny jest zniszczenie w trzustce komórek beta, wytwarzających insulinę.

Chociaż obecnie nie ma skutecznej naturalnej alternatywy leczenia cukrzycy typu I niż metoda konwencjonalna, polegająca na uzupełnianiu insuliny zastrzykami, jednym ważnym remedium naturalnym godnym rozważenia jest kwercetyna, przeciwutleniacz pochodzenia roślinnego. Kwercetyna okazała się pomocna w zapobieganiu wielu komplikacjom powodowanych przewlekłą cukrzycą, takich jak zaćma, neuropatia i problemy sercowo-naczyniowe. Jeśli planujesz korzystanie z naturalnych lekarstw na cukrzycę, porozmawiaj ze specjalistą od odżywiania, który umie stosować związki fitochemiczne, a być może będziesz mógł ograniczyć insulinę.

Cukrzycy typu II mają na ogół wysoki poziom insuliny we krwi, lecz ich tkanki nie są na nią wrażliwe. Stan ten rozwija się przez dłuższy czas i jest zwykle skutkiem niewłaściwej diety. Cukrzyca typu II jest często obserwowana u osób z grupą krwi 0, które spożywały przez wiele lat produkty mleczne, pszenicę i produkty z kukurydzy, oraz u A, jadających dużo mięsa i produktów mlecznych. Diabetycy typu II mają zazwyczaj nadwagę, często wysoki cholesterol i podniesione ciśnienie krwi. Są to objawy niewłaściwego doboru żywności i braku ćwiczeń przez długi okres. W takim przypadku u każdej grupy krwi może się rozwinąć cukrzyca typu II.

Jedynym rzeczywistym sposobem leczenia cukrzycy typu II jest dieta i ćwiczenia. Dieta dla twojej grupy krwi i reżim ćwiczeń przyniosą wyniki, jeśli będziesz ściśle trzymał się zaleceń. W zwalczaniu nietolerancji insulinowej może pomóc również witamina B complex, która ma potężną moc działania. Zanim zaczniesz używać jakiejkolwiek substancji do leczenia cukrzycy, zasięgnij opinii lekarza – specjalisty od żywienia. Być może będziesz musiał zmienić dawkowanie leku przeciw cukrzycy.

Choroby przewodu pokarmowego

Zaparcia

Zaparcie ma miejsce, gdy stolec jest nadzwyczajnie twardy lub gdy u danej osoby zmniejsza się odruch skurczowy jelit. Najbardziej chroniczna forma powodowana jest przez złe nawyki jelitowe i nieregularne jadanie, przy diecie o małej objętości i niskiej zawartości wody. Niektóre inne przyczyny, to zwyczajowe używanie środków przeczyszczających, pełen pośpiechu i stresujący tryb życia oraz podróż, która wymaga ostrych poprawek w sposobie jedzenia i spania. Zaparcie może być powodowane również przez brak ćwiczeń fizycznych, ostre stany chorobowe, bolesne stany odbytnicze i niektóre lekarstwa.

W pewnych warunkach każda grupa krwi jest podatna na zaparcia. Nie jest ono tyle może chorobą, co sygnałem ostrzegawczym, że coś nie jest w porządku w przewodzie pokarmowym. W większości przyczyna leży w diecie. Czy jesz wystarczająco dużo żywności bogatej w błonnik? Czy pijesz dość płynów, w szczególności wody i soków? Czy ćwiczysz regularnie?

Wielu ludzi bierze po prostu środki przeczyszczające, kiedy mają zaparcie. Nie usuwa to jednak przyczyn. Rozwiązaniem długoterminowym jest dieta. Grupy A, B i AB powinny uzupełniać diety w włókniste surowe otręby, zaś grupa 0, obok spożywania dużych ilości włóknistych owoców i warzyw, może brać dodatki uzupełniające w postaci maślanu – naturalnego czynnika wytwarzającego błonnik jako substytutu otrębów, które nie są dla niej wskazane.

Choroba Crohna i zapalenie okrężnicy

Są to wycieńczające, uciążliwe choroby, które niosą ze sobą niepewność, ból, utratę krwi i cierpienia w procesie wydalania. Wiele lektyn pokarmowych może powodować podrażnienia związane z trawieniem, które atakują błony śluzowe przewodu pokarmowego. Jako że wiele lektyn żywnościowych jest specyficznych dla danej grupy krwi, możliwe jest, że u każdej grupy krwi rozwinie się ten sam problem spowodowany odmienną żywnością.

U osób z grupą krwi A i AB choroba Crohna i zapalenie okrężnicy często powodowane są przez silny stres. Jeśli masz krew grupy A lub AB i cierpisz na stan zapalny jelit, zwracaj szczególną uwagę na przyczyny występowania stresu. Odsyłam cię tu do rozdziału omawiającego stres w planie dla twojej grupy krwi.

Grupy 0 mają tendencję do rozwoju bardziej wrzodowatej formy zapalenia okrężnicy, która powoduje krwawienie przy wydalaniu. Spowodowane to jest prawdopodobnie brakiem w krwi właściwych czynników krzepliwości. Grupy A, AB i B mają tendencję do rozwoju bardziej śluzowatej odmiany zapalenia okrężnicy, która nie jest tak krwawa. W każdym przypadku stosuj dietę dla swojej grupy krwi. Uda ci się wówczas uniknąć wielu lektyn żywnościowych, które mogą pogarszać stan, a może się okazać, że objawy ulegną złagodzeniu.

HISTORIA PRZYPADKU:
ZESPÓŁ NADWRAŻLIWOŚCI JELITA GRUBEGO
Virginia, 26 lat, grupa krwi 0

Pierwszy raz badałem Virginię, mającą chroniczne problemy jelitowe, trzy lata temu. Wcześniej leczyło ją już kilku gastroenterologów. Jej problemy obejmowały chroniczną nadwrażliwość jelita z bolesnym zaparciem na zmianę z nieprzewidywalną, nieomal wybuchową biegunką, która uniemożliwiała jej opuszczanie domu. Cierpiała także na zmęczenie i chroniczną anemię niskiego stopnia. Jej poprzedni doktorzy przeprowadzili ogromną liczbę testów (w sumie za 27 000 $!) i jedynie co mogli zaproponować to środki rozkurczowe i codzienną dawkę błonnika. Testowanie na alergię żywnościową nie dało rezultatów. Virginia była wegetarianką, ściśle przestrzegającą diety makrobiotycznej. Szybko zorientowałem się, co było przyczyną jej cierpień. Nieobecność mięsa w jej diecie była podstawowym czynnikiem. Nie była ona również w stanie właściwie trawić ziaren i makaronu, które spożywała jako główne danie.

Ponieważ miała grupę krwi 0, zasugerowałem wysokobiakową dietę, obejmującą chude czerwone mięso, ryby i drób oraz świeże owoce i warzywa. Ponieważ przewody pokarmowe grup 0 nie tolerują zbyt dobrze większości ziaren, zasugerowałem, że powinna w ogóle unikać pszenicy i silnie ograniczyć konsumpcję innych zbóż.

Początkowo Virginia była przeciwna pomysłowi tych zmian dietetycznych. Była wegetarianką i wierzyła, że jej obecna dieta jest naprawdę najzdrowsza. Nalegałem jednak, aby spojrzała na to jeszcze raz. „Jak ci ta dieta pomogła?", zapytałem. „Wydajesz się być poważnie chora".

Ostatecznie przekonałem ją do wypróbowania mojego sposobu leczenia przez określony czas. Po ośmiu tygodniach Virginia znowu zaczęła wyglądać na zdrową i mocną, a jej cera zaróżowiła się. Przyznała, że jej problemy jelitowe zaniknęły w 90 procentach. Badania krwi pokazały całkowity zanik anemii. Powiedziała również, że jej energia powróciła do prawie normalnego poziomu. Druga wizyta, która miała miejsce po miesiącu, zakończyła się wypuszczeniem Virginii spod mojej opieki jako osoby zupełnie wolnej od problemów jelitowych.

HISTORIA PRZYPADKU:
CHOROBA CROHNA
Yehuda, 50 lat, grupa krwi 0

Pierwszy raz zobaczyłem Yehudę, mężczyznę w średnim wieku, w lipcu 1992 r. w związku z chorobą Crohna. Był już po kilku operacjach chirurgicznych jelit, które usunęły części blokujące jego jelito cienkie. Zaleciłem Yehudzie stosowanie diety wolnej od pszenicy, z uwzględnieniem chudego mięsa i gotowanych warzyw. Dałem mu także silny wyciąg z lukrecji i maślan kwasu tłuszczowego.

Yehuda przestrzegał diety w sposób wzorowy, co stanowi przykład na to, jaką wagę on i jego rodzina przywiązywali do jego zdrowia. Żona, córka piekarza, piekła mu specjalny chleb bez pszenicy. Yehuda poważnie traktował przyjmowanie dodatków uzupełniających, łącznie z lukrecją oraz wszystkie inne zalecenia.

Od początku stan Yehudy stale się poprawiał. Do chwili obecnej nie ma nawrotów choroby, chociaż wciąż musi zachowywać ostrożność podczas spożywania niektórych zbóż i produktów mlecznych, gdyż trawienie ich sprawia mu kłopot. Pomimo że był planowany przez gastroenterologa do kolejnych operacji, okazało się, że nie są one potrzebne.

HISTORIA PRZYPADKU:
CHOROBA CROHNA
Sarah, 35 lat, grupa krwi B

Sarah była trzydziestopięcioletnią kobietą, której przodkowie wywodzili się ze wschodniej Europy. Po raz pierwszy przyszła do mojego gabinetu w czerwcu 1993 r., by poddać się leczeniu na chorobę Crohna. Miała już za sobą kilka operacji usunięcia chorych odcinków jelita, była anemiczna i cierpiała na chroniczną biegunkę.

Przepisałem jej podstawową dietę dla grupy B, zalecając, by odstawiła kurczaki i inne pokarmy zawierające lektyny szkodliwe dla grupy B. Część terapii miało stanowić przyjmowanie lukrecji i kwasów tłuszczowych. Sarah współpracowała chętnie. W ciągu czterech miesięcy większość z jej objawów trawiennych, łącznie z biegunką, została wyeliminowana. Ponieważ chciała mieć więcej dzieci, przeszła ostatnio operację usunięcia uszkodzonej tkanki jelit, która przyczepiła się do jej macicy. Jej chirurg powiedział, że nie znalazł śladu czynnej choroby Crohna w żadnej części jamy brzusznej.

Zatrucia pokarmowe

Każdy może nabawić się zatrucia pokarmowego. Jednakże pewne grupy krwi są z natury bardziej podatne na nie ze względu na słabszy układ odpornościowy. Dotyczy to zwłaszcza grupy A i AB, wykazujących większe prawdopodobieństwo zatrucia salmonellą, która rozwija się zwykle w wyniku pozostawienia żywności nie przykrytej i w warunkach braku chłodzenia przez dłuższy okres. Ponadto grupom A i B trudniej pozbyć się bakterii, jeśli tylko zadomowią się w ich organizmach.

Grupy B, które są generalnie bardziej podatne na choroby zapaleniowe, wykazują większe prawdopodobieństwo poważnego zatrucia się pałeczkami *shigella* – bakterią występującą na roślinach, a powodującą dyzenterię.

Nieżyt żołądka

Wielu ludzi myli nieżyt żołądka z owrzodzeniem, lecz choroby te są dokładnie przeciwne. Wrzody powodowane są przez nadkwaśność – bardziej powszechną u grupy 0 i B. Nieżyt żołądka wywoływany jest przez bardzo niski poziom kwasów żołądkowych, charakterystyczny u grupy A i AB. Nieżyt żołądka występuje wówczas, gdy poziom kwasu żołądkowego staje się tak niski, że nie działa już jako bariera na mikroby. Przy braku właściwego poziomu kwasu drobnoustroje będą żyły w żołądku i powodowały poważne stany zapalne.

Najlepszym wyjściem z sytuacji dla grupy A i AB jest uwzględnienie większej ilości kwaśnej żywności w diecie dla grupy krwi.

Wrzody żołądka i dwunastnicy

Od początku lat 50. wiadomo, że wrzód trawienny żołądka jest bardziej powszechny u osób z grupą krwi 0, zaś najczęściej występuje u grupy 0 niewydzielaczy. Mają one także wyższy wskaźnik krwawienia i perforacji, niezależnie od tego, czy są osobnikami wydzielającymi czy niewydzielającymi. Jedną z przyczyn takiego stanu jest to, że grupy 0 posiadają wyższe poziomy kwasu żołądkowego i enzymu zwanego pepsynogenem sprzyjającemu powstawaniu wrzodu.

Najnowsze badania ujawniły inną przyczynę podatności grupy 0 na wrzody żołądka. W grudniu 1993 r. badacze z *Washington University School of Medicine* w St. Louis podali w „Journal of Science", że ludzie z krwią grupy 0 są ulubionym celem bakterii, o których obecnie wiadomo, że wywołują wrzody. Stwierdzono, że ta bakteria, *H. pylori*, potrafi przyczepić się do antygenu grupy 0 w wyściółce żołądka i na swój sposób na nią oddziaływać. Jak wiemy, antygen grupy 0 jest fukozą cukrową. Badacze znaleźli składnik w mleku piersi matki, który najwyraźniej blokuje zdolność przyczepiania się bakterii do powierzchni żołądka. Nie ulega wątpliwości, że jest to jeden z wielu cukrów fukozy znajdujących się w ludzkim mleku.

Wodorost morski morszczyn jest środkiem przeciwdziałającym *H. pylori*. Zawartość fukozy w morszczynie jest tak wielka, że przyczyniła się do jego łacińskiej nazwy – *Fucus vesiculosis*. Jeżeli masz grupę krwi 0 i cierpisz na wrzody lub chcesz im zapobiec, zażywanie morszczynu zmusi bakterię powodującą wrzody, *H. pylori*, do ustąpienia z wyściółki żołądka.

HISTORIA PRZYPADKU:
CHRONICZNE WRZODY ŻOŁĄDKA
Peter, 34 lata, grupa krwi 0

Pierwszy raz spotkałem Petera w kwietniu 1992 r. Cierpiał na wrzody żołądka od dzieciństwa i stosował wszytkie dostępne konwencjonalne sposoby leczenia, ale bez większego powodzenia. Zacząłem od przepisania mu podstawowej wysokoproteinowej diety dla grupy krwi 0, podkreślając, żeby unikał produktów pełnopszenicznych, które zawsze stanowiły zasadniczą część jego diety. Przepisałem mu także uzupełnienie w postaci morszczynu i lekarstwa stanowiącego połączenie lukrecji i bizmutu.

W ciągu sześciu tygodni Peter dokonał znaczącego postępu. Podczas wizyty przeglądowej u swojego gastroenterologa został poddany gastroskopii i usłyszał zachęcającą wiadomość, że 60 procent jego wyściółki żołądkowej wygląda obecnie normalnie. Drugie badanie w czerwcu 1993 r. wykazało całkowite ustąpienie wrzodów żołądkowych u Petera.

Infekcje

Wiele bakterii preferuje określone grupy krwi. Faktycznie, jedno z badań dowiodło, że ponad 50 procent z 282 bakterii nosi przeciwciała jednej bądź inne grupy krwi. Zaobserwowano, że zakażenia wirusowe wydają się być generalnie częstsze u grup 0, ponieważ nie posiadają one żadnych antygenów. Infekcje te są mniej częste i łagodniejsze u grup A, B i AB.

Zespół nabytego niedoboru odporności (AIDS)

Leczyłem wielu ludzi, którzy byli HIV-pozytywni lub mieli AIDS w zaawansowanym stadium, ale nadal szukam jasno określonego związku pomiędzy grupą krwi a podatnością na HIV. Zobaczmy więc, w jaki sposób informacje zawarte w tej książce mogą być wykorzystane do zabezpieczenia się przed tym wirusem.

Podczas gdy wszystkie grupy krwi okazują się być jednakowo podatne na AIDS, kiedy są narażone na kontakt, to zachodzą różnice w ich podatności na infekcje towarzyszące (takie jak zapalenie płuc i gruźlica), których ofiarą pada ich osłabiony układ odpornościowy.

Jeśli jesteś nosicielem HIV lub posiadasz AIDS, dostosuj dietę do swojej grupy krwi. Na przykład, jeśli posiadasz grupę krwi 0, zacznij zwiększać ilość białka zwierzęcego w diecie i rozwiń program ćwiczeń fizycznych. Realizowanie programu dla grupy krwi pomoże w pełni zmobilizować i zoptymalizować funkcje odpornościowe. Ograniczaj spożycie tłuszczu, wybierając chude kawałki mięsa, ponieważ pasożyty w jelitach, powszechne u ludzi z AIDS, zaburzają trawienie tłuszczy i prowadzą do biegunki. Unikaj także pożywienia zawierającego lektyny (np. pszenicy), które mogą dalej upośledzać układ odpornościowy i krwiobieg.

Ponieważ wiele dodatkowych infekcji powoduje wymioty, biegunkę i bóle jamy ustnej, AIDS jest często chorobą wyczerpującą. Osoby z grupą krwi A muszą dlatego wybierać żywność wysokokaloryczną, bezwzględnie eliminować takie pożywienie, jak mięso lub produkty mleczne, które mogą powodować problemy trawienne. Twój układ odpornościowy jest już z natury słaby, nie dawaj lektynom szansy dostania się do środka i dalszego osłabiania cię. A tymczasem zwiększ porcje „dobrej" dla grupy A żywności, takiej jak tofu lub ryby i owoce morza.

Grupy B powinny unikać kurczaków, kukurydzy i gryki. Powinny także wyeliminować orzechy i zredukować ilość produktów pszenicznych. Jeśli nie tolerujesz laktozy, unikaj produktów mlecznych, gdyż w tym wypadku będą one czynnikiem podrażniającym przewód pokarmowy dla grup B o upośledzonym układzie odpornościowym. W tym przypadku choroba stanowi przeciwwskazanie dla ulubionej żywności.

Grupy AB powinny ograniczyć spożywanie bogatej w lektyny fasoli i roślin strączkowych oraz wyeliminować orzechy. Zasadniczym źródłem protein powinny być ryby, których grupa AB ma szeroki wybór. Od czasu do czasu dopuszczalne są dania mięsne i mleczne, ale uważaj na tłuszcz. Ogranicz też konsumpcję pszenicy.

Ogólnie rzecz biorąc, jakąkolwiek masz grupę krwi, unikaj koniecznie lektyn, które mogłyby uszkodzić komórki układu odpornościowego i krwiobieg. Te komórki nie mogą być tak łatwo wymienione, jak to ma miejsce w zdrowym ciele. Ten aspekt oszczędzania komórek czyni diety dla grupy krwi wprost bezcenne dla osób z AIDS, które cierpią na anemię lub mają niski poziom komórek typu T.

Diety dla grup krwi pomagają ustrzec cenne komórki odporności przed niepotrzebnym zniszczeniem. Może to być punktem zwrotnym w sytuacji, w której nie istnieją jeszcze skuteczne sposoby leczenia infekcji HIV.

HISTORIA PRZYPADKU:
AIDS
Arnold, 46 lat, grupa krwi AB

Arnold był biznesmenem w średnim wieku. Był żonaty i sądził, że został zainfekowany HIV dwanaście lat wcześniej. Kiedy zobaczyłem go po raz pierwszy, odczyt komórek T na barometrze zniszczeń wirusowych wynosił 6, przy normie od 650 do 1700. Skóra jego była w takim stanie, który często przypada na ostatnie stadium AIDS; był przeraźliwie chudy od biegunki i wymiotów.

W desperacji Arnold postanowił pójść do lekarza medycyny naturalnej. Na jego twarzy widoczna była niewiara w skuteczność leczenia, a ja również nie mogłem mu obiecać dramatycznej poprawy, ponieważ naprawdę sam nie wiedziałem, czego oczekiwać.

Moim pierwszym celem było przeciwdziałanie dalszemu wnikaniu do ciała lektyn, które działały toksycznie na jego układ odpornościowy i prowadziły do stanu pełnego wyczerpania. Chodziło o to, by nabrał sił koniecznych do walki z infekcją. Zacząłem od przystosowania diety dla grupy krwi AB do specjalnych warunków wynikających z AIDS. Wyeliminowałem drób z wyjątkiem indyka, wprowadziłem mięsa organiczne niskotłuszczowe, ryby kilka razy w tygodniu, ryż, mnóstwo warzyw i owoców. Zredukowałem większość fasoli i roślin strączkowych i wyeliminowałem masło, śmietanę, przetwarzane sery, kukurydzę i grykę. Jako dodatek przepisałem wzmagające odporność zioła w postaci tabletek i herbatek, obejmujące lucernę (*alfalfa*), łopian lekarski, echinacea, żeńszeń i imbir.

W ciągu trzech miesięcy stan Arnolda na tyle się poprawił, że powrócił on na salę gimnastyczną. Pomimo tego, że jego komórki T nie uległy zwiększeniu, do dziś dnia nie wystąpiły u niego poprzednie objawy. Pracuje i prowadzi całkiem aktywne życie. Lekarze w ośrodku chorób zakaźnych są zdumieni. Toż to jest człowiek bez układu odpornościowego!

HISTORIA PRZYPADKU:
AIDS
Susan, 27 lat, grupa krwi 0

Na wieść o tym, że mąż jest HIV-pozytywny, Suan poddała się badaniu. Prawie oszalała, kiedy dowiedziała się, że ma HIV. Testy laboratoryjne ujawniły u niej bardzo niską liczbę komórek T. Susan błagała mnie, abym jej pomógł; nie chciała umierać i obawiała się brania AZT czy innego leku przeznaczonego dla HIV.

Zaleciłem dietę dla grupy krwi 0 w połączeniu z uzupełnieniami odżywczymi i regularnymi ćwiczeniami, pouczając Susan, żeby prze-

strzegała ściśle tego programu. W kilka miesięcy później Susan za-
dzwoniła mówiąc, że liczba jej komórek T jest w granicach 800 (norma wynosi od 500 do 1700). Od tej pory symptomy AIDS nigdy u niej
się już nie pojawiły.

Ponieważ obecnie nie ma skutecznej kuracji dla HIV czy AIDS, nie
możemy stwierdzić, jak długo Susan będzie się miała dobrze. Ja jednak
wierzę, że im więcej odkryjemy tajemnic układu odpornościowego, tym
bliżsi będziemy uczynienia z AIDS choroby, z którą można będzie żyć.

Bronchit i zapalenie płuc

Generalnie u grup A i AB stwierdza się więcej infekcji bronchito-
wych niż u grup 0 i B. Może to wynikać z niewłaściwej diety, w wyniku której powstaje nadmiar śluzu w ich drogach oddechowych. Ten
śluz ułatwia rozwój upodobniających się do grupy krwi bakterii, takich jak dwoinka zapalenia płuc typu A u grupy A i AB oraz pałecz-
ka hemofilna typu B u grupy B i AB. (Ponieważ grupa AB posiada zarówno charakterystyki typu A jak i typu B, ryzyko jest podwójne).

Stosowanie diety dla grup krwi wydaje się znacznie redukować częstotliwość zachorowań na bronchit i zapalenie płuc u wszystkich
grup. Zaczynamy jednakże dopiero odkrywać niektóre inne powiązania z grupą krwi, które są powodem innych problemów. Okazuje się
na przykład, że dzieci z grupą krwi A urodzone z ojców grupy A i matek grupy 0 umierają we wczesnym okresie życia znacznie częściej na
zapalenie płuc na tle bronchitowym. Przypuszcza się, że w trakcie porodu zachodzi pewna forma uczulenia pomiędzy dzieckiem grupy A a przeciwciałami matki przeciwnymi A, co hamuje zdolność
dziecka do zwalczania dwoinki zapalenia płuc. Brak jest jeszcze solidnych danych na potwierdzenie tej teorii, lecz informacja tego rodzaju może rozbudzić zainteresowanie badaczy nad nową szczepionką. Zanim będziemy mogli wyciągać ważne naukowo wnioski, musimy zgromadzić znacznie więcej informacji.

Kandydoza (zakażenie drożdżakowe)

Chociaż organizm drożdżaka nie wykazuje preferencji w stosunku do
grupy krwi, zauważyłem, że grupy A i AB mają większe trudności w za-
hamowaniu silnego przyrostu drożdżaka, po zadomowieniu się go w ich
tolerancyjnych organizmach. Drożdżaki stają się czymś w rodzaju nie-
proszonego gościa, który nie chce wyjść. U osób z grupą krwi A i AB rozwija się także więcej zakażeń drożdżakowych po leczeniu antybiotykami, ponieważ niszczą one ich i tak już osłabione układy obronne.

Z drugiej strony jednak u grup 0 częściej rozwija się nadwrażliwość typu alergicznego na organizm drożdżaka, szczególnie jeśli jedzą zbyt dużo ziarna. Stało się to podstawą teorii nazywanej syndromem drożdżaka i różnych diet drożdżakowych. Diety te kładą nacisk na wysokie spożycie białka i unikanie ziarna, lecz mają tendencję do zbytniej generalizacji w stosunku do grup krwi, podczas gdy to tylko u grupy 0 pojawia się ta nadwrażliwość na drożdże. Jeśli masz grupę A lub AB, unikanie drożdży nie zapobiegnie infekcjom drożdżakowym, a jedynie znacznie upośledzi układ odpornościowy.

Generalnie mówiąc, grupy B są mniej podatne na ten organizm tak długo, jak długo przestrzegają diety. Jeżeli masz grupę B, która ma historię zakażenia drożdżakiem, ogranicz spożywanie pszenicy.

Cholera

Raport z Peru opublikowany niedawno w „Lancet" wykazuje powiązanie pomiędzy rozmiarami ostatniej epidemii cholery, infekcji charakteryzującej się intensywną biegunką z groźnym ubytkiem płynów i minerałów, a wysokim wśród populacji peruwiańskiej procencie występowania osób z grupą krwi 0. Z historycznego punktu widzenia można zaryzykować twierdzenie, że podatność grup 0 na cholerę była prawdopodobnie odpowiedzialna za zdziesiątkowanie populacji wielu starożytnych miast, pozostawiając przy życiu bardziej odporne na cholerę grupy A.

Przeziębienie i grypa

Istnieją setki szczepów wirusa przeziębienia, toteż niemożliwe jest powiązanie każdego z nich z określoną grupą krwi. Jednak badania na brytyjskich rekrutach wojskowych wykazały, że ci z grupą krwi A znacznie rzadziej przeziębiali się, co potwierdza nasze odkrycie, że grupa A rozwinęła się z potrzeby stawiania oporu tym powszechnym wirusom. Wirusy wykazują także słabsze oddziaływanie na grupę AB. Antygen A, noszony tak przez grupę A, jak i AB, blokuje przyczepianie się różnych szczepów wirusa do błon gardła i dróg oddechowych.

Grypa – groźniejszy wirus, atakuje także grupę 0 i B, chociaż jest bardziej niebezpieczna dla grup A i AB. Grypa w swoich wczesnych stadiach może mieć wiele objawów zwyczajnego przeziębienia. Jednak powoduje ona też odwodnienie, bóle mięśni i poważne osłabienie.

Objawy wspólne dla przeziębienia i grypy są nieprzyjemne, ale oznaczają, że układ odpornościowy toczy ciężką walkę z atakującymi wirusami. Istnieją środki, które należy podjąć, aby mu w tej walce pomóc:

1. Utrzymuj dobrą kondycję z właściwymi proporcjami wypoczynku i ćwiczeń, ucząc się jednocześnie pokonywać stres życiowy, który

jest głównym sprawcą osłabienia układu odpornościowego. Może cię to uchronić przed częstymi infekcjami lub skrócić czas trwania przeziębienia czy grypy, jeśli je już złapiesz.

2. Przestrzegaj diety dla twojej grupy krwi. Zoptymalizuje to odpowiedź odpornościową i pomoże ci skrócić okres przeziębienia lub grypy.

3. Zażywaj witaminę C (250 do 500 mg) lub zwiększ źródła witaminy C w diecie. Wielu ludzi wierzy, że przyjmowanie małych ilości echinacei pomaga zapobiegać zaziębieniom lub przynajmniej skrócić czas ich trwania.

4. Zwiększ wilgotność w pokoju za pomocą parownika lub nawilżacza, aby zapobiec wysuszaniu tkanki gardła i nosa.

5. Jeśli masz bolące gardło, płucz je wodą z solą. Pół łyżeczki od herbaty soli kuchennej na szklankę ciepłej wody stanowi łagodzącą i oczyszczającą płukankę. Inną dobrą płukanką, szczególnie gdy masz skłonności do zapalenia migdałków, jest herbatka z równych części korzenia gorzknika kanadyjskiego (*Hydrastis canadensis*) i szałwii. Płucz gardło tą mieszanką co kilka godzin.

6. Jeśli masz cieknący lub zatkany nos, użyj antyhistaminy, aby zredukować reakcję tkanek na infekcję wirusową i zmniejszyć stan zapchania nosa. Bądź jednak szczególnie ostrożny przy stosowaniu antyhistamin typu efedrynowego, mających przynieść natychmiastową ulgę w stanach zapchania nosa. Mogą one podnosić ciśnienie krwi, powodować bezsenność i komplikować problemy z prostatą u mężczyzn.

7. Antybiotyki nie są skuteczne w walce z wirusami; jeśli ktoś proponuje ci antybiotyki lub jeśli sam masz jakieś w domu – nie bierz ich.

Dżuma, tyfus, ospa i malaria

Dżuma, znana w średniowieczu jako Czarna Śmierć, jest infekcją bakteryjną przenoszoną głównie przez gryzonie. Ludzie z grupą krwi 0 są bardziej podatni na dżumę. Chociaż obecnie jest ona rzadkością w społeczeństwach uprzemysłowionych, nadal stanowi problem w krajach Trzeciego Świata. Ostatni raport Światowej Organizacji Zdrowia ostrzegł, że możemy stanąć w obliczu kryzysu pojawienia się dżumy i innych chorób zakaźnych w wyniku nadużywania antybiotyków i innych leków, zasiedlania przez ludzi obszarów poprzednio niezamieszkałych, odwiedzania innych krajów, w których ten problem istnieje, i biedy. Fakt, że społeczeństwa Zachodu rzadko narażone są na te choroby, nie powinien czynić nas niewrażliwymi na ich koszty społeczne, gospodarcze, kulturalne i ludzkie. Zdarza się zresztą, że i na Zachodzie występują ich epidemie, tak jak to się zdarzyło w Seattle na początku lat 80., kiedy to ludzie zjedli zakażone tofu, które nie było pasteryzowane. Tofu spotykane w handlu w opakowaniach nie powinno być powodem obaw.

Ospa została zlikwidowana poprzez zakrojone na szeroką skalę światowe szczepienia ochronne. Jej występowanie miało zapewne olbrzymi wpływ na historię świata, w trudnym do przecenienia stopniu. Grupa krwi 0 jest szczególnie podatna na ospę, co prawdopodobnie wyjaśnia fakt, dlaczego rdzenna ludność amerykańska została zdziesiątkowana przez tę chorobę, kiedy po raz pierwszy doszło do kontaktu z grupą A i B osadników europejskich, którzy ją przywlekli. Rdzenni Amerykanie mają prawie w 100 procentach krew grupy 0.

Tyfus, infekcja typowa dla obszarów o słabej higienie lub dla czasu wojny, zwykle zakaża krew i przewód pokarmowy. Grupa 0 jest także bardzo podatna na infekcję tyfoidalną. Tyfus wykazuje także powiązanie z czynnikami krwi Rh, występując częściej u osobników z Rh-.

Twierdzi się, że roznoszący malarię komar widliszek preferuje ukąszanie grupy B i 0, bardziej niż grupy A i AB, chociaż zwyczajny komar wydaje się częściej preferować grupę A i AB. Malaria jest chorobą nieznaną dla Zachodu, jednak jej oddziaływanie w skali globalnej jest straszliwe. Światowa Organizacja Zdrowia podaje, że ponad 2,1 mln ludzi zapada na tę chorobę co roku.

Polio i wirusowe zapalenie opon mózgowych

Polio, zakażenie wirusowe układu nerwowego, występuje częściej u grupy B, która jest bardziej podatna na zaburzenia układu nerwowego na tle wirusowym. Zanim wprowadzono szczepionki Salk i Sabin, polio była epidemią, która powodowała najwięcej przypadków paraliżu dziecięcego.

Wirusowe zapalenie opon, coraz częstsza i niebezpieczna infekcja układu nerwowego, jest znacznie bardziej rozpowszechniona u grupy 0 niż u innych grup krwi, prawdopodobnie z powodu słabości grupy 0 w przeciwstawianiu się agresywnym infekcjom. Musisz uważać na pojawienie się objawów zmęczenia, wysokiej gorączki i charakterystycznego dla wirusowego zapalenia opon mózgowych zesztywnienia mięśni szyi, nazywanego sztywnym karkiem.

Infekcja zatok

Grupy 0 i B także są bardziej podatne na chroniczne infekcje zatok. Bardzo często lekarze przepisują im nieomal bez przerwy antybiotyki, które czasowo załatwiają problem. Ale infekcje zatok w sposób nieunikniony powracają, prowadząc do zwiększonego stosowania antybiotyków i w końcu – do operacji.

Odkryłem, że zioło collinsonia (stone root), stosowane w leczeniu obrzęków, takich jak żylaki, pomaga także na zapalenie zatok – być może dlatego, że chroniczne zapalenie zatok stanowi rodzaj hemoro-idu lub żylaka głowy. Kiedy przepisuję to zioło moim pacjentom z chronicznym zapaleniem zatok, wyniki są niekiedy zadziwiające. Wielu z pacjentów nie potrzebuje już więcej antybiotyków, ponieważ *collinsonia* usunęła przyczynę problemu – napuchnięcie tkanki za-tok. Jeśli masz problemy z zatokami, możesz spróbować tego zioła. *Collinsonia* nie jest łatwa do zdobycia, lecz wiele dużych sklepów ze zdrową żywnością posiada ją w postaci nalewek. Typowa dawka wy-nosi dwadzieścia do dwudziestu pięciu kropel na ciepłą wodę przyj-mowanych doustnie dwa lub trzy razy dziennie. Zioło to jest bez-pieczne, nie ma więc powodu martwić się o jego toksyczność.

Od czasu do czasu zapalenie zatok rozwija się u grupy A bądź AB, chociaż w tym przypadku jest wynikiem diety sprzyjającej wysokiej produkcji śluzu. Zapalenie zatok u grupy A ustępuje zwykle na sku-tek samego wprowadzenia zmian w diecie.

Pasożyty (dyzenteria amebowa, lamblia, tasiemiec i glista)

Jeśli im się na to pozwoli, pasożyty mogą żyć wygodnie w każdym przewodzie pokarmowym. Generalnie jednak wydają się preferować przewody pokarmowe grupy A i AB, upodabniając się zwykle do an-tygenu krwi grupy A, aby uniknąć wykrycia. Tak jest na przykład z powszechnym pasożytem amebą. Okazuje się w dodatku, że grupy A i AB są bardziej podatne na komplikacje wywoływane w wątrobie przez cysty amebowe. Grupy A i AB cierpiące na dyzenterię amebową powinny podjąć zdecydowane środki w celu rozprawienia się z tą in-fekcją, zanim przeniesie się w dalsze części ciała.

Krew grup A i AB jest łatwym celem dla pasożyta *Giardia lamblia* powszechnie występującego w wodzie, który jest przyczyną przypa-dłości zwanej Zemstą Montezumy. Ten sprytny pasożyt upodabnia się wyglądem do grupy A, co pozwala mu wniknąć do układu odpor-nościowego, a następnie do jelit. Turyści z grupą A i AB powinni wy-posażyć swoją apteczkę w zioło gorzknika kanadyjskiego lub *Pepto Bismol*, aby w razie czego móc zapobiec infekcji. Grupy A i AB, które pijają wodę ze studni, powinny także być czujne na pasożyt *Giardia lamblia*.

Wiele robaków pasożytniczych, takich jak tasiemce i glisty, wyka-zują podobieństwo do grup A i B. Są one częściej spotykane u ludzi z tymi grupami krwi. Ponieważ grupa AB ma podwójne charaktery-styki, typu A i B, jest na nie szczególnie podatna.

Do leczenia pasożytów używałem ze sporym powodzeniem zioła o nazwie *Artemesia annua* (chiński piołun). Poproś lekarza medycy-ny naturalnej o to zioło.

Gruźlica i sarkoidoza

Choć gruźlicę uważano już za całkowicie wyeliminowaną z uprzemy-słowionych społeczności Zachodu, jest ona obecnie coraz częściej spo-tykana, zwłaszcza wśród chorych na AIDS i bezdomnych. Okazyjnie ła-pana infekcja przeradza się w gruźlicę i rozkwita w układach odporno-ściowych osłabionych brakiem zachowywania higieny i chronicznymi chorobami. Gruźlica płuc najczęściej atakuje grupę 0, podczas gdy gruźlica innych części ciała grupę A. Sarkoidoza lub sarkoid jest sta-nem zapalnym płuc i tkanki łącznej, który może właśnie stanowić for-mę reakcji na gruźlicę. Dawniej sądzono, że częściej chorują na nią Afroamerykanie niż inne populacje, ale w ostatnich czasach stwierdzo-no, że zapada na nią głównie typ kaukaski, szczególnie kobiety. Czę-ściej atakuje grupę A niż grupę 0, zaś osoby z Rh- (minus) są bardziej podatne zarówno na gruźlicę, jak i na sarkoidozę.

Syfilis i infekcje dróg moczowych

Wydaje się, że osoby z grupą krwi A są bardziej podatne na syfilis i zakażają się często bardziej złośliwymi szczepami. Jeśli zatem masz grupę A, namawiam cię do uprawiania bezpiecznego seksu.

Udowodniono, że grupy B lub AB są bardziej podatne na powtarza-jące się infekcje pęcherza (zapalenia pęcherza). Dzieje się tak dlate-go, że najbardziej rozpowszechnione bakterie wywołujące infekcje, np. *E. coli*, z rodziny *Pseudomonalaceae*, oraz z rodziny pałeczek jeli-towych *Enterobacteriaceae*, podobne są do typu B, zaś grupy B i AB nie wytwarzają przeciwciała anty B.

Grupy B częściej także zapadają na infekcje nerek, takie jak miedniczkowe zapalenie nerek. Dotyczy to szczególnie grupy B nie-wydzielaczy. Jeśli masz grupę B i cierpisz na powtarzające się proble-my z drogami moczowymi, spróbuj wypijać jedną lub dwie szklanki dziennie mieszanki soku żurawinowego i ananasowego.

Choroby wątroby

Choroby wątroby na tle alkoholowym

Alkoholizm atakuje wiele organów, ale chyba najbardziej drama-tyczny wpływ ma na wątrobę. Dwadzieścia procent populacji nie na-leżącej do niewydzielaczy (patrz Załącznik D) ma skłonności do popa-dania w alkoholizm, lecz ich podatność niewiele ma wspólnego ze statusem wydzielacza. W niefortunnym i możliwe że przypadkowym skręcie komórkowym gen, który odpowiada za twój status niewydzielacza, umiejscowiony jest na tej samej części DNA, co gen alkoholizmu. Moi pacjenci – niewydzielacze, prawie zawsze mają bogatą historię alkoholizmu w rodzinie.

Paradoksalne wydaje się to, że właśnie serca niewydzielaczy czerpią największą korzyść z umiarkowanego spożywania alkoholu. Duńskie badania wykazują, że niewydzielacze są narażeni na większe niebezpieczeństwo niedokrwiennej choroby serca (brak przepływu krwi do tętnic), co sugerowało teorię, że umiarkowane spożywanie alkoholu zwiększa prędkość przepływu insuliny, spowalniając gromadzenie się tłuszczu w naczyniach krwionośnych. Ten sprzeczny przekaz jest trudny do rozszyfrowania.

Odpowiedź jest prawdopodobnie taka, że decyzja co do roli alkoholu powinna być podejmowana indywidualnie i z uwzględnieniem grupy krwi. Ze względu na oddziaływanie alkoholu na przewód pokarmowy i układ odpornościowy, żadna z diet dla grupy krwi nie zezwala na mocne trunki.

Nie ulega wątpliwości, że alkohol zawiera największą składową stresową. Japoński zespół badawczy odkrył, że osoby z grupą krwi A częściej są poddawani leczeniu na alkoholizm niż 0 czy B. Sądzi się, że grupy A wykazują predyspozycje do szukania ucieczki od stresu w zażywaniu rozluźniających środków chemicznych. Historia ludzkości dowodzi, że człowiek od dawna zażywał środki odurzające dla przyjemności, do walki z bólem, celem przenoszenia się w inną rzeczywistość i dla leczenia.

Jedynie około 3 procent wypitego alkoholu organizm sam wydala. Reszta ulega metabolizacji przez wątrobę i jest przerabiana w żołądku i jelicie cienkim. Intensywna i regularna komsumpcja alkoholu zaczyna po jakimś czasie pogarszać stan wątroby. Wynikiem tego może być marskość wątroby, ciężkie niedożywienie spowodowane słabą absorpcją pokarmu i nawet śmierć.

Kamienie żółciowe, marskość wątroby i żółtaczka

Oczywiście, nie wszystkie choroby wątroby powodowane są przez alkohol. Wszelkie infekcje, alergie i zaburzenia metabolizmu mogą powodować uszkodzenie wątroby. Żółtaczka lub zżółknięcie skóry często spotykana jest u ludzi z wirusowym zapaleniem wątroby, zaś kamienie żółciowe bywają łączone z otyłością. Marskość wątroby może być powodowana przez infekcje, choroby przewodów żółciowych lub inne choroby, które atakują wątrobę.

Z przyczyn, które nie w pełni rozumiemy, grupy A, B i AB częściej mają kamienie żółciowe, choroby przewodów żółciowych, żółtaczkę i marskość wątroby niż grupy 0, przy czym grupy A przewodzą w tej statystyce. Grupy A uważane są także za najbardziej podatne na wystąpienie niewydolności trzustki.

Przywry wątrobowe i inne infekcje tropikalne

Powszechne infekcje tropikalne wątroby wywołujące zwłóknienie lub bliznowacenie wydają się – do pewnego stopnia – częściej występować u grup A – oraz w mniejszym stopniu u grupy B i AB. Grupa 0, która może rozwinąć antyciała przeciwne A i B w celu wczesnej ochrony przeciwko tym pasożytom, jest względnie na nie odporna.

W moim gabinecie z powodzeniem leczyłem wiele przypadków choroby wątroby, używając do tego celu wielu składników ziołowych omawianych w rozdziale 10. W większości przypadków pacjenci, u których rozwija się choroba wątroby, to grupa A lub AB, niewydzielacze.

HISTORIA PRZYPADKU:
CHOROBA WĄTROBY
Gerard, 38 lat, grupa krwi B

Gerard był trzydziestoośmioletnim mężczyzną z historią stwardniającego zapalenia dróg żółciowych – stanu zapalnego dróg żółciowych wątroby, wywołującego bliznowacenie. Zwykle stan ten prowadzi nieuchronnie do transplantacji wątroby. Kiedy po raz pierwszy zobaczyłem Gerarda w lipcu 1994 r., był zżółknięty i miał – od odkładającej się bilirubiny, pigmentu żółci w skórze – potworny świąd (swędzenie). Miał też podwyższony poziom cholesterolu (325). Poziom kwasów żółciowych w surowicy Gerarda przekraczał 2000 (norma jest poniżej 100), poziom bilirubiny – 4,1 (normalny jest poniżej 1), a znacznie podwyższone enzymy wątrobowe wskazywały na rozległe uszkodzenie tkanki wątroby. Gerard należał do bardzo bystrych facetów, toteż zdawał sobie sprawę ze swych szans i był przygotowany na śmierć.

Leczenie Gerarda zacząłem od przepisania mu podstawowej diety dla grupy B oraz zestawu roślinnych przeciwutleniaczy, przeznaczonych do leczenia wątroby. Przeciwutleniacze te odkładają się w wątrobie zamiast w innych organach. W ciągu roku leczenia Gerard zrobił duże postępy, mając tylko jeden nawrót swędzenia i żółtaczki.

Ostatnio Gerard przeszedł operację usunięcia woreczka żółciowego. Po zbadaniu wątroby i dróg żółciowych chirurg powiedziała mu, że wyglądają normalnie, chociaż tkanka wokół jego dróg żółciowych jest nieco cieńsza niż normalnie.

HISTORIA PRZYPADKU:
MARSKOŚĆ WĄTROBY
Estel, 67 lat, grupa krwi A

Estel po raz pierwszy przyszła do mojego gabinetu w październiku 1991 r.; miała stan zapalny wątroby, nazywany marskością żółciową wątroby pierwotną, który powoduje zniszczenie wątroby. Większość przypadków prowadzi ostatecznie do transplantacji wątroby.

Estel przyznała, że kiedyś mocno nadużywała alkoholu, ale ma to już za sobą. Jej obecny stan wynikał prawdopodobnie z konsumpcji alkoholu w tym okresie życia. Estel nie musiała być alkoholiczką w dosłownym sensie. Trzy lub cztery drinki dziennie przez czterdzieści lat mogą prowadzić do marskości wątroby.

Enzymy wątrobowe u Estel były wyraźnie za duże, przykładowo fosfataza zasadowa sięgała 800 (norma poniżej 60). Zaleciłem Estel dietę dla grupy A i zapisałem przeciwutleniacze wzmacniające wątrobę. Stan zdrowia Estel ulegał szybkiej poprawie.

Do września 1992, prawie rok po jej pierwszej wizycie, fosfataza zasadowa spadła u niej do 500. Pomimo że jej wątroba od tego czasu nie wykazywała oznak dalszego pogarszania się, u Estel rozwinęła się opuchlizna żył wokół przełyku, co jest częstym stanem u ludzi z chorobą wątroby, której leczenie odnosi powodzenie. Obecnie Estel miewa się dobrze i nie zachodzi konieczność transplantacji wątroby.

HISTORIA PRZYPADKU:
POGARSZANIE SIĘ STANU WĄTROBY
Sandra, 70 lat, grupa krwi A

Sandra przybyła do mojego gabinetu w styczniu 1993 r. cierpiąc na trudne do określenia problemy z wątrobą. Wszystkie jej enzymy wątrobowe były podwyższone oraz cierpiała na puchlinę brzuszną – nadmierną ilość płynu gromadzącego się w jej brzuchu. Puchlina brzuszna jest typowa dla wielu przypadków zaawansowanego upośledzenia wątroby. Internista Sandry nie leczył jej na upośledzenie wątroby, spodziewając się prawdopodobnie, że i tak będzie ostatecznie wymagała transplantacji. Aby pomóc w usuwaniu płynu z brzucha, przepisywał jej środki moczopędne, które powodowały utratę dużych ilości potasu, co wyjaśniałoby jej przytłaczające zmęczenie.

Przepisałem jej dietę dla grupy krwi A z ziołami na wątrobę. W ciągu czterech miesięcy wszystkie oznaki zatrzymania płynów w organizmie Sandry zniknęły, a jej enzymy wątrobowe powróciły do normy. Sandra była początkowo zupełnie anemiczna, np. hematokryt miała 27,1, podczas gdy norma dla kobiety wynosi ponad 38. Do lutego 1994 r. jej hematokryt wzrósł do 40,8. Nadal nie występują u niej poprzednie objawy.

Choroby skórne

Jak do tej pory mało jest informacji na temat powiązań zaburzeń skórnych z grupami krwi. Wiemy jednak, że takie stany jak zapalenie skóry i łuszczyca sa zwykle skutkiem reakcji skóry na alergizujące związki chemiczne. Warto podkreślić ponownie, że wiele lektyn z ogólnie dostępnych rodzajów żywności specyficznych dla jednej lub drugiej grupy krwi może oddziaływać na krew i tkanki przewodu pokarmowego, powodując uwalnianie histamin i innych związków wywołujących zapalenia.

Skórne reakcje alergiczne na związki chemiczne lub otarcia występują częściej u grup A i AB. Łuszczyca spotykana jest częściej u grup 0. Z mojego doświadczenia wynika, że dieta grup 0, u których rozwija się łuszczyca, zawiera zbyt dużo ziarna i produktów mlecznych.

HISTORIA PRZYPADKU:
ŁUSZCZYCA
Od dr medycyny naturalnej Anne Marie Lambert, Honolulu, Hawaje
Mariel, 66 lat, grupa krwi 0

Koleżanka po fachu, dr Lambert, zastosowała moją metodę terapii dostosowaną do grupy krwi w leczeniu skomplikowanego przypadku łuszczycy u starszej kobiety. Pacjentka ta zgłosiła się do dr Lambert w marcu 1994 r. Jej objawy to ostra zadyszka, trudności z chodzeniem, ograniczona ruchomość we wszystkich stawach, zmiany łuszczycowe pokrywające 70 procent powierzchni jej skóry i palący ból w całym ciele, szczególnie w mięśniach i stawach. Jej karta chorobowa obejmowała cały katalog stałych problemów medycznych: operacje waginy (pęcherza) jelit (1944–45), wycięcie wyrostka robaczkowego (1949), wycięcie macicy (1974), historia torbieli jajnikowych, łuszczyca (1978), hospitalizacja z powodu zapalenia płuc (1987), artropatia łuszczycowa (1991) i osteoporoza (1992).

Mariel powiedziała dr Lambert, że jej typowa dieta była bogata w produkty mleczne, pszenicę, kukurydzę i przetworzoną żywność o dużej zawartości cukru i tłuszczu. Przyznała się, że przepada za słodyczami, orzechami i bananami. Była to nieodpowiednia dieta dla każdego człowieka, ale szczególnie niebezpieczna zaś dla Mariel, mającą grupę krwi 0.

Dr Lambert natychmiast zaczęła leczenie Mariel od przepisania jej diety dla grupy krwi 0, początkowo z wyłączeniem czerwonego mięsa i orzechów, ale z dodatkiem witamin i minerałów. W ciągu dwóch miesięcy dał się zauważyć spadek opuchlizny w stawach Mariel, poprawa w oddychaniu, goiły się jej zmiany łuszczycowe. Do czerwca łuszczyca pokrywała jedynie 20% ciała; została lekka opuchlizna przestrzeni stawowych, a jej oddychanie nie wymagało już większego wysiłku.

Wizyta kontrolna u dr Lambert, która miała miejsce 10 października 1994 r., wykazała, że oddychanie Mariel uległo dalszej poprawie i że nie miała już żadnych nowych zmian chorobowych na skórze.

Odkąd Mariel zachorowała przechodziła przez ręce wielu profesjonalistów medycyny. Wypróbowała wszystkie możliwe terapie, zarówno konwencjonalne jak i alternatywne, łącznie z dietami przeznaczonymi dla cierpiących na artropatię łuszczycową i astmatyków. Pomimo że diety te były dobrze opracowane, żadna z nich nie była zgodna z grupą krwi Mariel. Dopiero więc dieta właściwa dla grupy krwi 0 zapewniła organizmowi odżywianie bez wywoływania problemów, które powodowała żywność niezgodna z grupą krwi Mariel. Poza pewną niewielką ulgą w bólu, którą zawdzięczała ziołom chińskim, żadna z innych terapii nie zakończyła się sukcesem. Osiągnięty postęp Mariel uważała za cud.

Ciąża i kobiece

Ciąża i bezpłodność

Wiele zaburzeń związanych z ciążą wynika z różnych form niezgodności grupy krwi czy to pomiędzy matką a płodem, czy też matką a ojcem. Niestety, wiedza na ten temat jest znikoma. Proponuję zatem lekturę tego rozdziału w celach wyłącznie informacyjnych, bez ulegania emocjom.

Zatrucie ciążowe
Już w 1905 r. twierdzono, że pewna forma uczulenia związanego z grupą krwi powodowała zatrucie ciążowe, czyli zatrucie krwi, które może wystąpić w późnej ciąży i spowodować poważną chorobę, a nawet śmierć. Późniejsze badania dowiodły, że na zatrucie ciążowe cierpią zwłaszcza kobiety z grupą krwi 0; spowodowane ono jest prawdopodobnie reakcją płodu grupy A lub B.

Brak wrodzony
Niezgodność grupy krwi, która może wystąpić pomiędzy grupą krwi 0 matki a grupą A ojca, jest następstwem kilku typowych braków wrodzonych, obejmujących zaśniad groniasty, nabłoniak komórkowy złośliwy, rozszczep kręgosłupa tylny i bezmózgowie. Kilka badań przypisuje te zaburzenia niezgodności ABO matki z tkanką nerwową i krwią płodu.

Choroba hemolityczna noworodków

Choroba hemolityczna (niszcząca krew) u noworodków jest pierwotnym stanem związanym z dodatnim/ujemnym czynnikiem Rh krwi (opisanym w Załączniku E). Stan ten dotyka potomków kobiet jedynie z czynnikiem Rh- (minus).

Jakieś pięćdziesiąt lat temu badacze odkryli, że kobiety z czynnikiem Rh- (minus), którym brakuje antygenu i które noszą dzieci z czynnikiem Rh+ (plus), znajdują się w specyficznej sytuacji. Dzieci z czynnikiem Rh+ (plus) noszą antygen Rh w komórkach swojej krwi. Jednak system głównej grupy krwi nie determinuje rozwoju przeciwciał na inną grupę krwi od urodzenia, ludzie z czynnikiem Rh- nie wytwarzają więc przeciwciała na antygen Rh, o ile nie zostaną wpierw uczuleni. Uczulenie to zachodzi zwykle podczas wymiany krwi między matką a dzieckiem w trakcie porodu, toteż układ odpornościowy matki nie ma dość czasu na reakcję na pierwsze dziecko, które nie ponosi żadnych konsekwencji. Nie pozostaje to jednak bez wpływu na następne dziecko z Rh+; matka, obecnie uczulona, będzie wytwarzała przeciwciała na grupę krwi dziecka, co może prowadzić do wad wrodzonych, a nawet śmierci noworodka. Istnieje na szczęście szczepionka, która pozwala kobietom z Rh- po urodzeniu pierwszego dziecka rodzić zdrowe kolejne dzieci. Znając swój czynnik Rh, unikniesz problemów; da ci to pewność, że szczepionka będzie w porę podana.

Bezpłodność i powtarzające się poronienia

Przez czterdzieści lat naukowcy badali przyczyny, dlaczego bezdzietność wydaje się częściej występować u kobiet z grupą krwi A, B i AB niż u kobiet z grupą 0. Wielu badaczy sugerowało, że niepłodność i powtarzające się poronienia mogą być wynikiem reakcji przeciwciał w wydzielinie pochwy kobiecej na antygeny spermy jej męża. Badanie 288 poronionych płodów przeprowadzone w 1975 r. wykazało dominację grupy A, B i AB wśród tych płodów, co mogło być rezultatem niezgodności z grupą 0 matek i ich przeciwciałami przeciwnymi A i B.

Zakrojona na wielką skalę próba losowa rodzin wykazała, że najwyższy współczynnik poronień występował wówczas, gdy matka i ojciec byli ABO niekompatybilni, przy grupie 0 u matki i grupie A u ojca. U matek pochodzenia kaukaskiego i afrykańskiego poronione płody grupy B zgodne z krwią matki grupy 0 lub grupy A znajdowano częściej niż w innych grupach.

Nie ustalono jeszcze pełnego związku pomiędzy grupą krwi a niepłodnością. Z mojej własnej praktyki wnioskuję, że istnieje wiele przyczyn problemów niepłodności, łącznie z uczuleniami pokarmowymi, złą dietą, otyłością i stresem.

HISTORIA PRZYPADKU:
POWTARZAJĄCE SIĘ PORONIENIA
Lana, 42 lata, grupa krwi A

Lana przyszła do mojego gabinetu we wrześniu 1993 r. z długą historią powtarzających się poronień. Wyjaśniła mi, że słyszała o mnie od kogoś, z kim rozmawiała w poczekalni u swojego doktora od niepłodności. Lana była zrozpaczona. W ciągu ostatnich dziesięciu lat przeszła ponad dwadzieścia poronień, nosiła się więc z zamiarem rezygnacji z prób założenia własnej rodziny. Zaproponowałem, żeby spróbowała diety dla grupy krwi A. Przez następny rok Lana wytrwale stosowała właściwą dietę, uzupełnioną o preparaty roślinne, które wzmacniają napięcie mięśniowe macicy. Pod koniec roku zaszła w ciążę. Była bardzo przestraszona, ale i bardzo podekscytowana. Lana martwiła się nie tylko poprzednimi poronieniami, ale i swoim wiekiem i możliwością defektu płodu – zespołem Downa. Lekarz prowadzący jej ciążę zalecił punkcję owodni – badanie typowe dla kobiet w wieku powyżej czterdziestki; odradziłem jej to, ponieważ niesie ono ze sobą ryzyko poronienia. Po rozmowie ze swoim mężem postanowiła, że nie podda się tej punkcji, akceptując możliwość defektu wrodzonego. W styczniu 1995 r. urodziła w stu procentach zdrowego chłopczyka.

HISTORIA PRZYPADKU: NIEPŁODNOŚĆ
Nieves, 44 lata, grupa krwi B

Nieves, czterdziestoczteroletnia południowoamerykańska terapeutka masażystka zgłosiła się do mnie po raz pierwszy w 1991 r. z szeregiem problemów trawiennych. Większość z nich została po roku zażegnana dzięki diecie dla grupy krwi B.

Pewnego dnia Nieves nieśmiało oznajmiła, że jest w ciąży. Chociaż nie mówiła mi tego wcześniej, przyznała się, że próbowali z mężem przez wiele lat spłodzić dziecko, w końcu jednak stracili nadzieję. Była przekonana, że to właśnie dieta dla grupy krwi B przywróciła jej płodność. Po około dziewięciu miesiącach Nieves urodziła zdrową dziewczynkę. Dano jej na imię Nasha, co oznacza „dar od Boga".

Uwaga: stosunek płci
Zarówno w populacjach europejskich, jak i nieeuropejskich współczynnik urodzeń u niemowląt grupy 0 płci męskiej urodzonych przez matki grupy 0 jest wyższy niż w innych grupach. Jest to również prawda, jeśli matka i dziecko są grupy B. Niepodważalny jest fakt odwrotności tego zjawiska: niemowlęta grupy A urodzone przez matki grupy A są częściej potomkami płci żeńskiej.

Menopauza i problemy z menstruacją

Menopauza to problem każdej kobiety w wieku średnim, niezależnie od jej grupy krwi. Spadek poziomu estrogenu i progesteronu, dwóch podstawowych hormonów kobiecych, powoduje u wielu kobiet głębokie problemy natury psychicznej i fizycznej, łącznie z uderzeniami gorąca, utratą libido, depresją, wypadaniem włosów i zmianami skórnymi.

Zanikanie hormonów żeńskich stwarza także ryzyko choroby sercowo-naczyniowej, gdyż, jak się okazuje, estrogen chroni serce i obniża poziom cholesterolu. Innym następstwem niedostatku estrogenu jest osteoporoza – zrzeszotnienie kości, które prowadzi do ich kruchości, a nawet śmierci osoby chorej.

Na podstawie ostatnich badań dotyczących problemów związanych z ubytkiem hormonów, wielu lekarzy zaleca leczenie hormonalne, obejmujące dawki estrogenu i czasami progesteronu. Wiele kobiet jednak niepokoi ta konwencjonalna terapia uzupełniania hormonów, ponieważ niektóre badania wykazują większe ryzyko raka piersi u kobiet stosujących te hormony – tym większe, jeśli w rodzinie istnieje historia raka piersi. Kwestia, zażywać czy nie te syntetyczne hormony, stanowi dylemat.

Znajomość grupy krwi może być pomocna w rozwiązaniu tej sprzeczności i podjęciu decyzji, jaką przyjąć optymalną postawę, uwzględniającą potrzeby osobiste. Jeśli masz grupę krwi 0 lub B i wchodzisz w menopauzę, zacznij ćwiczyć w sposób zalecany dla danej grupy krwi, ale i odpowiadający aktualnej kondycji i stylowi życia. Stosuj wysokobiałkową dietę. Konwencjonalne uzupełnianie estrogenu generalnie działa dobrze na kobiety grupy 0 i B, pod warunkiem, że nie znajdujesz się w grupie wysokiego ryzyka raka piersi.

Jeżeli masz grupę A lub AB, powinnaś unikać stosowania konwencjonalnego uzupełniania estrogenu z powodu niezwykle wysokiej skłonności do raka piersi (zob. rozdział 10). Zamiast tego stosuj dostępne na rynku od niedawna fitoestrogeny, które są preparatami podobnymi do estrogenu i progesteronu otrzymywanymi z roślin, głównei z soi, lucerny i jamów. Wiele tych preparatów dostępnych jest w postaci kremów, które mogą być stosowane na skórę kilka razy dziennie. Roślinne fitoestrogeny są na ogół bogate w frakcję estrogenu nazywaną estriol, podczas gdy estrogeny chemiczne oparte są na estradiolu. Literatura medyczna zdecydowanie podkreśla, że uzupełnienie w postaci estriolu przeciwdziała występowaniu raka piersi.

Fitoestrogenom brak jest mocy estrogenów chemicznych, ale są one ostatecznie skuteczne przeciwko wielu kłopotliwym objawom związanym z menopauzą, takim jak uderzenia gorąca i suchość pochwy. Ponieważ należą do słabych estrogenów, nie będą hamowały produkcji estrogenu przez organizm, co ma miejsce w przypadku estrogenu chemicznego. Dla kobiet, które nie biorą uzupełnień estrogenowych z powodu rodzinnej historii raka piersi, fitoestrogeny są darem bożym. Porozmawiaj ze swoim ginekologiem o stosowaniu tych preparatów. Jeśli nie występuje zbyt wysoki czynnik ryzyka raka piersi, to mocniejszy estrogen chemiczny jest bardziej skuteczny w przeciwdziałaniu chorobie serca i osteoporozie oraz likwidacji objawów menopauzy.

Godnym uwagi jest fakt, że w Japonii, gdzie typowa dieta jest bogata w fitoestrogeny, nie ma japońskiego odpowiednika słowa ściśle oznaczającego menopauzę. Niewątpliwie, szeroko rozpowszechnione użycie produktów sojowych, które zawierają fitoestrogeny *genestein i diaziden*, służy łagodzeniu ostrych objawów menopauzy.

HISTORIA PRZYPADKU:
PROBLEMY Z MENSTRUACJĄ
Patty, 45 lat, grupa krwi 0

Patty była czterdziestopięcioletnią Afro-amerykanką z różnymi problemami obejmującymi: wysokie ciśnienie krwi, ostry zespół przedmenstruacyjny z silnym krwawieniem oraz artretym. Poznałem ją w grudniu 1994 r., gdy przyszła do mojego gabinetu w towarzystwie męża. Do tej pory była leczona na swoje przypadłości przeróżnymi lekami. Dowiedziałem się, że stosowała dietę zasadniczo wegetariańską, nie byłem więc zdziwiony, że jest anemiczna. Zaleciłem jej, żeby zaczęła ćwiczyć oraz przeszła na wysokoproteinową dietę dla grupy krwi 0. Przepisałem jej też kurację z leków roślinnych.

Po dwóch miesiącach u Patty zaszedł zdumiewający zwrot. Artretyzm: wyleczony. Nadciśnienie: pod kontrolą. Dwa ostatnie okresy, wszystkie objawy ustąpiły. Przepływ menstruacyjny: normalny.

Żałuję, że nie ma możliwości przedstawienia bardziej szczegółowej i kompletnej listy chorób. Może wtedy moglibyśmy pełniej ocenić ich powiązania z grupą krwi.

Przyczyna i skutek choroby często przekracza wszelkie granice. Rak, na przykład, wydaje się dopadać zarówno młodych jak i starych, bezmyślne jest więc, bez względu na okoliczności, wystawianie się na niebezpieczeństwo grożące z jego strony.

Jest oczywiste, że istnieje wiele chorób, które wykazują silną skłonność do danej grupy krwi. Mam nadzieję, że dowody, które przedstawiłem w tej dyskusji na temat grupy krwi i chorób, wykazały te powiązania. Nic innego, jak znajomość szans, ocena czynników ryzyka i rozumienie sytuacji, daje ci inną drogę do pozytywnego dzia-

łania przeciwko chorobom, które często mogłyby czynić cię bezsil-
nym.

Przyjrzyjmy się obecnie rakowi. Rak jest główną przyczyną śmierci
i chorób – i wykazuje tak wyraźnie określone powiązania z grupą
krwi, że poświęcam cały rozdział na ich omówienie.

10

Grupa krwi a rak

*B*adanie powiązań pomiędzy grupą krwi a rakiem jest dla mnie szczególnie ważne. Moja matka umarła straszliwie cierpiąc dziesięć lat temu na raka piersi. Była cudowną kobietą, której proste hiszpańskie poczucie wartości strzegło nas przed jakąkolwiek pretensjonalnością lub pompą. Mama była wyjątkiem w naszej rodzinie, miała grupę krwi A i jadała wszystko, na co miała ochotę. Posiadała typowo katalońską silną wolę. W jej domu (moi rodzice byli rozwiedzeni) serwowała podstawową dietę śródziemnomorską składającą się z mięsa, sałatek i pewnej ilości żywności przetworzonej. Pomimo pracy mego ojca nad grupą krwi, soja czy rośliny strączkowe nie pojawiały się w zasięgu wzroku, kiedy pozostawaliśmy z matką.

Każdy, kto widział członka rodziny lub przyjaciela zaangażowanego w odważną, lecz ostatecznie bezowocną walkę z rakiem, wie, że nie ma nic bardziej chwytającego za serce. Obserwując matkę i jej drogę od mastektomii do chemioterapii, potem do krótkiej remisji i do nawrotu, nieomal widziałem armię niewidzialnych intruzów, chyłkiem wdzierających się do jej zdrowych komórek i zdobywających silne przyczółki przed rozlaniem się po całym jej układzie odpornościowym, niczym barbarzyńcy przypuszczający niespodziewany atak. W końcu nic już nie można było zrobić, aby ich powstrzymać. Zwyciężyli.

W ciągu tych lat, które już minęły od śmierci matki, niejednokrotnie wracałem do tajemnic raka. Zastanawiałem się często, czy moja matka mogła zostać uratowana, gdyby przestrzegała diety dla grupy krwi A, lub czy była genetycznie skazana na walkę i przegraną. Poświęciłem się znalezieniu odpowiedzi w jej imieniu. Mógłbyś rzec wendetta w stylu katalońskim przeciwko rakowi piersi.

Czy rak znajduje nieodłącznie bardziej płodny grunt do wzrastania i rozwoju w organizmie jednej grupy krwi niż innej? Odpowiedź brzmi: zdecydowanie tak.

Istnieją niepodważalne dowody na to, że osoby z grupą krwi A lub AB mają wyższy ogólny współczynnik zachorowalności na raka i gorsze szanse przeżycia niż z grupą 0 bądź B. Faktycznie, już w 1940 r. Amerykańskie Stowarzyszenie Medyczne stwierdziło, że grupa AB miała najwyższy współczynnik raka ze wszystkich grup krwi, lecz wiadomość nie trafiła na nagłówki gazet prawdopodobnie dlatego, że grupa AB stanowi niski procent populacji. Statystycznie rzecz ujmując, ten ich najwyższy współczynnik nie spowodował takiego samego alarmu jak informacja o grupie A, która jest bardziej rozpowszechniona w społeczeństwie. Moim zdaniem nie stanowi to jednak pocieszenia dla osób z grupą krwi AB. Badacze mogą traktować raka jako grę liczbową; ja wolę traktować go jako osobisty kryzys w życiu jednostki ludzkiej.

Grupy 0 i B wykazują mniejszą zapadalność na raka, lecz nie posiadamy jeszcze dość informacji, by stwierdzić, dlaczego tak się dzieje.

Wiemy już, że związek grupa krwi – rak jest wysoce złożony i pod wieloma względami tajemniczy. Jasne jest też to, że posiadanie grupy AB lub A nie oznacza pewności czy prawdopodobieństwa zachorowania na raka, czy gdy masz grupę 0 lub B jesteś całkowicie wolny od tej groźby. Istnieje wiele przyczyn raka, a my wciąż jesteśmy zauroczeni zagadką, dlaczego niektórzy ludzie, nie należący – jakby się wydawało – do grupy zwiększonego ryzyka nabawiają się tej choroby.

Choć grupa krwi wyłania się jako istotny czynnik, jest to jednak jedynie kawałek układanki. Istnieje wiele przyczyn raka, wśród nich są: chemiczne czynniki rakotwórcze, promieniowanie, różne czynniki genetyczne. Te czynniki są powiązane z grupą krwi, ale jako takie, nie wytwarzałyby wystarczających różnic w populacji. Grupa krwi sama w sobie nie jest przyczyną raka. Na przykład palenie papierosów może łatwo maskować lub osłabiać związek z daną grupą krwi, ponieważ jest to na tyle potężny czynnik rakotwórczy, że sam może wywołać raka, niezależnie od odziedziczonych skłonności lub ich braku.

Kto pozostaje przy życiu, a kto umiera? Kto przeżywa, a kto nie? Moim zdaniem jest to wielkie brakujące ogniwo w badaniach nad rakiem a grupą krwi. Rzeczywisty związek grupa krwi – rak leży raczej we współczynniku wyzdrowień niż we współczynniku zachorowań wśród różnych grup krwi. Połączeniem dla tego związku może być „klej lektyn".

Powiązania rak – lektyna

W niektórych przypadkach, takich jak leczenie za pomocą chemioterapii w celu zwalczenia raka, korzystne jest, a nawet wskazane użycie trucizny. W związku z rakiem lektyny służą dwóm celom: mogą zostać wykorzystane do aglutynacji (sklejania) komórek rakowych, działając w ten sposób jako katalizator dla układu odpornościowego, oraz jak budzik, który zaalarmuje organizm, aby ochraniał dobre komórki.

Jak to się dzieje? W normalnych okolicznościach produkcja cukrów powierzchniowych przez komórkę jest wysoce specyficzna i kontrolowana. Ale nie w komórce rakowej. Ponieważ materiał genetyczny jest pomieszany, komórki rakowe tracą kontrolę nad produkcją swoich cukrów powierzchniowych i zwykle wytwarzają je w większych ilościach, niż czyniłyby to komórki normalne. Jeśli komórki rakowe wejdą w kontakt z właściwą lektyną, są bardziej skłonne do splątania się.

Komórki raka złośliwego są nawet 100 razy bardziej czułe na aglutynujące działanie lektyn niż zdrowe komórki. Jeśli by przygotować dwa plasterki, z których jeden zawiera komórki normalne a drugi rakowe, to jednakowa dawka odpowiednich lektyn przekształci plasterek z komórkami raka złośliwego w wielką poplątaną bryłę setek, tysięcy lub milionów komórek raka i reaktywuje układ odpornościowy. Teraz przeciwciała mogą namierzyć bryły komórek rakowych, identyfikując je jako cel do zniszczenia. To zadanie typu wyszukaj i zniszcz jest zwykle wykonywane przez potężne komórki usuwające resztki, znajdujące się w wątrobie.

Lektyny są szeroko wykorzystywane do badań biologii molekularnej raka, ponieważ są one doskonałymi próbnikami, pomagającymi identyfikować na powierzchni komórek rakowych unikatowe antygeny, nazywane markerami. Poza tym, ich wykorzystanie jest ograniczone, a szkoda, bo są one wszechobecne w żywności. Każdy pacjent z konkretnym rodzajem raka może uzyskać nowe potężne narzędzie do zwiększenia szans przeżycia dzięki powiązaniu raka z grupą krwi i użyciu odpowiednich lektyn otrzymanych za pośrednictwem odpowiedniej diety dla grupy krwi.

Powiązania lektyna – rak

Dlaczego lektyny aglutynują komórki rakowe. Komórki opisane po lewej stronie rysunku reprezentują komórki niezłośliwe. Ponieważ produkcja cukrów powierzchniowych jest kontrolowana przez nietknięty materiał genetyczny, ściany normalnych komórek posiadają cukry uporządkowane. Ale komórki złośliwe mają znacznie więcej cukrów, ponieważ ich materiał genetyczny jest uszkodzony, powodując niekontrolowaną produkcję tych cukrów w komórkach złośliwych. Jeśli lektyna specyficznej grupy krwi dodana jest do płynu komórkowego komórki normalnej i złośliwej, reaguje bardziej agresywnie na bardziej „kędzierzawe" komórki złośliwe, niż na „gładsze" komórki normalne.

Wprowadzenie do grupy krwi

W okresie życia zachodzi przeogromna ilość podziałów komórkowych, dlatego może nawet dziwić fakt, iż rak nie występuje częściej. Dzieje się tak prawdopodobnie dlatego, że układ odpornościowy posiada specjalną zdolność do wykrywania i eliminowania szerokiej gamy mutacji, które mają miejsce każdego dnia. Rak powstaje prawdopodobnie w wyniku załamania się tego nadzoru, gdy komórkom raka udaje się oszukać układ odpornościowy dzięki podszywaniu się pod normalne komórki. Jak już widzieliśmy, grupy krwi posiadają unikatowe moce nadzoru, zależne od kształtu i formy intruzów.

Jest to dość ogólne przedstawienie współdziałania grup krwi przy aglutynacji lektyn i raka. Nasuwa się następne, oczywiste pytanie: co to znaczy? Czy ty osobiście martwisz się rakiem: co to oznacza dla Ciebie?

Na dzień dzisiejszy wiemy, że jedyną formą raka mającą związek z grupą krwi jest rak piersi. Wystarczająco dokładnie postaram się więc o tym napisać. Związki innych postaci raka z grupą krwi są mniej dokładnie opracowane, podzielę się jednak tym, co dotychczas ustalono. Wiemy, że istnieje wiele powiązań na tle żywnościowym, które niewątpliwie wpływają na wszystkie lub większość form raka, toteż przestudiujemy je starannie w świetle tego, co wiemy o odżywianiu i grupach krwi. W medycynie naturalnej istnieje także kilka innowacyjnych metod, które zdobywają coraz więcej zwolenników i są wysoce cenione.

Badania postępują, lecz jest to bardzo powolny proces. W chwili obecnej prowadzę trwające od ośmiu lat badania nad terapią wykorzystującą do walki z rakiem diety dla grupy krwi. Moje wyniki są zachęcające. Jak dotąd, kobiety uczestniczące w moich próbach podwoiły współczynnik przeżycia, dane te opublikowało Amerykańskie Stowarzyszenie do Walki z Rakiem. Do czasu, kiedy ujawnię pełne wyniki, spodziewam się, że uda mi się przygotować je w formie nadającej się do zademonstrowania naukowego jako dowód, że dieta dla grupy krwi odgrywa rolę w zwalczaniu raka.

Praca postępuje. Im więcej się dowiemy, tym dłużej będziemy żyć. Niech mi wolno będzie opowiedzieć najpierw o tym, co odkryłem o samym raku, a następnie o tym, jakie kroki możesz podjąć, aby stoczyć z nim walkę.

Rak piersi

Już wiele lat temu, po przeanalizowaniu historii chorobowych pacjentek, zauważyłem, że wiele kobiet, które kiedyś cierpiały na raka piersi i w pełni wyzdrowiały, miało grupę krwi 0 lub B. Ich procent wyzdrowień był tym bardziej imponujący, że leczenie większości z tych kobiet nie było bardzo intensywne – zwykle nie więcej niż interwencja chirurgiczna, rzadko tylko łączona z napromieniowywaniem czy chemioterapią.

Jak mogło do tego dojść? Statystyka raka piersi dowodzi, że nawet przy najbardziej intensywnym leczeniu jedynie 19 do 25 procent kobiet przeżyło pięć do dziesięciu lat od postawienia diagnozy. Jednak kobiety te przeżyły znacznie dłużej po minimalnej jedynie terapii. Czy to możliwe, że ich przynależność do grupy 0 lub B pomogła chronić je przed rozszerzeniem się choroby i nawrotami?

Na przestrzeni lat zacząłem także odnotowywać większą skonność do raka piersi u kobiet z grupą krwi A, ale również z grupą krwi AB (chociaż nie widziałem zbyt wiele przedstawicielek tej rzadkiej grupy krwi). Grupa AB ma tendencje do zapadania na bardziej agresywne, złośliwe postacie raka. Zaobserwowałem także niższy współczynnik przeżycia nawet wówczas, gdy biopsje pobierane z węzłów chłonnych pokazywały, że były one wolne od raka. W oparciu o moje własne doświadczenia kliniczne i studia literatury naukowej wywnioskowałem, że istnieje silny związek pomiędzy przeżyciem raka piersi a grupą krwi.

W 1991 r., w „Lancet", angielskim piśmie medycznym, pojawiło się opracowanie, które udziela częściowej odpowiedzi. Badacze twierdzili, że w oparciu o charakterystyki raka piersi można przewidzieć, czy rozprzestrzeni się on (lub nie) na węzły chłonne, jeśli jest leczony barwnikiem zawierającym lektynę pochodzącą od ślimaka winniczka (*Helix pomatia*). Wykazali oni silny związek pomiędzy wprowadzaniem lektyny ślimaka, a następnie pojawieniem się kolejnych przerzutów do węzłów chłonnych. Dochodzimy teraz do sedna: lektyna *Helix pomatia* jest wysoce specyficzna – dla grupy krwi A. Badacze studiujący raka piersi odkryli, że kiedy komórki rakowe się zmieniają, robią się podobne do komórek typu A. To pozwala im obchodzić wszystkie systemy obronne organizmu i wtargnąć bez przeszkód do bezbronnej limfy.

Czy moje pacjentki z grupą krwi 0 bądź B dlatego przeżyły, iż miały te grupy krwi? Z pewnością tak to wygląda. Znajduje to potwierdzenie w świetle nauki o raku. Wiele komórek nowotworowych posiada na swoich powierzchniach unikatowe antygeny lub markery. Na przykład pacjentki z rakiem piersi często wykazują wysokie poziomy antygenu raka 15-3 (CA_{15-3}), markera raka piersi; pacjentki z rakiem jajników często mają wysokie poziomy antygenu raka 125 (CA_{125}); podczas gdy pacjenci z rakiem prostaty mogą mieć podwyższony antygen prostaty (PSA) itd. Te antygeny, nazywane markerami raka, są często wykorzystywane do śledzenia postępu choroby i skuteczności leczenia. Wiele markerów raka posiada działanie grupy krwi. Czasami markerami raka są niekompletne lub uszkodzone antygeny grupy krwi, które w normalnej komórce dalej tworzyłyby część systemu grupy krwi u danej osoby.

Nic dziwnego, że więle z tych markerów raka posiada właściwości podobne do komórek typu A, co pozwala im na łatwy dostęp do układów grupy A i grupy AB. Są przyjmowane jako swoisty molekularny koń trojański. Nie ulega wątpliwości, że intruzi podobni do typu A byliby łatwiej wykrywani i eliminowani, gdyby wślizgiwali się do systemu grupy 0 lub grupy B.

Markery raka piersi są w przygniatającej większości podobne do komórek typu A. To stanowi odpowiedź na pytanie odnośnie różnic w częstości nawrotów u niektórych pacjentek. Chociaż u moich pacjentek z grupą krwi 0 bądź B rozwinął się rak piersi, ich antygeny były lepiej przygotowane i zdołały okrążyć komórki wczesnego stadium raka i je zniszczyć. Z drugiej strony, moje pacjentki z grupą krwi A i AB nie mogły walczyć równie skutecznie, ponieważ nie były w stanie odróżnić przeciwników. Gdziekolwiek się obróciły, komórki wyglądały właśnie tak jak one i nie potrafiły więc wykryć zmutowanych komórek rakowych tak sprytnie ukrytych.

HISTORIA PRZYPADKU:
ZAPOBIEGANIE RAKOWI PIERSI
Anne, 47 lat, grupa krwi A

Cztery lata temu Anne przyszła do mojego gabinetu z wizytą w celu sprawdzenia jej stanu ogólnego, bez żadnych realnych skarg fizycznych. Kiedy jednak poznałem jej historię medyczną, dowiedziałem się, że w rodzinie Anne notowano wysoką zachorowalność na raka piersi zarówno ze strony matki, jak i ojca – z dużą śmiertelnością wśród cierpiących na tę chorobę.

Anne wiedziała o rodzinnym czynniku ryzyka, ale zdziwiła się na wieść o tym, że grupa krwi A stanowi dodatkowe zagrożenie. „Nie przypuszczam, że czyni to jakąś różnicę" – powiedziała – „albo będę miała raka piersi, albo nie. Nic nie można na to poradzić".

Przekonałem jednak Anne, by podjęła specjalne środki zapobiegawcze. Głównie z powodu jej rodzinnej historii powinna być wyczulona na każdą wypukłość na piersi, wykonywać częste samodzielne badania piersi i zapewnić sobie rutynowe mammografie. „Kiedy ostatnio robiła Pani sobie mammografię?" – zapytałem. Anne odpowiedziała, że siedem lat temu. Okazało się, że jest ona przeciwniczką jakichkolwiek konwencjonalnych medycznych technik terapeutycznych. Sama zdobyła wiedzę o ziołach i witaminach, które często wykorzystywała do samodzielnego leczenia, z dobrym zresztą rezultatem. Kiedy jednak dochodziło do bardziej intruzywnych kuracji medycznych, płoszyła się. Tym niemniej jednak obiecała wykonywanie mammografii co jakiś czas.

Mammografia Anne była prawidłowa, jednak zgodziła się na realizowanie programu przeciwko rakowi. Dieta dla grupy krwi A nie stanowiła dla niej problemu, gdyż jadała głównie wegetariańską żywność. Wzbogaciłem ją o żywność przeciwdziałającą rakowi, zwłaszcza poprzez zwiększenie ilości soi i dodanie odpowiednich ziół. Anne zaczęła uprawiać jogę. Zwierzyła mi się, że po raz pierwszy w swym życiu przestaje zamartwiać się ciągle rakiem.

W rok później Anne wykonała drugą mammografię. Tym razem jednak wykryto podejrzane znamię na jej lewej piersi. Biopsja wykazała, że był to stan przedrakowy, znany jako neoplazja. Neoplazja świadczy w zasadzie o obecności zmutowanych komórek. Nie jest to rak, ale może się nim stać, jeśli komórki będą ulegały ciągłemu pogorszeniu i rozmnażaniu. Podczas biopsji doktor całkowicie usunął Anne znamię przedrakowe.

Trzy lata później nie wykryto żadnych niepokojących objawów, chociaż obserwowaliśmy Anne bardzo uważnie. Nadal dokładnie przestrzega diety dla grupy krwi A i twierdzi, że nigdy nie czuła się zdrowsza.

Ze wszystkich funkcji spełnianych przez lekarza żadna nie jest bardziej satysfakcjonująca od udanego rokowania i interwencji. Byłem zadowolony, że Anne przyszła do mnie we właściwym czasie i podjęła wszystkie odpowiednie kroki.

Szczepionka antygenowa

Rak piersi jest wciąż kłopotliwy i zbyt często śmiertelny. Są jednak pewne oznaki, że grupa krwi może stanowić klucz do leczenia. Dr George Springer, naukowiec w Bligh Cancer Center na Uniwersytecie w Chicagowskiej Szkole Medycznej, bada skutki działania szczepionki, której podstawę stanowi molekuła zwana antygenem T. Od lat 50. jest on jednym z najważniejszych odkrywców w dziedzinie roli grupy krwi w chorobach. Jego wkład na tym polu jest fenomenalny, a praca nad antygenem T bardzo obiecująca.

Antygen T jest powszechnie znanym markerem raka znajdowanym w wielu jego formach, szczególnie raka piersi. Zdrowi, wolni od raka ludzie mają przeciwciała na antygen T, tak że nigdy się go u nich nie znajduje.

Springer uważa, że szczepionka składająca się z antygenu T i markera raka CA_{15-3} może wstrząsnąć, a następnie pobudzić przytłumiony układ odpornościowy pacjentów z rakiem. Pomoże to im atakować i niszczyć zrakowaciałe komórki. W ciągu ostatnich dwudziestu lat Springer wraz z kolegami używali szczepionki otrzymanej z antygenu T jako środka w długoterminowym leczeniu przeciw nawrotom zaawansowanego raka piersi. Chociaż grupa studyjna jest mała – mniej niż dwadzieścia pięć kobiet – wyniki są imponujące. Wszystkie z jedenastu pacjentek z groźnie zaawansowanym rakiem piersi (stadium III i IV) przeżyły ponad pięć lat, co stanowi duże osiągnięcie w sytuacji uważanej za końcowe stadium raka; kolejne sześć z nich (trzy stadium II i trzy stadium IV) przeżyło od dziesięciu do osiemnastu lat. Wyniki te są bardzo dobre.

Kontynuowanie przez Springera pracy nad grupą krwi i rakiem przekonuje mnie, że naturalna ewolucja naszego pojęcia o grupach krwi dostarczy nam w efekcie nie tylko informacji o czynnikach ryzyka, ale także leku na każdy przejaw tej choroby.

Inne formy raka

Patologia tej choroby jest w zasadzie taka sama we wszystkich odmianach. Istnieją jednak pewne różnice związane z przyczyną choroby, jak i grupą krwi. Markery raka typu A lub B sprawują ścisłą kontrolę nad sposobem, w jaki układ odpornościowy reaguje na inwazję i rozwój raka.

Niemal wszystkie postacie raka wykazują preferencję w stosunku do grup A i AB, chociaż zdarzają się formy atakujące i grupę B – takie jak na przykład rak organów rozrodczych i pęcherza, który występuje u kobiet. Grupy 0 wydają się być bardziej odporne na rozwój prawie każdej formy raka. Nietolerancyjne i wrogie oraz – jak mniemam – prostsze cukry fukozy grup 0 usposabiają je do odrzucania komórek rakowych typu A – lub, w niektórych przypadkach, typu B – i wytwarzania przeciwciał anty A i B.

Niestety, niewiele wiemy o pełnych implikacjach połączenia grupy krwi a raka innego niż rak piersi. Najprawdopodobniej jednak reakcje zachodzą w sposób zbliżony. Zbadajmy niektóre z najbardziej rozpowszechnionych form raka.

RAK MÓZGU. Większość przypadków raka mózgu i układu nerwowego, takich jak glejak wielopostaciowy i gwiaździak, częściej atakują osoby z grupą krwi A i AB. Ich markery są typu A.

RAK ORGANÓW ROZRODCZYCH U KOBIET. Rak kobiecych organów rozrodczych (macicy, szyjki macicy, jajników i warg sromowych) wykazuje preferencję w stosunku do kobiet z grupą krwi A i AB. Jednakże występuje też duża liczba zachorowań wśród kobiet z grupą krwi B, co potwierdza to, że różne okoliczności wpływają na wytwarzanie markerów raka. Cysty na jajnikach i włókniaki macicy, zwykle łagodne, mogą stanowić oznakę podatności na raka oraz wytwarzać ogromne ilości antygenów grupy A i B.

Jak wspominałem wcześniej, jestem już w ósmym roku dziesięcioletniej próby klinicznej z kobietami, które cierpią na raka organów rozrodczych. Większość z moich pacjentek ma grupę krwi A, a kilka grupę 0. Okazyjnie jedynie leczę kobiety z grupą krwi AB, prawdopodobnie dlatego, że nie ma ich za wiele.

RAK OKRĘŻNICY. Grupa krwi nie ma głównego wpływu na powstawanie różnych form raka okrężnicy. Rzeczywiste czynniki ryzyka związane są z dietą, stylem życia i temperamentem. Pozostawione bez leczenia wrzodziejące zapalenie okrężnicy, choroba Crohna i zespół podrażnienia jelit przyczyniają się do upośledzenia systemu i pozostawiają go otwartym na raka. Wysokotłuszczowa dieta, połączona z paleniem i konsumpcją alkoholu, stwarza idealne środowisko dla raka przewodu pokarmowego. To ryzyko zwiększa się, jeśli w rodzinie występował przypadek raka okrężnicy.

RAKI JAMY USTNEJ I GÓRNEJ CZĘŚCI PRZEWODU POKARMOWEGO. Rak warg, języka, dziąseł i policzków, guzy gruczołów ślinowych i rak przełyku są silnie związane z grupą A i AB. Do większości z tych form raka człowiek przyczynia się sam, a przecież ryzyko może zostać zmniejszone, jeśli powstrzymasz się od palenia, ograniczysz konsumpcję alkoholu i będziesz przestrzegał diety.

RAK ŻOŁĄDKA I PRZEŁYKU. Rak żołądka jest łączony z niskim poziomem kwasu żołądkowego, co jest charakterystyczne dla grup A i AB. Wśród ponad 63 000 zbadanych przypadkach raka żołądka dominowały grupy A i AB.

Rak żołądka stanowi epidemię w Chinach, Japonii i Korei, ponieważ typowa dieta tych populacji bogata jest w żywność wędzoną, peklowaną i fermentowaną, naszpikowaną rakotwórczymi azotanami. Brakuje jej zaś wielu pożytecznych rodzajów żywności, takich jak fasola sojowa. Natomiast ludzie z grupą krwi B, którzy mają wyższe poziomy kwasu żołądkowego, nie wykazują skłonności do raka żołądka, mimo że ich dieta składa się z tej samej żywności.

RAK TRZUSTKI, WĄTROBY, WORECZKA ŻÓŁCIOWEGO I DRÓG ŻÓŁCIOWYCH. Te postacie raka rzadko występują u osób z grupą krwi 0, które mają odporne przewody pokarmowe. W największym niebezpieczeństwie są grupy A i AB, natomiast podatność grupy B zwiększa konsumpcja „szorstkiej" żywności takiej jak orzechy i pestki.

Kilka rodzajów terapii tych postaci raka stosowanych wcześniej zakładało spożywanie znacznych ilości wątroby owcy, konia i bawołu. Wydawały się one pomagać, chociaż nikt nie wiedział dlaczego. Później odkryto, że wątroby te zawierają lektyny, które zwalniają rozwój raka trzustki, wątroby, woreczka żółciowego i dróg żółciowych.

HISTORIA PRZYPADKU:
RAK WĄTROBY
Cathy, 49 lat, grupa krwi A

Po raz pierwszy Cathy szukała pomocy medycznej pod koniec lat 80., kiedy stwierdzono u niej podejrzany guz w brzuchu, będący – jak się okazało – agresywną fomą raka wątroby. Leczona była w Szpitalu Harvard Deaconess w Bostonie, Massachusetts, a w końcu przeszła transplantację wątroby. Do mnie zwróciła się w 1990 r.

Przez następne dwa lata stosowałem w leczeniu medycynę naturalną, by zastąpić leki immunosupresyjne stosowane po to, by organizm nie odrzucał przeszczepionej wątroby. Dzięki kuracji stan Cathy poprawił się do tego stopnia, że mogła odstawić terapię lekową. W 1992 r. jednakże Cathy zaczęła odczuwać pewne skrócenie oddechu; podczas kontroli w szpitalu Harvarda lekarze wykryli podejrzane uszkodzenia w płucach widoczne na zdjęciu rentgenowskim klatki piersiowej. Okazało się, że to rak. Cathy i jej lekarze stanęli wobec dylematu. Jej płuca były już tak poważnie zaatakowane, że operacja chirurgiczna nie wchodziła w grę ("To byłoby jak zrywanie wiśni" – powiedział jej chirurg), natomiast jej przeszczepiona wątroba wykluczała chemioterapię.

Zabraliśmy się więc do pracy. Zaleciłem dietę dla grupy krwi A – zawierającą lektyny przeciwrakowe oraz roślinne preparaty wzmacniające odporność, a także preparat z chrząstki rekina do zażywania doustnego i w formie lewatywy.

Opiekujący się Cathy zespół chirurgiczny z Harvardu informował mnie na bieżąco o postępach Cathy. W liście datowanym 3 września 1992 r. powiadomiono mnie, że zmiany chorobowe w płucach Cathy prawie ustąpiły i stały się raczej podobne do szram w tkance. Kolejne listy potwierdziły te obserwacje. Do 1993 r. nawet te szramy zaczęły znikać. Cathy była zdumiona i wniebowzięta. "Kiedy powiedziano mi, że wydaje się, że rak zanika, poczułam się, jak gdybym wygrała na loterii", powiedziała ucieszona.

Cathy przeżyła trzy lata wolne od objawów, po tym czasie jednak rak powrócił i ostatecznie zmarła.

Przypadek ten jest szczególnie interesujący z dwu powodów. Po pierwsze, przez cały ten czas Cathy nie stosowała innego leczenia niż oparte na medycynie naturalnej. Po drugie, jej zespół w szpitalu Harvarda składał się z ludzi o otwartych umysłach, którzy wspierali ją w decyzji korzystania z usług doktora medycyny naturalnej. Może to, czego byliśmy tu świadkami, jest małym przebłyskiem przyszłości: wszystkie systemy medyczne pracujące razem dla dobra pacjenta.

Tak przy okazji, całkowity koszt terapii opartej na medycynie naturalnej Cathy wynosił jedynie niecałe 1500 $, w przeciwieństwie do dziesięciu tysięcy dolarów w przypadku leczenia konwencjonalnego.

CHŁONIAKI, BIAŁACZKI I CHOROBA HODGKINA. Są to formy raka atakujące głównie osoby z grupą krwi 0. Z drugiej strony nie są one prawdziwymi postaciami raka, lecz raczej infekcjami wywołanymi przez wirusy, które działają jakby były w amoku. Brzmi to sensownie, zwłaszcza że – jak wiemy – grupy 0 są naprawdę całkiem nieźle w zwalczaniu większości form raka, ale antygen grupy 0 nie nadaje się natomiast zbytnio do zwalczania wirusów.

RAK PŁUC. Rak płuc nie wykazuje żadnych preferencji. Jest to jedna z niewielu postaci raka, która nie ma szczególnego związku z grupą krwi. Rak płuc jest wynikiem wielu czynników, a głównie palenia papierosów.

Są co prawda ludzie, którzy nigdy nie palili, a mimo to umierają na raka płuc nawet w chwili, gdy czytasz to zdanie. Wszyscy jednak potwierdzają, że to właśnie palenie jest najczęstszą przyczyną tej choroby.

RAK PROSTATY. Wysoki współczynnik zachorowalności na raka prostaty występuje najprawdopodobniej u osobników wydzielających (patrz załącznik E). Z mojego własnego doświadczenia wynika, że proporcjonalnie większa liczba mężczyzn z grupą krwi A i AB cierpi na raka prostaty niż z grupą krwi 0 lub B. Grupa A i AB wydzielaczy stanowi grupę najwyższego ryzyka.

RAK SKÓRY I KOŚCI. Wyjątkowość raka skóry polega na tym, że dotyka w większej części osoby z grupą krwi 0. Być może, że jaśniejsza skóra północnych Europejczyków – którzy mają przede wszystkim grupę krwi 0 – reaguje na zwiększony poziom promieniowania ultrafioletowego spowodowany zanieczyszczeniem środowiska.

Czerniak złośliwy stanowi najbardziej śmiercionośną formę raka skóry, a najbardziej zagrożone sa grupy A i AB, jakkolwiek również grupa 0 oraz B nie są na niego uodpornione.

Rak kości wykazuje – jak się wydaje – stałą preferencję w stosunku do grupy B, aczkolwiek pewne ryzyko zachodzi także dla grup A i AB.

RAK DRÓG MOCZOWYCH. Rak pęcherza atakuje zarówno kobiety jak i mężczyzn, najczęściej z grupą krwi A i B. Grupa AB, która posiada podwójne charakterystyki zarówno A, jak i B, jest prawdopodobnie w największym niebezpieczeństwie. Osoby z grupą krwi B bardziej niż z A cierpią na nawrotowe infekcje pęcherza i nerek i dlatego powinny wyjątkowo zabiegać o leczenie tego problemu, ponieważ prowadzi on nieuchronnie do bardziej poważnej choroby.

Istnieje jeszcze jedno z zagadkowych powiązań, które musi zostać wyjaśnione: aglutynina zarodków pszenicy, lektyna działająca korzystnie przeciw płacikowemu i wewnątrzprzewodowemu rakowi piersi, paradoksalnie przyspiesza zaś wzrost komórek raka pęcherza.

Przeciwdziałanie

Rak zawsze brzmi groźnie. Domyślam się, że jeżeli masz grupę krwi A lub AB, możesz mieć markotne myśli. Pamiętaj jednak, że podatność to nie jedyny czynnik. Wierzę, że wiedząc o tym oraz rozumiejąc specyficzne działanie własnej grupy krwi, masz więcej możliwości do przeciwdziałania. Wymienię następujące strategie, które – jeśli masz grupę A lub grupę AB – dają ci wybór właściwego działania. Najważniejsza z nich to ta, że wiele rodzajów proponowanego pożywienia zostało wybranych dla tych grup krwi. Obecne badania są skoncentrowane głównie na markerach raka piersi typu A, w mniejszym stopniu w odniesieniu do odmian raka typu B. Oznacza to niestety, że zaproponowana żywność może być bardzo skuteczna w zwalczaniu raka dla grup A i AB, ale niekoniecznie pomoże grupom B lub 0. Rzeczywiście, większość tych pokarmów (orzeszki ziemne, soczewica i zarodki pszenicy) powoduje inne problemy u tych dwóch grup krwi.

Próby kliniczne, które obecnie przeprowadzam, połączone z pracą innych naukowców i badaczy, dadzą nam pewnego dnia głębsze rozumienie powiązań rak – dieta dla wszystkich grup krwi. Jednak grupy B i 0 mogą zredukować prawdopodobieństwo powstania mutacji komórkowych prowadzących do raka przestrzegając diety dla danej grupy krwi. Jeżeli masz już stan rakowy, zwróć szczególną uwagę na inne terapie przedstawione w tym rozdziale, szczególnie na szczepionkę *pneumovax*. Dalsze badania dadzą bardziej kompletny obraz.

Żyjesz tak jak jesz

Ludzie z grupą krwi A mają przewody pokarmowe, które z trudnością trawią tłuszcze zwierzęce i białka. Grupy A i AB powinny trzymać się diety bogatej w błonnik, ale ubogiej w produkty zwierzęce. Muszą zwrócić szczególną uwagę na rodzaje pożywienia, które posiadają właściwości przeciwrakowe.

Znowu soja

Od trzech do jedenastu procent ciasta tofu składa się z aglutyniny sojowej. Aglutynina ta potrafi selektywnie rozpoznawać produkujące antygen grupy A komórki we wczesnym stadium mutacji i usuwać je z systemu, zostawiając w spokoju zdrowe komórki grupy A. Jedynie niewielka jej ilość potrzebna jest do aglutynacji.

Aglutynina sojowa rozpoznaje komórki raka piersi. Jest tak specyficzna, że używa się jej do usuwania komórek rakowatych w wyhodowanym szpiku kostnym. W eksperymentalnej pracy z pacjentkami mającymi raka piersi, w pierwszej kolejności usunięto szpik kostny. Leczono je bardzo wysokimi dawkami chemioterapii i promieniowaniem. Na ogół tego rodzaju kuracja prowadzi do zniszczenia szpiku kostnego. W miejsce jego choremu wprowadzono wyhodowany szpik, oczyszczony przez lektynę sojową. Kuracje te charakteryzowały się bardzo dobrymi rezultatami. Lektyna sojowa zawiera także składniki związane z estrogenem *genestein i diaziden*. Składniki te pomagają nie tylko przywrócić równowagę poziomów kobiecego estrogenu, ale także mają właściwości, które ograniczają dopływ krwi do komórek rakotwórczych.

Soja pod każdą postacią jest wskazana dla osób z grupą krwi A i AB jako ogólny środek zapobiegający rakowi. Proteiny warzywne w soi są łatwiejsze do przyswojenia przez te grupy krwi i dlatego nalegam, by ludzie z tymi grupami krwi nie odrzucali tofu, nawet gdyby im nie smakowało. Myślcie o tofu nie tyle jako o żywności, ale potężnym lekarstwie. Chociaż grupy B mogą spożywać żywność sojową, to nie ma do końca pewności, czy ma ona takie samo pozytywne działanie.

Japonki mają wyjątkowo niski współczynnik zachorowań na raka piersi, dlatego że w kuchni japońskiej tofu i inne produkty sojowe są często używane. Upodobnienie tej diety do wzorców zachodnich może nieść za sobą proporcjonalnie większe ryzyko zachorowań na pewne rodzaje raka. Jedno z badań imigrantek japońskich zamieszkujących w San Francisco wykazało, że mają one dwa razy częściej raka piersi niż ich kuzynki w Japonii. Ma to niewątpliwie związek ze zmianami w nawykach dietetycznych.

Orzeszki ziemne

Stwierdzono, że również aglutynina orzeszków ziemnych zawiera specyficzną lektynę, czułą na komórki raka piersi, a szczególnie na formy szpikowe. Lektyna orzeszków ziemnych wykazuje jednak mniejsze oddziaływanie na wszystkie pozostałe formy, łącznie z wewnątrzprzewodową, płacikową i włóknistym rakiem piersi. Te powiązania są prawdopodobnie charakterystyczne dla innych postaci raka typu A.

Jedz świeże orzeszki wraz ze skórkami; ale nie łupinami. Jednakże masło z orzeszków ziemnych prawdopodobnie nie jest dobrym źródłem lektyny, gdyż większość odmian jest po prostu zbyt przetworzona i homogenizowana.

Soczewica

Lektyna *Lens culinaris* znajdowana w rozpowszechnionej w Ameryce brązowej lub zielonej soczewicy wykazuje silne, specyficzne oddziaływanie na płacikową, szpikową, wewnątrzprzewodową i zrębową formę raka piersi oraz prawdopodobnie oddziałuje także na inne postacie raka typu A.

Fasola limeńska

Lektyna fasoli limeńskiej (*lima*) jest jedną z najpotężniejszych aglutynin dla wszystkich komórek grupy A, rakowatych czy nie. Kiedy jesteś zdrowy, fasola lima ci szkodzi, toteż nie powinna stanowić części strategii zapobiegawczej. Ale gdy cierpisz na raka typu A, jedz tę fasolę. Lektyna zaglutynuje olbrzymie ilości komórek rakowych. Zniszczy także trochę zupełnie niewinnych i zdrowych komórek grupy A, ale to i tak się opłaci.

Zarodki pszenicy

Aglutynina zarodków pszenicy wykazuje duże podobieństwo do raka u grupy krwi A. Jest ona skoncentrowana w pokrywie ziarna, zewnętrznej łupinie, która jest zwykle usuwana. Nieprzetworzone otręby pszenicy dostarczą ci lektyny o najwyższej jakości, ale możesz również stosować preparaty z zarodków pszenicy, które są dostępne na rynku.

Ślimaki

Kiedy wybierzesz się dla przyjemności do francuskiej restauracji, a posiadasz grupę A lub AB – zamów *escargots*. Uważaj je za lekarstwo opakowane w fascynującą, pyszną formę. Ślimak winniczek, *Helix pomatia*, jest potężną aglutyniną raka piersi, zdolną do powstrzymania przerzutów komórek rakowych do węzłów limfatycznych. O ile myśl o jedzeniu ślimaków nie przyprawia cię o niesmak (a w rzeczywistości są pyszne), to dlaczego nie spróbować?

Inne strategie

Dbaj o swoją wątrobę i okrężnicę

Kobiety powinny być świadome tego, że ich wątroba i okrężnica stanowią główne miejsca, w których ulegają rozkładowi estrogeny. Poziomy estrogenu w całym ciele mogą wzrastać, jeśli dojdzie do zaburzenia funkcjonowania tych organów. Podwyższona aktywność estrogenu stymuluje wzrost komórek rakowatych.

W celu podwyższenia poziomu maślanu w ściankach komórek okrężnicy stosuj dietę bogatą w błonnik. Maślany, jak być może sobie przypominasz, wspierają zdrowienie się tkanki.

Również ziarno amarantu zawiera lektynę, posiadającą specyficzne powinowactwo chemiczne z komórkami raka okrężnicy i działającą na nie niszcząco.

Szczepionka pneumovax

Pneumovax (szczepionka przeciwko dwoince zapalenia płuc) podnosi liczbę przeciwciał przeciwnych grupie A. Podanie tej szczepionki grupom 0 i B prowadzi do wytworzenia przeciwciał anty A, czyniąc je jeszcze bardziej zdolne do zwalczania odmian raka typu A. Jest to pierwsze obiecujące leczenie raka u grup B i 0. Umożliwia bowiem wzmocnienie mechanizmów obronnych przeciw mutacjom rakowym typu A, podnosząc jednocześnie gotowość organizmu do zwalczania raka piersi, żołądka, wątroby i trzustki.

Grupy A, rzecz jasna, nie wytwarzają przeciwciał anty A, ale *Pneumovax* może pobudzić ich układy odpornościowe, pomagając im w odróżnieniu komórek rakowych, normalnie nie do rozpoznania. Ponieważ większość form raka wykazuje preferencję w stosunku do grupy A, *Pneumovax* może poprzez podnoszenie liczby przeciwciał anty A mobilizować układy odpornościowe wszytkich grup krwi.

Kolejnymi pozytywami szczepionki przeciw dwoince zapalenia płuc są: niska cena, jest bezpieczna, chroni przed zapaleniem płuc i co najważniejsze, wytwarza izohemaglutyniny. Izohemaglutyniny są znacznie potężniejszymi przeciwciałami niż te, które wytwarza organizm przeciw wirusom czy bakteriom. Izohemaglutyniny są „terminatorami". Aglutynują one i zabijają swoje ofiary same, nie wymagając pomocy ze strony innych zabójczych komórek układu odpornościowego. Izohemaglutyniny unoszą się w całym krwiobiegu jak niewinne płatki śniegu, lecz po przyłączeniu się do komórek zmieniają formę, stając się trójwymiarowymi, podobnymi do krabów przeciwciałami. Są na tyle duże, że są widoczne pod mikroskopem.

Grupy krwi 0 i B mogą przy pomocy szczepionki co osiem do dziesięciu lat odnowić swoje przeciwciała anty A. Grupy krwi A i AB powinny być poddawane szczepieniu częściej, przynajmniej co pięć lat.

Przeciwutleniacze

Tyle jest kontrowersji dotyczących przeciwutleniaczy, ich doniosłych zalet lub ich braku, że trudno jest zalecić najlepsze kombinacje. Przebadane przeciwutleniacze witaminowe okazały się niezbyt skuteczne w zapobieganiu raka piersi. Witamina E i beta-karoteny nie odkładają się w wystarczająco wysokich dawkach w tkance piersi, aby wywołać pozytywne zmiany.

Przeciwutleniacze oparte na roślinach wydają się nieco różnić, ale by osiagnąć większy skutek muszą być łączone z uzupełniającymi dawkami witaminy C. Żółta cebula zawiera bardzo wysokie poziomy kwercetyny – niezwykle silnego przeciwutleniacza. Przeciwutleniacz ten nie posiada estrogennego działania witaminy E oraz jest setki razy silniejszy niż przeciwutleniacze witaminowe. Kwercetyna jako dodatek dostępna jest w wielu sklepach ze zdrową żywnością.

Kobiety z czynnikiem ryzyka raka piersi, które rozważają bądź są na leczeniu estrogenami, powinny stosować fitoestrogeny otrzymywane z produktów naturalnych. Estrogeny pochodzenia roślinnego zawierają wysokie poziomy estriolu, słabszej niż estradiol formy hormonu estrogenu. Estriol wydaje się zmniejszać ryzyko rozwoju raka piersi. Syntetyki natomiast zwiększają to ryzyko.

Tamoxifen, lek blokujący estrogen przepisywany pacjentkom z rakiem piersi posiadającym guzy wrażliwe na estrogen, jest w istocie słabszą formą estrogenu. Genestein jest związkiem podobnym do estrogenu znajdującym się w lektynie sojowej. Ten fitoestrogen powstrzymuje rozwój nowych naczyń krwionośnych potrzebnych do zasilania wzrostu guzów rakowych.

Ogólne zalecenia

Ćwicz często. Zażywaj właściwego wypoczynku. Unikaj znanych polutantów i pestycydów. Jedz odpowiednie dla siebie owoce i warzywa. Grupy A i AB powinny spożywać duże ilości tofu. Nie używaj antybiotyków bez wyraźnej potrzeby. Jeśli zachorujesz, pozwól układowi odpornościowemu zwalczyć chorobę.

HISTORIA PRZYPADKU:
ZAAWANSOWANY RAK PIERSI
Jane, 50 lat, grupa krwi AB

Po raz pierwszy zobaczyłem Jane w moim gabinecie w kwietniu 1993 r. Była już po usunięciu piersi i kilku rundach chemioterapii na naciekowego raka wewnątrzprzewodowego piersi z przerzutami do gruczołów limfatycznych. Początkowa diagnoza wykazała obecność dwóch oddzielnych guzów na lewej piersi – jednego długości 4 cm, a drugiego 1,5 cm. Nikt nie łudził jej nadzieją na długie życie.

Zaleciłem Jane zmodyfikowaną przeciwrakową dietę dla grupy AB, z dużym udziałem soi (bogatej w lektyny A), kazałem podawać *Pneumovax* i przepisałem kurację ziołową używaną przeze mnie dla grup A z rakiem piersi. Jej marker raka, CA_{15-3}, który wynosił podczas pierwszej wizyty 166 (norma poniżej 10) spadł prawie natychmiast w czerwcu do 87 i w sierpniu do 34. Zaleciłem jej również wizytę u George'a Springera w Chicago, który przyjął ją do swojej grupy studyjnej szczepień. Zastosowała się w pełni do moich zaleceń.

Do dziś dnia wszystkie badania, łącznie ze zdjęciami kości, wyglądają obiecująco, ponieważ jednak Jane ma grupę krwi AB, byłbym bardzo ostrożny w orzekaniu, że jest w tym momencie wyleczona. Jedynie czas to pokaże.

Zapobieganie rakowi i wzmacnianie naturalnego układu odpornościowego mają przed sobą jasną przyszłość. Badania genetyczne zbliżają nas do coraz większego zrozumienia – a może nawet któregoś dnia – kontrolowania działania komórek tej zadziwiającej maszyny, którą nazywamy naszym ciałem.

Naukowcy z National Institute of Allergy and Infection Diseases w Bethesda, Maryland, ogłosili 9 maja 1996 r. odkrycie proteiny, która pozwala wirusowi AIDS wniknąć do układu odpornoścowego. Odkrycie to mogłoby być wykorzystane pewnego dnia do testowania nowych leków i szczepionek przeciwko wirusowi AIDS i wielu postaciom raka. Ten wzniecający nadzieję przełom pozwala także wyjaśnić to, dlaczego niektórzy ludzie zainfekowani wirusem AIDS pozostają zdrowi i wolni od choroby przez wiele lat, podczas gdy inni szybko ulegają czynionym przez niego spustoszeniom. Czy nie byłoby wspaniałe, gdyby tragiczna plaga AIDS poprowadziła nas do zwycięstwa nad rakiem?

Rak od dawna należy do najbardziej przerażających chorób ludzkości. Wydajemy się być bezsilni w próbach ochrony nas samych i tych, których kochamy od jego ciasnego i bezlitosnego chwytu. Analiza grupy krwi pozwala na głębsze rozumienie naszych skłonności. Unikając rakotwórczych substancji pochodzenia środowiskowego i z diety, zmieniając nieco nasz styl życia i wybierając właściwą żywność, możemy zminimalizować skutki zniszczenia komórek.

Analiza grupy krwi jest także drogą do zwiększenia zdolności układu odpornościowego do wyszukiwania i niszczenia rakowatych i zmutowanych komórek, jeśli ich liczba jest jeszcze niewielka. Pacjenci z rakiem mogą wykorzystać wiedzę o grupach krwi do pełnego rozwinięcia zdolności ich układów odpornościowych do zwalczania choroby. Mogą także lepiej rozumieć mechanizmy związane z rozwijaniem się i rozprzestrzenianiem raka.

Metody leczenia raka wciąż są dalekie od doskonałości, chociaż najnowsze osiągnięcia w leczeniu i naukowa wiedza medyczna uratowała już wielu ludzi. Dla cierpiących na raka bądź tych, którzy mieli w rodzinie przypadki zachorowań, rada jest prosta. Stosujcie właściwą dietę, zmieńcie swoją postawę i zacznijcie stosować przeciwutleniające uzupełnienia. Jeżeli będziecie przestrzegali tych zaleceń, będziecie w stanie zyskać większą kontrolę i spokój wewnętrzny. Wszyscy jesteśmy przerażeni tą straszną chorobą, ale bądźmy zdolni podjąć skuteczne przeciwko niej działanie.

Epilog

Zmarszczka Ziemi

Pierwsi nasi przodkowie mieli wyłącznie grupę krwi 0. Nie jest możliwe podanie dokładnej daty pojawienia się pierwszych osób z grupą krwi A, B, czy nawet najmłodszej AB. Tego po prostu nie wiemy; możemy śledzić tylko główne meandry historii, a nie jej drobne detale.

Ciągle się uczymy. Projekt Genomu Ludzkiego wykorzystuje dzisiaj najnowocześniejsze technologie do opracowania mapy całej genetycznej struktury ciała ludzkiego, by określić gen po genie, chromosom po chromosomie, przeznaczenie każdej żywej komórki w wielkim schemacie Wielkiego Budowniczego. Jak dotąd, zmieniło się diametralnie nasze pojęcie o rozległej sieci komórek, z których się składamy – odkryto między innymi gen odpowiedzialny za raka piersi. W końcu maja 1996 r. naukowcy zatrudnieni w Projekcie ogłosili, że wyizolowali i zidentyfikowali gen odpowiedzialny za artretyzm. Jak nigdy dotąd, będziemy wkrótce potrafili kontrolować nasze przeznaczenie genetyczne.

Ale czy na pewno?

Ewolucję można zdefiniować jako rozwój rozłożony w czasie, ale co jeszcze zostało do odkrycia pod koniec dwudziestego wieku? Teleskop Hubble'a przenika w najdalsze kresy pozornie nieskończonego wszechświata; a naukowcy oznajmiają potem, że 400 do 500 miliardów nowych galaktyk istnieje ponad te, które policzyli poprzednio. Ogłaszają również, że „obserwowalny" dzisiaj wszechświat rozciąga się na co najmniej 15 miliardów lat świetlnych – w każdym kierunku.

Działa Ogólnoświatowa Sieć. Łączność stała się prawie natychmiastowa. Nastąpiła już eksplozja wiedzy we wszystkich dziedzinach, a wciąż odkrywamy nowe dziedziny. Jesteśmy skomplikowanymi i coraz bardziej zurbanizowanymi ludźmi. Jesteśmy na szczycie rozwoju genetycznego!

Dawno temu byli Neandertalczycy. Przez wiele tysięcy lat na planecie dominowali Cro-Magnonowie. Kiedy barbarzyńskie hordy przemierzały wielokrotnie całą Europę, tym na których najeżdżali, musiało wydawać się, że to nie będzie miało nigdy końca. Ale nasze życie i pamięć są krótkie. Jesteśmy bez znaczenia w płomieniach nieskończonego czasu, nicią pajęczą kurczącą się na wietrze, a rewolucja jeszcze się nie zakończyła. Wciąż trwa.

Ewolucja jest bardzo subtelna. Składy genetyczne nasze i naszych dzieci oraz dzieci naszych dzieci wciąż się zmieniają na nieskończenie wiele nieznanych sposobów, których jesteśmy kompletnie nieświadomi. Niektórzy mogą uważać, że ewolucyjna rewolucja już jest za nami. Jestem przekonany, że stanowi ona wciąż postępujący proces kinetyczny.

Rewolucja trwa

Skąd pochodzi moc życia? Co nas napędza i zmusza do przeżycia? Nasza krew. Nasza siła życia.

Nie tak dawno, gdy jeszcze parliśmy poprzez nietknięte dżungle naszej planety, nastąpiły wybuchy epidemii rzadkich chorób wirusowych i infekcyjnych. Choroby te opierają się interwencji medycznej. Czy nasze ciała wytworzą odpowiedzi na wyzwania stawiane przez nieznane?

A oto nasze największe zagrożenia w przyszłości:
● Wzrost promieniowania ultrafioletowego powodowanego przez rozrzedzenie warstwy ozonowej;
● Zwiększone zanieczyszczenie naszego powietrza i wód;
● Wzrost skażenia żywności;
● Przerost populacji i głód;
● Choroby infekcyjne poza naszymi możliwościami kontroli;
● Nieznane plagi wyłaniające się ze wszystkiego, co wspomniano wyżej.

Ale przeżyjemy. Zawsze przeżywaliśmy. Jaki będzie świat, z jakimi problemami i zagrożeniami zetkną się ci, co przetrwają, nie wiemy.

Może wyłoni się nowa grupa krwi – nazwijmy ją C. Ta nowa grupa krwi będzie potrafiła wytwarzać przeciwciała, aby zwalczać każdy antygen, który istnieje dzisiaj, i każdą przyszłą permutację antygenów, która się rozwinie. W przeludnionym, zanieczyszczonym świecie z niewieloma ocalałymi zasobami, nowa grupa C nadejdzie, aby zdominować ludzkość. Grupy krwi starej daty zaczną wymierać w coraz bardziej wrogim środowisku, które dla nich nie będzie już odpowiednie. Ostatecznie będzie rządziła grupa C.

A może zostanie odegrany inny scenariusz, na przykład taki, w którym nasza wiedza naukowa pozwoli nam ostatecznie zapanować nad najgorszymi popędami ludzkości i cywilizacja będzie w stanie wyrwać się z samobójczych zapędów, które wydają się skazywać ją na zagładę.

Nasza wiedza jest naprawdę rozległa i istnieje wiele powodów, aby mieć nadzieję, że najświetniejsze i najbardziej altruistyczne umysły naszego wieku będą mogły skupić się na sposobach walki z realiami naszego świata – gwałtem, wojną, zbrodnią, ignorancją, nietolerancją, nienawiścią i chorobą – i w ten sposób wyciągnć nas z tej tragicznej spirali.

Nic nie jest zakończone. Ten świat i nasz cel w nim stanowi ciągle zmieniające się równanie, którego każdy z nas chwilowo jest integralną częścią. Rewolucja trwa z nami czy bez nas. Czas postrzega nas tylko na mrugnięcie oka i to właśnie ta nietrwałość czyni nasze życie tak cennym.

Dzieląc się fascynacją mojego ojca i moją wiedzą naukową na temat diet dla grup krwi, mam nadzieję wywołać pozytywny wpływ na każdego, kto czyta tę książkę. Tak jak mój ojciec, jestem praktykującym lekarzem medycyny naturalnej. Poświęciłem się pogoni za wiedzą i badaniom w zakresie medycyny naturalnej i od wielu lat praca ta stała się pasją mojego życia. Zaczęła się jako dar od mojego ojca i stała się moim darem dla ojca. To Rozwiązanie Grupy Krwi stanowi rewolucyjny przełom, który zmieni sposób, w jaki odżywiasz się i żyjesz.

Posłowie

Medyczny przełom stulecia

dr Joseph Pizzorno
Dyrektor, Uniwersytet Bastyr

Nadszedł niewiarygodnie ekscytujący czas dla medycyny naturalnej. W końcu bowiem współczesna wiedza medyczna rozwinęła na-
rzędzia analityczne i bazę informacyjną zdolną do zrozumienia mechanizmów liczącej wieki mądrości uzdrawiania. Podczas gdy na
świecie pojawia się wiele teorii na temat zdrowia, jedynie mała ich
liczba zostaje poddana naukowym badaniom, ponieważ niewielu naturalnych uzdrowicieli posiada techniczne umiejętności bądź wewnętrzne przekonanie, aby studiować naukową literaturę. Aby medycyna naturalna zaczęła stanowić integralną część dzisiejszych systemów opieki zrowotnej, musi spełniać oczekiwania współczesnego
świata pod względem niezawodności i wiarygodności.

Założony w 1978 r. Uniwersytet Bastyr w Seattle, Waszyngton,
pokazał, jak to robić. Jego powołanie miało na celu przyniesienie
światu dobrodziejstw wiarygodnej, opartej na nauce medycyny
naturalnej. Bastyr zapewnia ogólne wykształcenie na wysokim
poziomie oraz wnikliwe badania i skuteczne usługi kliniczne na polu
medycyny naturalnej. Jego absolwenci są liderami w tej dziedzinie.

Dr Peter D'Adamo, który ukończył w 1982 r. studia jako lekarz
medycyny naturalnej, jest wyróżniającym się przykładem tego, jak
dobrych absolwentów ma do zaoferowania Bastyr. Jego wzniecają-
ca nadzieje praca pionierska może zmienić praktykę medyczną
w nadchodzących wiekach. Zainspirowany przez wstępne teorie ojca o ważności grupy krwi w przewidywaniu biochemii człowieka,
Peter pracował ze studentami w Bastyr przez ponad dekadę, wybie-

rając ponad 1000 prac z naukowej literatury badawczej. Te wyczerpujące studia badań medycznych i antropologicznych, połączone z obserwacją kliniczną i dociekaniami naukowymi, dojrzały do spójnej teorii opartej na wiarygodnych założeniach. Racjonalne wytyczne, które rozwinął Peter, fundamentalnie wzmocnią zdrowie ludzkie i pozwolą na głębsze zrozumienie tego, jak indywidualne tło genetyczne jednostki determinuje jej biochemię i dyktuje podatność na choroby i czynniki środowiskowe, łącznie z dietą. Praca ta dostarczy z pewnością wartościowego wglądu w kwestię odpowiedzialności lekarzy za leczenie wielu chorób stanowiących dzisiaj największe wyzwanie.

Pierwszy raz zetknąłem się z unikatową koncepcją wykorzystania grup krwi do lepszego rozumienia indywidualnych potrzeb dietetycznych i biochemicznych podczas studiów Petera w Bastyr. Jeden z kursów, który prowadziłem w ramach programu medycyny naturalnej, wymagał, aby studenci dokładnie zbadali interesujący ich temat, a następnie zaprezentowali go pozostałym studentom w formie pisemnej lub ustnej. Pamiętam szczególnie zajęcia w 1981 r., podczas których Peter przedstawił zaskakującą koncepcję, którą rozwinął intuicyjnie jego ojciec, że grupa krwi może stanowić czynnik determinujący zdrowie, czym wzbudził ogromne zainteresowanie i gorącą dyskusję. Jak można było oczekiwać, padło tyle pytań, że na wszystkie Peter nie mógł wówczas odpowiedzieć. Duże zainteresowanie i ogromna liczba dających wiele do myślenia pytań zainspirowały Petera do rozpoczęcia ważnych poszukiwań, pobudzających jego własną ciekawość i żądzę wiedzy.

W ciągu kilku następnych lat Peter zaangażował się w poważne prace badawcze. Pamiętam wiele fascynujących z nim rozmów, w wyniku których wyszukiwałem naszych najlepszych studentów kończących studia w Bastyr, aby pomagali w przeczesaniu czasopism publikujących badania medyczne i antropologiczne. W miarę upływu lat Peter często telefonował, z satysfakcją dzieląc się swoimi zadziwiającymi odkryciami. Przed Peterem nikt ich nie poskładał w spójną całość oraz nikt nie przemyślał implikacji odkryć dokonanych przez innych badaczy.

Jego studia osiągnęły kulminacyjny punkt w przełomowym wystąpieniu na Dorocznym Zjeździe American Association of Naturopathic Physician w Rippling River, Oregon, w 1989 r. W gorącej dyskusji audytorium wykazało nadzwyczajne zainteresowanie zastosowaniami klinicznymi. Od tego momentu wielu wiodących lekarzy klinik zaadoptowało metodykę leczenia Petera opartą na grupach krwi.

Hipokrates podobno powiedział: „Niech twoim lekarstwem będzie pożywienie, a twoje pożywienie lekarstwem". Ale jak to zrobić? Jednym z największym wyzwań, wobec których staje lekarz z powołania, jest określenie najlepszej diety dla pacjentów. Podczas gdy względnie łatwe jest zalecenie komuś zrównoważonej diety składającej się z żywności wyhodowanej organicznie, w postaci na tyle naturalnej, na ile to możliwe, to trudniej jest nie pomijać biochemicznej specyfiki każdej osoby. Czynniki genetyczne i środowiskowe w dramatyczny sposób zmieniają metabolizm człowieka, toteż i bez obiektywnych sposobów oceny tych zmian, wszystko, co może lekarz zrobić, to zgadnąć lub na ślepo stosować najnowszą teorię. W ciągu wieków powstawało i przewinęło się wiele teorii na temat optymalizacji diety, ale żadna nie była oparta na badaniach naukowych i nie wytrzymywała próby czasu. Zmieniło się to dzięki pionierskiej pracy dr. Petera D'Adamo i jego ojca, dr. Jamesa D'Adamo. Mamy dowód na to, że początkowe idee połączone z rygorystycznym podejściem naukowym mogą zmienić kurs medycyny.

Dr medycyny naturalnej Joseph Pizzorno
Seattle, Waszyngton
czerwiec 1996 r.

Dr Pizzorno, dyrektor Uniwersytetu Bastyr w Seattle, Waszyngton, pierwszego akredytowanego, wielodyscyplinowego college'u medycyny naturalnej w Stanach Zjednoczonych, jest wiodącą postacią na polu medycyny naturalnej. Jako główny redaktor i współautor uznanego na forum międzynarodowym podręcznika *Textbook of Natural Medicine* i *Encyclopedia of Natural Medicine* pomógł zdefiniować pojęcie opieki w medycynie naturalnej, udokumentował wartość naukową medycyny naturalnej i rozszerzył granice naturalnego uzdrawiania.

W 1993 r. dr Pizzorno został zaproszony do omówienia roli medycyny naturalnej w opiece zdrowotnej na forum First Lady Hillary Clinton's Health Care Reform Task Force. Został powołany do U.S. Congress's Office of Technology Assesments Advisory Panel do spraw bezpieczeństwa i skuteczności uzupełniających dodatków dietetycznych oraz został konsultantem przy Federalnej Komisji Handlu USA.

Cechy grupy krwi

Grupa 0

Myśliwy

**silny
polegający na sobie
przywódca**

Silne strony	Słabe strony	Ryzyko medyczne	Profil diety	Klucz do utraty wagi	Dodatki uzupeł- niające	Reżim ćwiczeń
odporny przewód pokarmo- wy silny układ od- pornościo- wy naturalne systemy obronne przeciw infekcjom układ przezna- czony do skuteczne- go meta- bolizmu i zachowa- nia skład- ników	nietole- rancyjny na nowe diety i wa- runki śro- dowiska układ od- porno- ściowy może być nadaktyw- ny i ata- kować swój wła- sny orga- nizm	zaburze- nia krze- pliwości krwi choroby zapalne – artretyzm niska pro- dukcja hormonu tarczycy wrzody alergie	wysoko- proteino- wa: zjada- cze mięsa mięso, ry- by, warzy- wa, owoce ograni- czać: ziarna, fa- sole, rośli- ny strącz- kowe	unikać: pszenicy, kukury- dzy, fasoli nerkowa- tej, fasoli navy, so- czewicy, kapusty, brukselki, kalafiora, gorczycy pomagają: kelp, ryby i owoce morza, wątroba, czerwone mięso, szpinak, brokuły	witamina B, witami- na K, wapń, jod, lukrecja, kelp	intensyw- ne ćwicze- nia fizycz- ne takie jak: aero- bik, sztu- ki walki, sporty kontakto- we, biegi

Rolnik

**osiadły
kooperatywny
uporządkowany**

Silne strony	Słabe strony	Ryzyko medyczne	Profil diety	Klucz do utraty wagi	Dodatki uzupeł-niające	Reżim ćwiczeń
adaptuje się dobrze do zmian dietetycz-nych i śro-dowisko-wych układ od-pornościo-wy łatwo zachowuje i metaboli-zuje skła-dniki odżywcze	wrażliwy przewód pokarmo-wy, nieodpor-ny układ odporno-ściowy, otwarty na inwa-zję drob-noustro-jów	choroby serca, rak, anemia, zaburze-nia wątro-by i wo-reczka żółciowego cukrzyca I typu	wegeta-riańska: wrzywa, tofu, owoce morza, ziarna, fa-sole, strączko-we, owoce	unikać: mięsa, produk-tów mlecz-nych, fa-soli ner-kowatej, fasoli li-ma, psze-nicy pomagają: olej wa-rzywny, żywność sojowa, warzywa, ananas	witamina B_{12}, kwas foliowy, witamina C, witami-na E, głóg, echi-nacea, kwercety-na, pstrok	uspokaja-jące ćwi-czenia koncen-tracji ta-kie jak: joga, tai chi

Koczownik

**zrównoważony
elastyczny
twórczy**

Silne strony	Słabe strony	Ryzyko medyczne	Profil diety	Klucz do utraty wagi	Dodatki uzupeł- niające	Reżim ćwiczeń
silny układ od- pornościo- wy, wszech- stronna adaptacja do zmian dietetycz- nych i śro- dowisko- wych	brak na- turalnych słabości, lecz zaburze- nie rów- nowagi powoduje tendencję do samoi- stnych za- łamań układu odporno- ściowego i rzadkich wirusów	cukrzyca I typu, syndrom chronicz- nego zmę- czenia, zaburze- nia samo- istne układu odporno- ściowego, choroba Lou Geh- riga, to- czeń, stwar- dnienie rozsiane	zrówno- ważona wszystko- żerna: mięso (bez kurcza- ków), pro- dukty mleczne, ziarna, fa- sole, strączko- we, wa- rzywa, owoce	unikać: kukury- dzy, so- czewicy, orzeszków ziemnych, sezamu, gryki, pszenicy pomagają: zielenina, jaja, dzi- czyzna, wątroba, lukrecja, herbata	magnez, lukrecja, *ginkgo*, lecytyna	umiarko- wane ćwi- czenia fi- zyczne z zacho- waniem równowa- gi umysło- wej, takie jak: wycieczki piesze, ja- zda na ro- werze, te- nis, pły- wanie

Enigma

**rzadki
charyzmatyczny
tajemniczy**

Silne strony	Słabe strony	Ryzyko medyczne	Profil diety	Klucz do utraty wagi	Dodatki uzupełniające	Reżim ćwiczeń
przeznaczony do współczesnych warunków, wysoce tolerancyjny układ odpornościowy, łączy zalety grup krwi A i B	wrażliwy przewód pokarmowy, tendencja do nadmiernie tolerancyjnego układu odpornościowego, pozwalającego na inwazję drobnoustrojów, reaguje negatywnie na warunki grup krwi A i B	choroby serca, rak, anemia	mieszana umiarkowana dieta: mięso, ryby i owoce morza, produkty mleczne, tofu, fasole, strączkowe, ziarna, warzywa, owoce	unikać: czerwonego mięsa, fasoli nerkowatej, kukurydzy, gryki pomagają: tofu, ryby i owoce morza, produkty mleczne, zielenina, kelp, ananas	witamina C, głóg, echinacea, waleriana, kwercetyna, pstrok	uspokajające ćwiczenia koncentracji takie jak: joga, tai chi połączone z umiarkowanym wysiłkiem takie jak: wycieczki piesze, jazda na rowerze, tenis

Załącznik B
Najczęściej spotykane pytania

Z mojego doświadczenia wynika, że większość ludzi reaguje z wielkim entuzjazmem i zaciekawieniem na wiadomość o powiązaniach diety z grupą krwi. Jednak dużo łatwiej jest przyjąć prowokacyjną ideę, niż zagłębić się w dużej masie szczegółów.

Plan grupy krwi jest rewolucyjny i jako taki wymaga wielu fundamentalnych dostosowań. W zależności od tego, na ile ludzie już żyją zgodnie z potrzebami ich grupy krwi, jednym przychodzi to łatwiej, a drugim ciężej. Większość pytań dotyczy podobnych tematów. Przedstawiłem tutaj najczęściej powtarzające się. Mogą one pomóc w jaśniejszym zrozumieniu tego, co ta dieta będzie oznaczała dla ciebie.

Skąd pochodzi moja grupa krwi?

Krew jest uniwersalna, a jednak unikatowa. Tak jak kolor oczu lub włosów, grupa krwi jest determinowana przez dwa układy genów – po rodzicach. W momencie poczęcia ze zmieszania się tych genów wybierana jest grupa krwi.

Podobnie jak geny, niektóre grupy krwi dominują nad innymi. W tworzeniu nowego istnienia ludzkiego na poziomie komórkowym grupy A i B dominują nad grupą 0. Jeśli przy poczęciu embrion dostaje gen A od matki i gen 0 od ojca, dziecko będzie miało grupę A, chociaż wciąż będzie nosiło ojcowski gen 0, nie wyrażony w jego DNA. Kiedy dziecko dorasta i przekazuje te geny potomkowi, połowa tych genów będzie dla krwi grupy A i połowa dla grupy 0.

Ponieważ geny A i B mają jednakową siłę, jeśli otrzymałeś gen A od jednego rodzica i gen B od drugiego, posiadasz grupę krwi AB. Masz grupę 0 tylko wtedy, jeśli otrzymasz gen 0 od każdego z rodziców, gdyż gen 0 jest recesywny w stosunku do wszystkich innych.

Możliwe jest, że dwoje rodziców o grupie A spłodzi dziecko, które ma grupę 0. Zdarza się tak wówczas, gdy każde z rodziców posiada jeden gen A i jeden gen 0 oraz oboje przekazują gen 0 swojemu potomkowi. W ten sposób dwoje rodziców o brązowych oczach może spłodzić niebieskookiego potomka, jeśli każde z nich nosi uśpiony gen recesywny odpowiedzialny za niebieskie oczy.

Genetyka grupy krwi może być czasami wykorzystywana w ustalaniu ojcostwa dziecka. Jest tu jednak pewien haczyk. Grupa krwi może tylko dowieść, że mężczyzna nie jest ojcem dziecka. Nie może udowodnić ojcostwa (chociaż nowsza technologia DNA może to uczynić). Rozważmy taki przypadek: dziecko ma grupę krwi A, matka grupę 0, ojciec podejrzany o ojcostwo – grupę B. Ponieważ oba geny A i B dominują nad 0, ojcem dziecka nie mógł być ktoś z grupą krwi B. Przemyśl to. gen A dziecka nie mógł pochodzić od ojca, który, ponieważ miał grupę B, mógł posiadać albo dwa geny B albo gen B i gen 0. Gen A nie mógł także pochodzić od matki, ponieważ ludzie z grupy 0 zawsze noszą dwa geny 0. Gen A musiał pochodzić od kogoś innego. Takie były dokładnie okoliczności otaczające słynną sprawę o ojcostwo, wytoczoną Chaplinowi w 1944 r. Chaplin niestety padł ofiarą wyroku ławy przysięgłych, ponieważ wykorzystanie grupy krwi do określenia ojcostwa nie stanowiło wówczas dowodu w sądownictwie kalifornijskim. Pomimo że badanie grupy krwi wykazało niewinność Chaplina, ława przysięgłych podjęła decyzję na korzyść matki i był zmuszony łożyć na dziecko.

W jaki sposób mogę się dowiedzieć, jaką mam grupę krwi?

Należy oddać krew do analizy lub możesz zadzwonić do swojego lekarza, aby zobaczył, czy twoja grupa krwi znajduje się w rejestrze medycznym.

Czy muszę dokonać wszystkich zmian w diecie dla mojej grupy krwi od razu, aby odniosła skutek?

Nie. Wręcz przeciwnie, sugeruję powolne, stopniowe eliminowanie żywności, która nie jest dla ciebie wskazana, i zwiększenie spożycia wysoce wskazanej. Wiele programów diet zaleca natychmiastową radykalną zmianę stylu życia. Sądzę, że bardziej realne i w rezultacie skuteczne, będzie zaangażowanie się w proces uczenia. Nie myśl, że wystarczą tu tylko moje słowa. Musisz nauczyć się tego na własnym ciele.

Zanim rozpoczniesz dietę dla swojej grupy krwi, możesz nie bardzo być zorientowany, jaka żywność jest wskazana dla ciebie, a jaka nie. Do tej pory wybierałeś żywność zgodnie z tym, co lubisz, tradycją rodzinną i książkami dietetycznymi, które wpadły ci w rękę. Być może jesz jakąś żywność, która jest wskazana, lecz dieta dla grupy krwi zapewni ci potężne narzędzie doradcze, pomoże dokonać za każdym razem właściwych wyborów.

Znając dobrze dietę dla swojej grupy krwi, możesz od czasu do czasu pójść na odstępstwa od niej. Proponuję zatem coś innego, bowiem sztywność jest wrogiem radości. Dieta dla grupy krwi powinna sprawiać, że będziesz się czuł wspaniale, a nie źle, pozbawiony radości. Oczywiście, przyjdzie taki moment, kiedy zdrowy rozsądek podpowie, by nieco pofolgować zasadom, na przykład gdy będziesz na obiedzie w domu krewnych.

Posiadam grupę krwi A, a mój mąż grupę krwi 0. Jak mamy gotować i jadać razem? Nie chcę przygotowywać dwóch oddzielnych posiłków.

Moja żona Martha i ja jesteśmy dokładnie w takiej sytuacji. Martha ma grupę krwi 0, a ja A. Okazuje się więc, że możemy jadać wspólnie około dwóch trzecich posiłku. Główna różnica polega na źródle białka. Na przykład smażąc na patelni Martha mogła oddzielnie przygotować trochę kurczęcia, a ja – dodać gotowane tofu. Odkryliśmy, że wiele rodzajów żywności dla grupy 0 i A jest wskazanych dla nas obojga, toteż na nie właśnie kładziemy nacisk w żywieniu. Na przykład, możemy wspólnie spożywać posiłek obejmujący łososia, ryż i brokuły. Jest to względnie łatwe dla nas, ponieważ oboje znamy specyfikę diety dla grupy krwi. Ty jednak musisz poświęcić trochę czasu na zapoznanie się z listą żywności dla małżonka. Możesz nawet sporządzić oddzielną listę żywności, którą będziecie się dzielili. Zdziwiłabyś się, jak wiele tego jest.

Ludzie martwią się często, że dieta dla grupy krwi pociągnie za sobą niemożliwe do zniesienia przez nich ograniczenia. Zastanów się jednak nad tym. Istnieje ponad dwieście rodzajów żywności wymienionej w każdej diecie – wiele z nich kompatybilnych w szerokim zakresie. Biorąc pod uwagę fakt, że przeciętna osoba jada tylko dwadzieścia pięć rodzajów żywności, diety dla grup krwi w rzeczywistości oferują więcej, a nie mniej możliwości.

Moja rodzina jest pochodzenia włoskiego i wiem, co lubimy jadać. Mając grupę A nie rozumiem, jak mogę cieszyć się moim ulubionym włoskim jedzeniem – szczególnie bez sosu pomidorowego?

Kojarzymy kuchnię narodową jedynie z jednym lub dwoma składnikami, np. spaghetti z kulkami mięsa i sosem pomidorowym. Dieta włoska, jak większość innych, obejmuje szeroką gamę żywności. Wiele dań południowowłoskich, opartych jest na oliwe, a nie na ciężkich sosach, stanowi więc cudowny wybór tak dla grupy A, jak i AB. Zamiast talerza makaronu polanego sosem pomidorowym, spróbuj delikatniejszego smaku oliwy z czosnkiem, *pesto* lub lekkiego sosu z białego wina. Lepsze od ciężkostrawnych pasztetów są świeże owoce lub przepyszne, ale lekkie lody włoskie.

Mój siedemdziesięcioletni mąż ma od dawna problemy z sercem i przechodził operację założenia bypassu. Ciężko mu powstrzymywać się ciągle od niewłaściwej żywności. Ma grupę krwi B i sądzę, że dieta dla grupy B byłaby dla niego doskonała. Ale jest on strasznie przeciwny dietom. Czy istnieje dobry sposób na wprowadzenie diety bez wielkiego zamieszania?

Niełatwo jest radykalnie zmienić dietę w wieku siedemdziesięciu lat, dlatego też twój mąż niechętnie ustosunkowuje się do zdrowego odżywiania, nawet po operacji. Zamiast naciskać, co zwykle nie przynosi sukcesu, zacznij stopniowo włączać do jego diety wysoce wskazane dla grupy B produkty, powoli eliminując jednocześnie te, które są niewskazane dla grupy B. Być może mąż zacznie preferować dobre rodzaje pożywienia, gdy jego przewód pokarmowy dostosuje się do ich dodatnich właściwości.

Dlaczego zaleca Pan różne porcje w zależności od pochodzenia przodków?

Wykazy proporcji w zależności od pochodzenia mogą być pomocne, ale są zaledwie uszczegółowieniami diety. Kryteriami klasyfikacji wielkości porcji są: płeć, wiek, wzrost, waga i kulturowe preferencje żywnościowe. Pomocne są one do chwili, gdy na tyle poczujesz się swobodny w stosowaniu diety, żeby w sposób naturalny określać swoje właściwe porcje.

Zalecenia co do wielkości porcji biorą także pod uwagę specyficzne problemy żywnościowe ludzi o różnym pochodzeniu przodków. Afroamerykanie, na przykład, często wykazują nietolerancję laktozy, a większość Azjatów nieprzyzwyczajonych jest do jadania produktów mlecznych, toteż mogą oni potrzebować czasu na wprowadzenie tych rodzajów żywności, aby uniknąć reakcji negatywnych.

Jestem uczulony na orzeszki ziemne, lecz Pan mówi, że są wysoce wskazane dla mojej grupy krwi. Czy sądzi Pan, że powinienem je jeść? Mam grupę krwi A.

Nie. Grupy A mają mnóstwo wspaniałych źródeł protein poza orzeszkami. Te reakcje bowiem są powodowane przez układ odpornościowy, wytwarzający przeciwciała, przeciwne danej żywności. Na ogół osoby z grupą krwi A dobrze tolerują orzeszki ziemne, które zawierają przyjazne właściwości dla osób z tą grupą krwi. Ty możesz jednak nie tolerować orzeszków ziemnych. Oznacza to, że po ich spożyciu występuje niestrawność. Mogło to być spowodowane przez szereg czynników, łącznie z generalnie niewłaściwą dietą. Być może kiedyś jadłeś orzeszki ziemne wraz z inną problematyczną żywnością, a obarczałeś winą orzeszki.

Nie ma zatem konieczności, abyś włączał orzeszki do diety, ale może się okazać, że tolerujesz je całkiem dobrze, jeśli przystosujesz się do diety grupy A.

Mam grupę krwi B i wybór mięsa dla mnie jest bardzo dziwny. Wygląda na to, że mogę jeść jedynie jagnię, baraninę, dziczyznę i królika, ale ja tego NIGDY nie jadłem. Dlaczego nie kurczak?

Wyeliminowanie kurczaków jest najostrzejszym z dostosowań dla większości ludzi z grupą krwi B, których leczyłem. Kurczak stanowi podstawowe źródło protein dla większości grup etnicznych, a poza tym większość z nas przyzwyczaiła się do myśli, że kurczak jest zdrowszy niż wołowina i inne mięsa. Nie ma znowu jednej złotej zasady, która jest dobra dla wszystkich. Kurczaki zawierają w mięśniach lektynę, która jest bardzo szkodliwa dla grup B. Dla pocieszenia powiem ci, że możesz jadać indyka i szeroką gamę ryb i owoców morza.

Co to oznacza „obojętne" menu? Czy te rodzaje żywności są dla mnie dobre?

Zostały wydzielone trzy rodzaje pożywienia, w zależności od reakcji grupy krwi na pewne lektyny. Żywność wysoce wskazana działa jak lekarstwo; żywność, której należy unikać, działa jak trucizna. Żywność obojętna działa po prostu jak żywność, może nie mieć leczących właściwości tak jak inne rodzaje żywności, jest jednak dobra w tym sensie, że zawiera wiele składników odżywczych, których potrzebuje organizm.

Czy muszę jeść wszystkie rodzaje żywności oznaczone jako „wysoce wskazane"?

Byłoby to niemożliwe, aby jeść wszystko co jest zawarte w diecie! Pomyśl o diecie dla grupy krwi jak o palecie malarskiej, z której możesz wybrać kolory w różnych odcieniach i kombinacjach. Częstotliwość jest prawdopodobnie ważniejsza od rozmiarów indywidualnych porcji, toteż jeżeli masz grupę 0 i bardzo drobną budowę, próbuj spożywać białko zwierzęce pięć do siedmiu razy tygodniowo, ale zamiast 120 do 150 g zmniejsz porcję do 80–120 g. To sprawi, że większość wartościowych składników odżywczych będzie dostarczana do krwiobiegu w stałym rytmie.

Czy wskazane jest łączenie żywności w diecie dla grupy krwi?

Niektóre plany diet dla lepszego trawienia zalecają łączenie żywności w kombinacje. Wiele z tych książek jest pełnych banialuków i nonsensów, z mnóstwem niepotrzebnych regułek i przepisów. Możliwe, że jedyną zasadą łączenia żywności jest unikanie jedzenia protein zwierzęcych, takich jak mięsa z dużymi ilościami skrobi (chleb i ziemniaki). Jest to istotne spostrzeżenie, ponieważ produkty zwierzęce są trawione w środowisku wysoko kwaśnym, podczas gdy skrobia w środowisku wysoko zasadowym. Kiedy te dwa rodzaje żywności są połączone, organizm na zmianę trawi białko, następnie skrobię, potem znowu białko i ponownie skrobię; jest to więc mało skuteczna metoda. Jeśli te grupy żywności występują oddzielnie, żołądek może koncentrować się w pełni na pojedynczym zadaniu. Stosuj zatem substytuty w postaci dań towarzyszących o niskiej zawartości skrobi i bogatych w błonnik, takich jak zieleniny. Unikanie połączeń białko-skrobia nie dotyczy tofu i innych protein warzywnych, które są zasadniczo trawione wstępnie.

Co powinienem zrobić, jeśli „żywność, której należy unikać, jest czwartym lub piątym składnikiem w przepisie?"

Zależy to od zaawansowania twego stanu lub stopnia podatności. Jeżeli posiadasz alergię żywnościową lub zapalenie okrężnicy, powinieneś praktycznie całkowicie je wyeliminować. Wielu wyjątkowo podatnych pacjentów unika tych rodzajów pożywienia, chociaż sądzę, że jest to zbyt skrajne. O ile nie cierpią oni na wyjątkowe uczulenia, większość z nich nie zaszkodziłoby okazjonalne spożywanie żywności, która nie jest zalecana.

Czy stracę na wadze stosując dietę dla grupy krwi?

Kiedy przeczytasz plan dla twojej grupy krwi, znajdziesz specyficzne zalecenia dotyczące utraty wagi. Różne są dla poszczególnych grup krwi. Dzieje się tak dlatego, że lektyny w różnych rodzajach żywności wywołują inny efekt. Mięso np., choć jest skutecznie trawione i metabolizowane przez osoby z grupą krwi 0, to przy grupie A spowalnia te procesy.

Dieta dla grupy krwi jest tak skonstruowana, by eliminować każdy brak równowagi, który prowadzi do wzrostu ciężaru ciała. Jeśli będziesz przestrzegał diety, metabolizm dostosuje się do odpowiedniego poziomu i będziesz spalał kalorie skuteczniej; a twój przewód pokarmowy właściwie przetworzy składniki odżywcze i zredukuje zatrzymywanie wody. Schudniesz bardzo szybko.

W mojej praktyce odkryłem, że większość pacjentów, mających problemy z wagą, miała historię ciągłego bycia na diecie. Można by pomyśleć, że jej stałe stosowanie powinno prowadzić do utraty wagi, ale tak nie jest, jeżeli struktura diety i żywności pozostaje w sprzeczności z potrzebami organizmu.

Nasza kultura wykazuje tendencje do promowania programów utraty wagi typu „jeden sposób pasuje wszystkim", dziwimy się potem, dlaczego one nie działają. Odpowiedź jest oczywista! Różne grupy krwi odpowiadają na różne sposoby na oferowaną żywność. W połączeniu z zalecanym programem ćwiczeń, powinieneś mieć szybko wyniki.

Czy kalorie mają znaczenie w diecie dla grupy krwi?

Podobnie jak w większości generalnych kwestii dietetycznych, obawy o ilość spożywanych kalorii sa brane pod uwagę przy układaniu diety dla danej grupy krwi. Ci, którzy przestrzegają wytycznych dotyczących diety i ćwiczeń, chudną. Niektórzy nawet narzekają, że zbyt dużo. W diecie tej występuje okres dostosowawczy, tak że z czasem będziesz spożywał tyle żywności, ile potrzebujesz. Wykresy w każdej grupie żywności ułatwią ci start.

Ważne jest, aby być świadomym rozmiarów porcji. Nie ważne co jesz, ale gdy jesz zbyt dużo, tyjesz. To w zasadzie tak oczywiste, że nie powinno się nawet o tym wspominać. Ale przejadanie się stało się jednym z najtrudniejszych i najbardziej niebezpiecznych problemów zdrowotnych Ameryki. Miliony Amerykanów cierpią na wzdęcia i niestrawność z powodu ilości pożywienia, które jedzą. Kiedy jesz zbyt dużo, ściany żołądka rozciągają się jak nadymany balon. Chociaż mięśnie żołądka są elastyczne i zostały stworzone do kurczenia się i rozciągania, ale gdy komórki ścian brzucha są bardzo rozszerzone, podlegają strasznemu napięciu. Gdy jesz dotąd, aż jesteś pełny i czujesz się ospały po posiłku, spróbuj zmniejszyć rozmiary porcji. Naucz się słuchać, co mówi organizm.

Posiadam problemy sercowe i zalecono mi, żebym całkowicie wyeliminował tłuszcze i cholesterol. Mam grupę krwi 0. jak mogę jeść mięso?

Po pierwsze zrozum, że to ziarna, a nie mięso, są sprawcą problemów naczyniowo-sercowych grupy 0. Jest to tym bardziej interesujące, że prawie każdemu, kto posiada lub próbuje zapobiec chorobie serca, radzi się, aby przeszedł na dietę opartą głównie na złożonych węglowodanach! Dla osób z grupą krwi 0 wysokie dawki pewnych węglowodanów, pochodzących głównie z chleba pszennego, zwiększają poziom insuliny. Reakcją organizmu jest magazynowanie tłuszczu w tkankach, a poziom tłuszczów wzrasta także we krwi.

Należy także pamiętać, że poziom cholesterolu w krwi jest tylko w niewielkim stopniu wynikiem spożywania żywności nawet o wysokiej jego zawartości. 85 do 90 procent cholesterolu w rzeczywistości wytwarza wątroba.

Mam grupę krwi 0 i nie chcę jeść dużo tłuszczu. Co Pan proponuje?

Dieta wysokoproteinowa nie oznacza od razu, że jest bogata w tłuszcze, szczególnie gdy unikasz tłustych mięs. Chociaż jest droższe, to próbuj jednak szukać mięsa zwierząt żywiących się naturalnie, hodowanych bez nadmiernego użycia antybiotyków i innych chemikaliów. Nasi przodkowie konsumowali raczej chudą dziką zwierzynę lub zwierzęta domowe, które wypasane były na lucernie lub innych gatunkach traw; dzisiejsze wysokotłuszczowe mięsa są produkowane przy użyciu zbyt dużych ilości karmy kukurydzianej.

Jeżeli nie możesz sobie pozwolić lub znaleźć mięsa zwierząt wypasanych na swobodzie, wybieraj możliwie najchudsze kawałki i usuwaj cały nadmiar tłuszczu przed gotowaniem. Grupy 0 zawsze mają wiele różnych rodzajów dobrego białka do wyboru, które są w sposób naturalny ubogie w tłuszcze – takie jak kurczaki i ryby. Tłuszcz w bogatych w olej rybach składa się z kwasów tłuszczowych omega-3, które wydają się pozytywnie wpływać na obniżenie cholesterolu i serce.

Jak mogę być pewny, że kupuję najbardziej naturalną i najświeższą żywność?

W ciągu kilku minionych lat [w USA] wielu konsumentów zgrupowało się w spółdzielnie spożywców, grupy ludzi, którzy kupują hurtem. Spółdzielnie takie przyczyniają się nie tylko do oszczędności kupujących, ale i wpływają na producentów, by wytwarzali żywność o wysokiej jakości. Większość takich spółdzielni wymaga małej opłaty członkowskiej i kilku godzin pracy w miesiącu. Oszczędności, szczególnie na takich pozycjach jak ziarna, przyprawy, fasole, warzywa i oleje, mogą być znaczne.

Sklepy ze zdrową żywnością są cennymi miejscami do kupowania świeżych produktów, lecz pamiętaj, by sprawdzać jakość. Wiele takich sklepów, szczególnie mniejszych, nie ma tak dużych obrotów jak supermarkety, i żywność w nich może nie być świeża.

Czy żywność organiczna jest zdrowsza od nieorganicznej?

Dobrą zasadą jest korzystanie z warzyw organicznych, jeśli ich ceny nie są wygórowane. Smakują lepiej i często są zdrowsze. Jednak gdy nie możesz znaleźć tańszych produktów organicznych, wystarczą nieorganiczne, pod warunkiem że są wysokiej jakości, właściwie oczyszczone i świeże.

Coraz więcej supermarketów kupuje na giełdzie produkty organiczne, głównie z Kalifornii, stanu, w którym specjalne prawa chronią użycie słowa *organiczne*. Co ciekawe, w jednym z supermarketów w moim sąsiedztwie warzywa organiczne i owoce wystawione są obok nieorganicznych i ich ceny są identyczne! Podejrzewam, że prawa rynku zmuszą hodowców warzyw i owoców do coraz częstszego stosowania organicznych metod produkcji, chociażby z tego powodu, że ceny nawozów, wytwarzanych z produktów naftowych, będą coraz droższe, tym samym stanie się bardziej opłacalna uprawa naturalna.

Czy jedzenie puszkowanej żywności jest szkodliwe?

Komercyjnie puszkowana żywność, poddawana wysokiej temperaturze i ciśnieniu, traci większość witamin, szczególnie przeciwutleniaczy, takich jak witamina C. Pozostają w nich witaminy, np. A, które nie sa tak czułe na wysoką temperaturę. Żywność puszkowana jst uboższa w błonnik niż jej świeże odpowiedniki, ale bogatsza w sól zwykle dodawaną, aby zrekompensować straty smaku w produkcji. Nasączona, posiadająca niewiele „życia", które znajdujemy w świeżej żywności i warzywach, i o małej zawartości enzymów naturalnych (zniszczonych w procesie puszkowania), żywność puszkowana powinna być używana rzadko, jeśli już w ogóle. Płacisz za nią dużo, ale niewiele dostajesz w zamian.

Lepsza już jest żywność mrożona. Mrożenie nie zmienia tak bardzo właściwości odżywczej żywności (ale jej przygotowanie przed mrożeniem może do tego doprowadzić), chociaż jej smak i struktura są często przytępione.

Dlaczego szybkie smażenie (z ang. stir-fry) jest tak wskazane?

Szybkie smażenie potraw w stylu kuchni orientalnej jest zdrowsze niż dłuższe smażenie. Używa się mniej oleju, a sam olej, głównie sezamowy, jest bardziej odporny na wysoką temperaturę niż krokoszowy czy canola. Idea kryjąca się za szybkim smażeniem, to szybkie uduszenie żywności po jej zewnętrznej stronie, co ma dodatkowy efekt „zapieczętowania" smaku.

Większość posiłków może być przygotowywana w ten sposób przy użyciu woka. Głęboki, stożkowaty kształt chińskiego rondla koncentruje ciepło na małym obszarze u podstawy, co umożliwia, że żywność się tam gotuje, a następnie jest przenoszona w chłodniejsze części woka. Potrawy przygotowywane w chińskim rondlu, to zazwyczaj mieszanka warzyw z rybami lub mięsem. Najpierw gotuj mięso i te warzywa, które wymagają dłuższego ogrzewania, następnie przesuń je na zewnętrzną część rondla, dodaj zaś warzywa, które wymagają krótszego gotowania, do centrum.

Gotowanie na parze warzyw jest także szybką i skuteczną metodą; pomaga zachować składniki odżywcze w żywności. Użyj prostego koszyczka do parowania, nabytego w jakimkolwiek sklepie żelaznym lub domu towarowym, umieściwszy go wewnątrz dopasowanego dużego garnka z wodą napełnionego do poziomu dna kosza. Dodaj warzywa, przykryj i ogrzewaj. Nie gotuj aż rozmiękną! Chrupiące oznaczają lepszy smak, lepszą strukturę i wyższą wartość odżywczą.

Czy powinienem brać codziennie multiwitaminę przy diecie dla grupy krwi?

Jeśli masz dobre zdrowie i przestrzegasz diety dla grupy krwi, nie potrzebujesz uzupełnień, chociaż bywają wyjątki. Kobiety w ciąży powinny uzupełniać dietę żelazem, wapniem i kwasem foliowym. Większość kobiet także potrzebuje dodatkowego wapnia, szczególnie gdy ich dieta nie obejmuje produktów mlecznych.

Ludzie ciężko fizycznie pacujący, ze stresującymi zajęciami, starsi, chorzy, nałogowi palacze – wszyscy powinni stosować program uzupełnień. Bliższe szczegóły są dostępne w twoim planie dla grupy krwi.

Jak ważne są zioła i herbatki ziołowe?

Zależy to od grupy krwi. Grupie 0 odpowiadają zioła łagodzące, grupie A bardziej stymulujące, a B miewają się całkiem nieźle na większości z nich. Grupa AB powinna przestrzegać zasad postępowania z ziołami zalecanymi dla grupy A, z dodatkowym zastrzeżeniem, by unikała ziół zabronionych dla grupy A i B.

Dlaczego oleje roślinne są tak ograniczone w dietach dla grupy krwi? Sądziłem, że wszystkie oleje roślinne są dobre?

Nie wierz reklamom w stylu oleje roślinne „nie zawierają cholesterolu!" No cóż, to nic nowego dla kogoś z nawet minimalną wiedzą o odżywianiu. Rośliny i warzywa nie wytwarzają cholesterolu, który znajduje się tylko w produktach pochodzenia zwierzęcego. Olej wolny od cholesterolu może niewiele co innego zaoferować.

A oto fakty. Zawsze unikaj olejów tropikalnych, takich jak kokosowy, gdyż są bogate w tłuszcze nasycone, które mogą być szkodliwe dla systemu naczyń sercowych. Większość olei sprzedawanych dzisiaj, łącznie z krokoszowym i canola (rzepakowy), jest wielonasyconych, co czyni je lepsze niż smalce i oleje tropikalne. Jednak istnieje pewien szkopuł, ponieważ nadmierna konsumpcja tłuszczy wielonasyconych może być powiązana z pewnymi typami raka, szczególnie jeśli są poddawane wysokiej temperaturze. Generalnie, wolę używać oliwę – ile tylko się da. Wierzę, że oliwa okazała się być najbardziej tolerowanym i korzystnym z tłuszczy. Jako olej pojedynczo nasycony wydaje się mieć pozytywne oddziaływanie na serce i tętnice. Istnieje wiele różnych dostępnych odmian oliwy. Najlepszą jakość posiada *extra-virgin*. Jest lekko zielonkawego koloru i prawie bezwonna, chociaż – gdy się ją lekko podgrzeje – woń oliwek jest niezbyt przyjemna. Oliwa jest częściej wyciskana na zimno niż w wyniku ekstrakcji przy użyciu ciepła czy chemikaliów. Im mniej jest olej przetworzony, tym lepsza jest jego jakość.

Tofu nie wygląda apetycznie. Czy muszę go jeść, jeżeli mam grupę krwi A?

Wielu ludzi z grupą krwi A i AB unosi ze zdziwienia brwi i krzywi się z niesmakiem, kiedy zalecam im, aby uczynili tofu istotnym składnikiem diety. No tak, tofu nie jest czarującym pożywieniem. Przyznaję to. Kiedy byłem ubogim studentem college'u, jadałem tofu z warzywami i brązowym ryżem prawie każdego dnia przez całe lata. Było tanie, lecz ja faktycznie je lubię.

Sądzę, że rzeczywistym problemem z tofu jest sposób, w jaki jest ono wystawiane w sklepach. Tofu – w twardych lub miękkich ciastach – sąsiaduje z innym, tym w wielkich plastikowych pojemnikach, zanurzonych w zimnej wodzie. Jeśli ludzie przezwyciężają początkową awersję i nabędą jedno lub dwa ciasta (nazywanie ich ciastami zakrawa na raczej gorzką ironię), zabierają je do domu, umieszczają na talerzu i odłamują kęs, aby tego spróbować. To zły sposób na polubienie tofu! Można to porównać do wrzucenia całego surowego jajka do buzi i żucia go... co jest niezbyt przyjemnym doświadczeniem.

Jeśli chcesz jeść tofu, najlepiej gotuj je razem z warzywami, nadając mu taki smak, który lubisz, przez dodanie czosnku, imbiru czy sosu sojowego.

Tofu jest w pełni odżywczym posiłkiem, sycącym i niedrogim. Grupy A zanotujcie: Ścieżka do waszego zdrowia wybrukowana jest twarożkiem sojowym!

Nigdy nie słyszałem o tylu ziarnach, które Pan wymienił. Gdzie ja je wszystkie znajdę?

Wiele alternatywnych ziaren można dostać w sklepach ze zdrową żywnością. W ostatnich latach wiele dawnych rodzajów ziarna, w większości już zapomnianych, odkryto na nowo i zaczęto je uprawiać. Przykładem jest amarant, ziarno z Meksyku, oraz orkisz, odmiana pszenicy, który prawdopodobnie nie powoduje takich problemów jak pszenica. Spróbuj ich! Nie są złe. Z mąki orkiszowej wyrabia się ciężki, nieco gumiasty chleb, który jest całkiem smaczny, z amarantu zaś wytwarzanych jest obecnie kilka interesujących rodzajów płatków śniadaniowych. Inną alternatywą jest używanie zdrowego chleba z kiełkującej pszenicy, nazywanego czasami chlebem Ezekiela lub esseńskim. Lektyny glutenowe znajdujące się w łupince ziarna uległy zniszczeniu w czasie procesu kiełkowania. Chleb ten szybko się psuje, toteż zazwyczaj można go znaleźć w szafach chłodniczych sklepów ze zdrową żywnością. Jest to żywy pokarm z wieloma wciąż nie tkniętymi korzystnymi enzymami. Uważaj na komercyjnie produkowane chleby z kiełkującej pszenicy, gdyż zwykle składają się w mniejszej części z pszenicy kiełkującej, a w większej części z normalnej pszenicy. Chleb z kiełkującego ziarna jest trochę słodkawy w smaku, ponieważ proces kiełkowania uwalnia także cukry, oraz wilgotny i gumiasty. Z tego chleba robi się cudowne tosty.

Mam grupę krwi A i przez wiele lat byłem biegaczem. Bieganie wydaje się wspaniale redukować stres. Jestem zdziwiony Pana radą, że nie powinienem ciężko ćwiczyć.

Istnieje wiele dowodów na to, że grupa krwi informuje o unikatowej reakcji na stres, tak że grupy A lepiej się czują, gdy ćwiczą mniej intensywnie. Mój ojciec zaobserwował to tysiące razy podczas trzydziestu pięciu lat badań. Jednakże jest jeszcze wiele problemów, których nie potrafimy rozwiązać, toteż zawahałbym się, gdybym miał odradzać ci bieganie.

Poprosiłbym cię, abyś na nowo ocenił swoje poziomy zdrowia i energii. Często przyjmuję pacjentów, którzy mawiają: „zawsze byłem biegaczem", albo „zawsze jadałem kurczaki", jakby sami siebie przekonywali, że ta aktywność czy jedzenie było korzystne. Często ci właśnie ludzie cierpią na cały szereg problemów fizycznych i stresów, których nigdy nie łączyli z określoną aktywnością lub pożywieniem. Możesz mieć grupę A i być wyjątkiem – tym kimś, kto rozkwita na intensywnym wysiłku fizycznym. Możesz jednak też odkryć, że biegasz na próżno.

Załącznik C
Słowniczek ważniejszych terminów

ABO – system grup krwi: ten najważniejszy z systemów określania grup krwi jest determinantem reakcji podczas transfuzji i transplantacji. W przeciwieństwie do innych systemów typizacji, system ABO ma dalekosiężne znaczenie, wykraczające poza transfuzje czy transplantacje, gdyż określa wiele cech trawiennych i odpornościowych organizmu. System ABO składa się z czterech grup krwi: 0, A, B i AB. Grupa 0 nie posiada prawdziwego antygenu, ale nosi przeciwciała na krew zarówno grupy A, jak i B. Grupy A i B noszą antygen nazwany od ich grupy krwi i wytwarzają przeciwciała przeciwko sobie nawzajem. Grupa AB nie wytwarza żadnych przeciwciał na inne grupy krwi, ponieważ ma zarówno antygeny A, jak i B.

Antropolodzy używają szeroko systemu ABO jako przewodnika do badania rozwoju wczesnych populacji. Wiele chorób, szczególnie zaburzeń trawiennych, rak i infekcje, wykazują preferencje w wyborze między grupami krwi. Te preferencje nie są generalnie rozumiane czy doceniane ani przez lekarzy, ani ogół ludzi.

Aglutynować: Pochodna łacińskiego słowa „sklejać": Proces, który powoduje, że komórki przylegają do siebie, zwykle przez działanie aglutyniny, takiej jak przeciwciało lub lektyna. Również pewne wirusy i bakterie są zdolne do aglutynacji komórek krwi. Wiele aglutynin, szczególnie lektyn żywnościowych, jest specyficznych dla danej grupy krwi. Niektóre rodzaje żywności zbrylają tylko komórki jednej grupy krwi, lecz nie reagują z komórkami innej grupy.

Antropologia: Badanie rasy ludzkiej w związku z rozmieszczeniem, pochodzeniem i klasyfikacją. Antropolodzy studiują charakterystyki fizyczne, związki rasowe, więzi środowiskowe i społeczne oraz kulturę. Antropolodzy w studiach nad wczesnymi populacjami ludzkimi najwięcej uwagi poświęcają grupom krwi.

Antygen: Jakikolwiek związek chemiczny, w odpowiedzi na który układ odpornościowy wytwarza przeciwciało. Markery chemiczne, które determinują grupę krwi, są uważane za antygeny grupy krwi, ponieważ inne grupy krwi mogą nosić na nie przeciwciała. Antygeny są powszechnie znajdowane na powierzchniach zarazków i używane przez układ odpornościowy do wykrywania obcego materiału. Specjalne antygeny wytwarzane są często przez komórki raka, toteż są nazywane antygenami rakowymi. Wiele zarazków i antygenów raka sprytnie wciela się w czyjąś rolę i potrafi naśladować grupę krwi gospodarza w celu uniknięcia wykrycia.

Cro-Magnon: Pierwszy naprawdę współczesny człowiek. Poczynając od około 70 000 do 40 000 roku p.n.e., Cro-Magnonowie migrowali masowo z Afryki do Europy i Azji. Cro-Magnon, doskonały myśliwy, prowadził zasadniczo tryb życia myśliwego-zbieracza. Większość charakterystyk trawiennych ludzi grupy krwi 0 została odziedziczona po Cro-Magnonach.

Doktor medycyny naturalnej (z ang. N.D.): Lekarz wyszkolony w metodach naturalnego uzdrawiania. Doktorzy medycyny naturalnej otrzymują (w USA) podyplomowy czteroletni trening w uznanym college'u lub uniwersytecie i pracują w punktach podstawowej opieki medycznej.

Dyferencjacja: Proces komórkowy, za pomocą którego komórki rozwijają swoje wyspecjalizowane charakterystyki i funkcje. Różnicowanie się jest kontrolowane przez maszynerię genetyczną komórki. Komórki raka, które mają często uszkodzone geny, rozwijają się zwykle na nowo i tracą wiele charakterystyk komórek normalnych, wracając często do wcześniejszych form embriologicznych, długo tłumionych od wczesnego rozwoju.

Fitochemiczny związek: Każdy produkt naturalny z konkretnymi zastosowaniami zdrowotnymi. Większość związków fitochemicznych to tradycyjne zioła i rośliny.

Gen: Składnik komórki, który kontroluje przekazywanie charakterystyk dziedzicznych przez specyfikowanie budowy poszczególnych białek czy enzymów. Geny są złożone z długich łańcuchów kwasu dezoksyrybonukleinowego (DNA) zawartego w chromosomach jąder komórkowych.

Indo-Europejczyk: Lud wczesnego typu kaukaskiego, który ze swojej wcześniejszej ojczyzny w Azji i na Bliskim Wschodzie migrował na zachód do Europy około roku 7000 do 3500 p.n.e. Indo-Europejczycy byli prawdopodobnie bezpośrednimi przodkami posiadaczy krwi grupy A w Europie zachodniej.

Ketoza: Stan osiągany dzięki diecie wysokobiałkowej, ubogiej w węglowodany. Diety wysokobiałkowe naszych wczesnych przodków, posiadaczy grupy krwi 0, wymuszały spalanie tłuszczy na energię i wytwarzanie ketonów – oznaki gwałtownej przemiany materii. Stan ketozy pozwalał wczesnym ludziom utrzymywać wysoką energię, skuteczną przemianę materii i siłę fizyczną – wszystkie zalety niezbędne w polowaniu na zwierzynę.

Lektyna: Każdy składnik, zwykle białko, znajdowany w naturze, który może współdziałać z antygenami powierzchniowymi, znajdującymi się na komórkach ciała, powodujący ich aglutynację. Lektyny często są także znajdowane w powszechnych rodzajach żywności i wiele z nich jest specyficznych dla danej grupy krwi. Ponieważ komórki rakowe często wytwarzają ogromne ilości antygenów na swojej powierzchni, wiele lektyn będzie je aglutynowało, zamiast komórki normalne.

Neolityczny: Okres wczesnego rozwoju człowieka, charakteryzowany przez rozwój rolnictwa i wykorzystanie garncarstwa oraz narzędzi gładzonych. Odejście od poprzedniej egzystencji myśliwego-zbieracza i radykalna zmiana stylu życia człowieka były prawdopodobnie głównymi bodźcami do rozwoju grupy krwi A.

Panhemaglutyniny: Lektyny, które aglutynją wszystkie grupy krwi. Przykładem jest lektyna pomidora.

Polimorfizm: Dosłownie oznacza „wiele kształtów". Polimorfizm jest fizyczną, zmienną przez wpływ genetyczny manifestacją pomiędzy gatunkami żywych organizmów. Grupy krwi są dobrze znanym polimorfizmem.

Przeciwciało: Związki chemiczne, nazywane immunoglobulinami, wytwarzane przez komórki układu odpornościowego do specyficznego oznaczania lub identyfikacji obcego materiału w obrębie organizmu gospodarza. Przeciwciała łączą się ze specyficznymi markerami – antygenami – znajdującymi się w wirusach, bakteriach lub innych toksynach i aglutynują je. Układ odpornościowy jest zdolny do wytwarzania milionów różnych przeciwciał przeciw szerokiej różnorodności potencjalnych intruzów. Osobniki krwi grupy 0, A lub B mają przeciwciała przeciw innym grupom krwi. Grupa AB, uniwersalny odbiorca, nie wytwarza antyciał przeciw innym grupom.

Przeciwutleniacz: Witaminy, uważane za wzmacniające układ odpornościowy i przeciwdziałające rakowi, dzięki zwalczaniu przez nie toksycznych składników (nazywanych wolnymi rodnikami), które atakują komórki. Witaminy C, E i beta-karoten uważane są za najpotężniejsze przeciwutleniacze.

Śluz: Wydzielina wytwarzana przez wyspecjalizowane tkanki, zwane błonami śluzowymi, która jest używana do smarowania i ochrony delikatnej wewnętrznej wyściółki organizmu. Śluz zawiera przeciwciała, chroniące przed zarazkami. U osobników wydzielających wielkie ilości antygenów grupy krwi są wydzielane w śluzie, który służy do odfiltrowywania bakterii, grzybów i pasożytów o przeciwnych charakterystykach grupy krwi.

Trójglicerydy: Zapasy tłuszczu w organizmie, znajdujące się także w krwiobiegu. Wysokie trójglicerydy – lub wysoki poziom tłuszczu we krwi – uważane są za czynnik ryzyka choroby serca.

Załącznik D
Uwagi na temat antropologii grupy krwi

Antropologia to badanie różnic u człowieka, zarówno kulturowych jak i biologicznych. Większość antropologów dzieli tę dziedzinę na dwie kategorie: antropologię kultury, która zajmuje się manifestacjami kultury, takimi jak język lub rytuał; i antropologię fizyczną, studium biologii ewolucyjnej naszego gatunku, *Homo sapiens*. Antropolodzy fizyczni usiłują śledzić historyczny rozwój człowieka przy zastosowaniu metod naukowych opartych na fizycznej stronie życia, takich jak grupy krwi. Centralnym zadaniem antropologii fizycznej jest udokumentowanie kolejności, w jakiej linia rozwoju człowieka ewoluowała począwszy od najwcześniejszych przodków. Wykorzystanie grup krwi do badań wczesnych społeczności zostało nazwane paleoserologią, badaniem starożytnej krwi.

Antropologia fizyczna interesuje się także tym, jak ludzie adaptowali się do zmian środowiskowych. Tradycyjna antropologia fizyczna polegała głównie na pomiarach kształtu czaszki, budowy ciała i innych charakterystyk fizycznych. Grupa krwi stała się potężnym narzędziem dla analiz tego typu. W latach 50. przesunięto akcent na charakterystyki genetyczne, skupiając się na grupach krwi i innych markerach, które posiadają uznane podstawy naukowe. A.E. Mourant, lekarz i antropolog, opublikował dwie kluczowe książki, *Blood Groups and Disease* (1978) i *Blood Relations: Blood Groups and Antrhropology* (1985), które zawierały większość dostępnego materiału dotyczącego tego tematu.

Poza Mourantem korzystałem z szeregu innych materiałów do tego załącznika, obejmujących wcześniejsze źródła, takie jak *Genetics and the Races of Man* (1950) Williama Boyda i szereg studiów, które były publikowane w różnych czasopismach medycyny sądowej w latach 1920–1945.

Dzięki określeniu grupy krwi z ekshumacji zwłok możliwe jest stworzenie mapy występowania różnych grup krwi u starożytnych populacji. Małe ilości materiału z grupą krwi uzyskane ze zwłok pozwalają na określenie grupy krwi. Poprzez studiowanie grup krwi populacji ludzkich antropolodzy zdobywają informacje o lokalnej historii tej populacji, przemieszczaniu się, związkach małżeńskich w obszarze populacji oraz różnicowaniu się.

Wiele grup narodowych i etnicznych posiadało unikatowe rozkłady grupy krwi. W niektórych, bardziej izolowanych kulturach wciąż jest widoczna wyraźna przewaga jednej grupy krwi nad inną. W innych społecznościach rozkład może być bardziej równy. W Stanach Zjednoczonych na przykład jednakowe liczby grup 0 i A stanowią odbicie masowej imigracji. Stany Zjednoczone posiadają także wyższy udział procentowy grupy krwi B niż kraje zachodnioeuropejskie, co prawdopodobnie stanowi odzwierciedlenie napływu wschodnich narodowości.

Dla celów tej analizy podzielmy ludzkość na dwie podstawowe rasy – etiopską i paleoarktyczną. Paleoarktyczna może dalej się dzielić na mongolską i kaukaską, chociaż większość ludzi znalazłaby się gdzieś pomiędzy tymi rasami. Każda rasa jest fizycznie charakteryzowana przez środowisko i zajmuje odrębny obszar geograficzny. Etiopczycy – prawdopodobnie najstarsza rasa, są ciemnoskórymi Afrykanami, zamieszkującymi południową część Arabii i Afryki Subsaharyjskiej. Region paleoarktyczny obejmuje Afrykę na północ od Sahary, następnie Europę, większą część Azji (z wyłączeniem południowej Arabii), Indie, południowo-wschodnią Azję i południowe Chiny.

Z grubsza zgadując, początki migracji z Afryki do Azji datuje się na 1 milion lat temu. Najprawdopodobniej w Azji współczesny gatunek *homo sapiens* oddziela się od pnia starożytnych Etiopczyków, rozszczepiając się na Kaukazów i Mongołów, lecz nie wiemy prawie nic o tym, kiedy lub dlaczego to nastąpiło.

Każda z podstawowych ras ma swoją ojczyznę – obszar geograficzny, gdzie dominuje. Ojczyzną Etiopczyków była Afryka, Kaukazów Europa i północna Azja, a Mongołów centralna i południowa Azja.

Kiedy grupy ludzkie migrowały i mieszały się, na styku pomiędzy tymi starożytnymi ojczyznami rozwinęły się pośrednie populacje. Obszar obejmujący Saharę, Bliski Wschód i Somalię, na przykład, był domem dla mieszających się ras afrykańskiej i kaukaskiej; subkontynent indyjski stanowił mieszankę ras bardziej północnych Kaukazów i bardziej południowych Mongołów. Grupy te, które następnie podzieliły się na liczne, często tymczasowe populacje, podlegały presji chorób, źródeł pożywienia i klimatu. Pomimo że wynikiem wędrówek było rozprzestrzenienie się grupy 0 w całym świecie, to właśnie z powodu tych migracji wyłoniły się późniejsze grupy krwi.

Być może jest więcej różnic fizycznych pomiędzy Afrykanami i innymi rasami, lecz różnice w grupie krwi pomiędzy Kaukazami i Mongołami zaznaczają się bardziej wyraźnie – dobry powód, aby zrewidować stereotypy rasowe.

Byłoby także błędem myślenie o wczesnych ludziach grupy krwi 0 jako o ludziach prymitywnych. Większy niż kiedykolwiek przedtem czy potem rozwój intelektualny miał miejsce w czasach Cro-Magnonów. Stworzyli oni podstawy naszych wczesnych społeczności i rytuały, podwaliny komunikacji między ludźmi i początkowy pociąg do wędrowania. Chociaż możemy śledzić dziedzictwo genetyczne krwi grupy 0 cofając się w przeszłość aż do wczesnej prehistorii, ona wciąż pozostaje doskonale działającym osiągnięciem chemii, głównie z powodu swej prostoty i faktu, że diety oparte na białku zwierzęcym wciąż stanowią wielką część bieżących światowych źródeł żywności.

Pierwsza próba wykorzystania grupy krwi do opisania charakterystyk rasowych i narodowościowych została podjęta w 1918 r. przez zespół lekarzy – małżeństwo Hirszfeldów. Podczas I wojny światowej służyli oboje jako lekarze w armiach sprzymierzonych, które koncentrowały się w okolicach Salonik w Grecji. Pracując w siłach wielonarodowościowych, z dużą liczbą uciekinierów o różnym pochodzeniu etnicznym, Hirszfeldowie systematycznie poddawali typizacji ogromne liczby ludzi, zapisując jednocześnie ich rasę i narodowość. Każda grupa zawierała ponad pięćset lub więcej badanych osób.

Odkryli, na przykład, że udział osób z grupą krwi B wahał się od 7,2 procent w populacji angielskiej do 41,2 procent u Hindusów oraz że zachodni Europejczycy mają generalnie mniejszy procent osób z grupą krwi B niż Słowianie Bałkańscy, którzy z kolei stanowili niższy procent niż Rosjanie, Turcy i Żydzi; a ci z kolei – mniejszy niż Wietnamczycy i Hindusi. Rozkład grupy AB wyglądał w zasadzie podobnie, z niskimi wartościami 3 do 5 procent u zachodnich Europejczyków i wysokimi 8,5 procentami u Hindusów.

W Indiach grupy AB stanowią 8,5 procent populacji – bardzo wysoki procent jak dla tej grupy krwi, której średnia światowa waha się od 2 do 5 procent. Ta wielkość grupy AB jest prawdopodobnie związana z położeniem subkontynentalnych Indii, leżących na szlaku krzyżujących się inwazji.

Grupy krwi 0 i A są zasadniczo przeciwieństwem grup B i AB; udział procentowy grupy A jest w miarę równy (40 procent) wśród Europejczyków, Słowian Bałkańskich i Arabów, zaś całkiem niski u zachodnich Afrykanów, Wietnamczyków i Hindusów. 46 procent testowanych Anglików miało grupę krwi 0, zaś Hindusów jedynie 31,3.

Współczesne analizy (w większości zapisy trzymane w bankach krwi) obejmują grupy krwi ponad 20 milionów osób z całego świata.

Jednak te wielkie liczby nie potrafią uczynić nic innego, jak tylko potwierdzić oryginalne obserwacje Hirszfeldów. Żaden magazyn naukowy nie pokwapił się do opublikowania ich materiału w owym czasie. Studium Hirszfeldów marniało w jakimś obskurnym czasopiśmie antropologicznym; ta fascynująca i ważna praca przez ponad trzydzieści lat była przeoczana. Było najwyraźniej niewielkie zainteresowanie wykorzystaniem tej wiedzy o grupach krwi jako dowodu antropologicznego w historii ludzkości.

Klasyfikacja rasowa oparta na grupie krwi

W latach 20. kilku antropologów po raz pierwszy spróbowało klasyfikacji rasowej opartej na grupach krwi. W 1929 r. Laurence Snyder opublikował książkę pod tytułem: *Blood Grouping in Relationship to Clinical and Legal Medicine*. Snyder opracował w niej wyczerpujący system klasyfikacji oparty na grupie krwi. Jest to szczególnie interesujące, ponieważ koncentruje się głównie na rozkładzie grup AB0, jedynym narzędziu, jakim dysponował w tamtym czasie.

Klasyfikacja rasowa Snydera była następująca:

TYP EUROPEJSKI: Wysoka częstość grupy krwi A, niska częstość grupy B, będąca może wynikiem zapoczątkowania krwi grupy A w Europie zachodniej. Ta kategoria obejmowała Anglików, Szkotów, Francuzów, Belgów, Włochów i Niemców.

TYP POŚREDNI: Rodzaj mieszanki pomiędzy populacjami europejskimi: zachodnią (wysoki udział grupy A) i centralną (wysoki udział grupy B). Wyższy ogólny udział grupy 0. Kategoria ta obejmowała Finów, Arabów, Rosjan, Hiszpańskich Żydów, Armeńczyków i Litwinów.

TYP HUNAN: Grupy orientalne z wysokim występowaniem grupy krwi A, być może w wyniku przenikania elementów kaukaskich, obejmujące Ukraińców, Polaków, Węgrów, Japończyków, Rumuńskich Żydów, Koreańczyków i południowych Chińczyków.

TYP INDOMANDŻURSKI; Zawiera wyższy procent populacji z grupą krwi B niż A. Typ ten obejmuje subkontynentalnych Hindusów, Cyganów, północnych Chińczyków i Mandżurów.

TYP AFRYKO-MALEZYJSKI: Umiarkowanie wysoki ogólny udział grupy A i grupy B, z normalnym występowaniem grupy 0. Kategoria ta obejmuje Jawajczyków, Sumatrzan, Afrykanów i Marokańczyków.

TYP PACYFICZNO-AMERYKAŃSKI: Obejmuje Filipińczyków, Indian południowo- i północnoamerykańskich oraz Eskimosów. Wyjątkowo wysoki udział grupy 0 i czynników krwi Rh+, bardzo mały udział grupy A i prawie kompletny brak B.

TYP AUSTRALIJSKI: Obejmuje głównie Aborygenów z wysokim procentem grupy krwi A (prawie podobny jak w Europie zachodniej), znikomym grupy B i wysokim grupy 0 (chociaż nie tak wysoki jak u typu Pacyficzno-Amerykańskiego).

Ponieważ Snyder mógł polegać jedynie na grupach krwi ABO, w jego klasyfikacji wystąpiły dziwne połączenia, np. typ Hunan zawierający zarówno Koreańczyków jak i Żydów Rumuńskich. Późniejsi badacze zaczęli wykorzystywać czynniki krwi Rh i MN jako dodatkowe elementy do klasyfikacji ABO, próbując uszczegółowić te kategorie. Byli oni świadomi, że klasyfikacja rasowa oparta zaledwie na systemach ABO dałaby, w wielu przypadkach, wyniki, które nie byłyby zbieżne z wcześniejszymi poglądami na temat ras, toteż, aby rozróżnić populacje nie dość wyraźnie różnicowane przez ABO, włączyli także podgrupy MN, a w niektórych przypadkach inne czynniki krwi (patrz załącznik E).

Jedna z klasyfikacji, oparta na tych nowych kryteriach, wyróżniała następujące rasy:

Europejczycy (Nordycy i Alpejczycy Europy/Bliskiego Wschodu)
Śródziemnomorzanie
Mongołowie (Azja Centralna i Eurazja)
Afrykanie
Indonezyjczycy
Indianie Amerykańscy
Oceaniajczycy (łącznie z Japonią)
Australijczycy

Inna klasyfikacja rasowa, oparta głównie na ABO i czynnikach Rh:

GRUPA KAUKASKA: Najwyższy udział Rh-, względnie wysoki grupy A, umiarkowanie wysoki udział wszystkich innych grup krwi.

GRUPA NEGROIDALNA: Widoczny brak czynników krwi Rh- i typu A2. Wykorzystując dane o MN, dalej grupa mongolska została poszerzona o grupę azjatycką, wysp Pacyfiku i grupę australijską, grupę Indian Amerykańskich i Eskimosów.

William Boyd w napisanej w 1950 r. książce *Genetics and the Races of Man* zaproponował bardziej dokładną klasyfikację, opartą na tej wcześniejszej klasyfikacji:

GRUPA WCZESNOEUROPEJSKA: Posiada najwyższy udział (ponad 30 procent) Rh- i nie ma prawdopodobnie grupy B. Ma względnie wysoki udział grupy krwi 0. Możliwy jest też wyższy udział genu dla podgrupy N niż u dzisiejszych Europejczyków. Reprezentowana dzisiaj przez ich współczesnych potomków, Basków.

GRUPA EUROPEJSKA (KAUKAZOIDALNA): Posiada kolejny najwyższy udział genu Rh- i względnie wysoki udział grupy krwi A2, z umiarkowaną częstością występowania innych grup krwi. Normalne częstości występowania genu dla podgrupy M.

GRUPA AFRYKAŃSKA (NEGROIDALNA): Posiada nadzwyczaj wysoki udział rzadkiego genu czynnika krwi Rh+, Rh0 i umiarowaną częstość występowania Rh-; względnie wysoką częstość występowania grupy A2 i rzadkich grup pośrednich A, a raczej wysoki udział grupy krwi B.

GRUPA AZJATYCKA (MONGOLSKA): Posiada wysoką częstotliwość występowania grupy krwi B, lecz niewiele lub wcale genów dla grupy A2 i Rh-.

GRUPA INDIAN AMERYKAŃSKICH: Niewielki udział lub wcale grupy A i prawdopodobnie brak grupy B czy Rh-. Bardzo wysoki udział grupy 0.

GRUPA AUSTRALOIDALNA: Posiada wysoki udział grupy krwi A1, ale nie A2 czy Rh-. Wysokie występowanie genu dla podgrupy N.

Klasyfikacja Boyda miała więcej sensu niż wcześniejsze systemy klasyfikacyjne, ponieważ także dokładniej dopasowała geograficzny rozkład indywidualnych ras.

Najświeższa praca dr Luigi Cavalli-Sforza na Uniwersytecie Stanford wyśledziła dążenia genetyczne starożytnych migracji ludzkich, przy wykorzystaniu już bardzo wymyślnych metod opartych na nowej technologii DNA. Wiele z jego odkryć potwierdziło wcześniejsze obserwacje Mouranta, Hirszfeldów, Snydera i Boyda, dotyczące rozkładu grup krwi na świecie.

Załącznik E
Podgrupy grup krwi

Więcej niż 90 procent wszystkich czynników towarzyszących grupie krwi wiąże się z systemem AB0. Istnieje jednak wiele mniejszych podgrup krwi, z których większość odgrywa nieznaczną rolę. Ze wszystkich tych podgrup, jedynie trzy mają wpływ na twój profil lub oddziałują na twoje zdrowie czy dietę. Wspominam o nich tylko dlatego, że mają wpływ na uszczegółowienie planu zdrowia. Ale chcę jeszcze raz podkreślić: znajomość faktu posiadania przez ciebie grupy 0, A, B czy AB jest zasadniczą informacją na temat grupy krwi, której naprawdę potrzebujesz.

Te trzy podgrupy, które odgrywają mniejsze role, są następujące:

- OSOBNIK WYDZIELAJĄCY BĄDŹ NIEWYDZIELAJĄCY
- RH DODATNIA (Rh+) i Rh UJEMNA (Rh-)
- SYSTEM GRUP MN

Wydzielacze i niewydzielacze

Chociaż każdy nosi antygen grupy krwi w swoich krwinkach, niektórzy ludzie także posiadają antygeny grupy krwi, które unoszą się swobodnie w wydzielinach ich ciał. Tacy ludzie nazywani są wydzielaczami, ponieważ wydzielają antygeny swojej grupy krwi do śliny, śluzu, spermy i innych płynów ciała. U nich, dodatkowo poza krwią, możliwe jest poznanie grupy krwi z tych innych płynów. Wydzielacze stanowią 80 procent populacji, niewydzielacze 20 procent.

Status wydzielacza posiada ważne implikacje w egzekwowaniu prawa. Próbka nasienia pobrana od ofiary gwałtu może zostać użyta jako pomoc w skazaniu gwałciciela, jeśli jest on wydzielaczem, a jego grupa krwi zgadza się z grupą krwi zidentyfikowaną w nasieniu. Jednak, jeśli znajduje się w małej populacji niewydzielaczy, jego grupa krwi nie może zostać zidentyfikowana z innych płynów, poza krwią.

Ludzie, którzy nie wydzielają swoich antygenów grupy krwi do innych płynów, poza krwią, nazywani są niewydzielaczami. To czy się jest wydzielaczem czy też nie, nie zależy od grupy krwi; jest kontrolowane przez inny gen. Tak więc jedna osoba może mieć grupę A i być wydzielaczem, a inna grupę A i być niewydzielaczem.

Ponieważ wydzielacze mają więcej miejsca, aby rozlokować swoje antygeny grupy krwi, mają grupę krwi bardziej wyrażoną w swoich ciałach niż niewydzielacze. Określenie, czy należysz do wydzielaczy czy nie, jest tak łatwe, jak określenie grupy krwi. Najczęstszym sposobem określenia statusu wydzielacza jest zbadanie śliny na obecność działania grupy krwi. Sugeruję, żebyś, zanim ustalisz swój status, wziął pod uwagę szanse liczbowe i założył, że jesteś wydzielaczem.

Do testowania służy system Lewisa, który pozwala na szybkie określenie wydzielaczy bądź niewydzielaczy, a wspominam go tu tylko dlatego, żebyś rozpoznał go, jeśli zobaczysz go na raporcie z wynikiem grupy krwi.

W systemie Lewisa występują dwa możliwe antygeny, które mogą być wytwarzane, nazywane Lewis a i Lewis b (nie mylić z A i B w systemie ABO), i ich układ determinuje twój status wydzielacza. LEWIS a+b – oznacza niewydzielacza, LEWIS a- b+ oznacza wydzielacza.

Dodatnia czy ujemna

Kiedy określamy grupę krwi pacjentów w moim ośrodku, prawie wszyscy zawsze pytają, czy są dodatni czy ujemni. Wielu ludzi nie zdaje sobie sprawy, że jest to dodatkowe oddzielne grupowanie krwi nazywane systemem Rhesus lub w skrócie Rh, i że w rzeczywistości nie ma nic wspólnego z systemem ABO, chociaż ma jedno ważne ograniczenie dla kobiet w ciąży.

System Rh nazwę wziął od małpki rezus, powszechnie używanego w laboratorium zwierzęcia, w którego krwi po raz pierwszy go odkryto. Przez wiele lat pozostawało tajemnicą dla lekarzy, dlaczego u niektórych kobiet, które miały pierwsze ciąże normalne, rozwijały się komplikacje podczas ich drugich i kolejnych ciąż, często kończące się poronieniem, a nawet śmiercią matki. W 1940 r. odkryto (znów przez zadziwiającego dr. Landsteinera), że kobiety miały odmienną grupę krwi niż ich dzieci, które wzięły grupę krwi od ojca. Niemowlęta miały Rh+, co oznacza, że nosiły antygen Rh w swoich komórkach krwi. Ich matki miały Rh-, co oznaczało, że tego antygenu brakowało w ich krwi. Inaczej niż system ABO, w którym przeciwciała na inne grupy krwi rozwijają się od urodzenia, ludzie z Rh- nie wytwarzają przeciwciała na antygen Rh, o ile nie zostaną najpierw uczuleni. To uczulenie zwykle następuje, kiedy wymieniana jest krew pomiędzy matką i dzieckiem podczas porodu, tak że układ odpornościowy matki nie ma dość czasu, aby zareagować na pierwsze dziecko. Jednak jeżeli wynikiem następnego poczęcia będzie kolejne dziecko z Rh+, matka, obecnie uczulona, będzie wytwarzała przeciwciała na grupę krwi dziecka. Reakcje na czynnik Rh mogą występować jedynie u kobiet z Rh-, które poczynają dzieci ojców z Rh+. Kobiety Rh+, 85 procent populacji, nie mają się czym martwić. Nawet jeżeli system Rh nie występuje dobitnie, kiedy chodzi o diety czy choroby, z pewnością stanowi istotny czynnik w rodzeniu dzieci u kobiet, które mają Rh-.

JEŚLI POSIADASZ	ALE NIE POSIADASZ	TO JESTEŚ
Antygen Rh	Przeciwciała przeciw Rh	Rh+
Przeciwciało przeciw Rh	Antygenu Rh	Rh-

System grup krwi MN

System grup krwi MN jest naprawdę nieznany, ponieważ nie jest on głównym czynnikiem przy transfuzjach krwi czy transplantacjach organów i budzi małe zainteresowanie w codziennej praktyce medycznej. Jest to złudne, ponieważ szereg chorób jest z nim związanych.

W tym systemie dana osoba może zostać wytypowana jako MM, NN lub MN, w zależności od tego, czy jej komórki posiadają jedynie antygen M (który uczyniłby je MM), antygen N (NN) lub obydwa (MN). Ten system pojawia się przy okazji w naszych dyskusjach, szczególnie wtedy kiedy rozmawiamy o raku lub chorobie serca. Około 28 procent populacji typowanych jest jako MM, 22 procent jako NN i 50 procent jako MN.

JEŚLI POSIADASZ	ALE NIE POSIADASZ	TO MASZ
Antygen M	Antygenu N	Grupę MM
Antygen N	Antygenu M	Grupę NN
Antygeny M i N		Grupę MN

Rodowód twojej grupy krwi

Te trzy systemy podgrup są często wykorzystywane w moim ośrodku, a także w różnych badaniach laboratoryjnych przez innych lekarzy. Chociaż znając grupę krwi masz prawie wszystkie informacje, które są ci potrzebne, te systemy oferują dalsze uszczegółowienie, pomocne w głębszej charakterystyce grupy krwi.

To jest właśnie to, co nazywam rodowodem grupy krwi, sznurek liter, który określa profil pacjenta. Pod wieloma względami jest on tak charakterystyczny jak odcisk palca. Jeden rzut oka na rodowód ustawia mnie we właściwym kierunku i ułatwia określenie diety i strategii zapobiegania chorobom. A oto przykład rodowodu jednej z osób:

GRUPA KRWI	STATUS WYDZIELACZA	NEG/POZ	MN
0	Lewis a+b- (niewydzielacz)	Rh-	MM

Inny przykład:

GRUPA KRWI	STATUS WYDZIELACZA	NEG/POZ	MN
A	Lewis a-b+ (wydzielacz)	Rh+	MN

Załącznik F
Getting Help

Dr. Peter D'Adamo is in private practice in Stamford, CT. For general information, to be put on a mailing list, or to comment on your own experiences with the Blood Type Diet, please use the P.P. box number or the Internet address.

PETER D'ADAMO, N.D.
2009 Summer St.
Stamford, CT 06905

P.O. Box 2106
Norwalk, CT 06852-2106

Materials Available

Visit Dr. D'Adamo's web site for the latest blood type news at. www.dadamo.com
For information regarding blood type-specific food supplements, home test kits, educational literature, and home blood typing kits, please contact:

NORTH AMERICAN PHARMACAL, INC.
17 High Street
Norwalk, CT 06851
877-ABO-TYPE (toll-free)
877-226-8973

Physicians wishing to apply the blood-typing system can order testing from:

DR. THOMAS KRUZEL, N.D., M.T.
800 SE 18 1ist Ave
Gresham, OR 97233
(503) 667-1961

Naturopathic Physicians

Peter D'Adamo's father, who pioneered much of the initial reasearch and clinical work on blood types, is still in practice. You may reach James D'Adamo, N.D., at:

44-46 Bridge St.
Portsmouth, NH 03801

Survey: Be a Part of the Blood Type Revolution

The Blood type revolution continues for all those who make the Blood Type Diet a part of their life. I am continuing to research the special conditions that the Blood Type Diets address, as well as the particular ancestries that seem linked to certain blood types and conditions.

I am very eager for your input. After you have followed the Blood Type Diet for at least three months or more, I welcome a report of what happened to you. I am also interested in hearing about adaptations you have made in menus and recipes that may be of use to others.

Your involvement in this work is an improtant contribution to the lives and health of others. Thank you for joining the revolution!

Part I: Backgroun I

Age _____
Sex ___M ___F
Blood Type ___O ___A ___B ___AB
If you know your subgroup, include the information here:
Rhesus Group ___Rh+ ___Rh-
Secretor Status ___secretor ___non-secretor
MN Blood Group ___MM ___MN ___NN

Family Blood Type Tree

If you can find out the following blood types, it will enhance your understanding of the significance of your blood type legacy.

FATHER'S SIDE   **MOTHER'S SIDE**

your grandfather ___   your grandfather ___
your grandmother ___   your grandmother ___
your father ___   your mother ___
(if applicable, your spouse:)

FATHER'S SIDE   **MOTHER'S SIDE**

your grandfather ___   your grandfather ___
your grandmother ___   your grandmother ___
your father ___   your mother ___

you ___   your spouse ___
your children ___ ___ ___ ___ ___

Your father's ancestry: _____

Your spouse's father's ancestry: _____

Your mother's ancestry: _____

Your spouse's mother's ancestry:

Are there particular illnesses or diseases that run in your or your spouse's family? Yes ___ No ___
If yes, please elaborate.

Part II: Your Personal History

Do you have current medical conditions for which your are receiving treatment? Yes ___ No ___
If yes, please elaborate.

Do you have past medical conditions for which you have received treatment? Yes ___ No ___
If yes, please elaborate.

Have you ever had surgery? Yes ___ No ___
If yes, please elaborate.

Are you now or have you ever been on medications? Yes ___
No ___
If yes, please elaborate.

Would you consider yourself: ___overweight
___average ___underweight

What is your profession? _____

Would you consider it ___high stress ___medium stress ___low
stress

Would you consider yourself:
____an exceptionally heavy exerciser
____a regular exerciser
____a light exerciser
____no exercise to speak of

If you exercise regularly, what kinds of exercise do you enjoy?

What is your typical diet? List the foods you commonly eat.

Have you ever tried a special diet program? If so, what was the
program and why did you start it? What were the results?

Part III: Your Experience with the Blood
Type Diet

Why did you decide to try the Blood Type Diet? Give as much detail
as you can. For example, did you or a member of your family have a
medical condition that you thought could be helped? Did you decide
after reading the book that this approach offered the opportunity to
take further control of the choices you make now that will affect you
in the future?

How long have you been on the Blood Type Diet?___
What were the most difficult adjustments for you to make?

Have you also followed the exercise recommendations? If so, what
have you noticed about your stress level and general state of

conditioning? If you changed radically from the exercise style you were used to (i.e., from running to yoga), describe that change. Do you feel it's worked for you, or not?

What has been your overall experience with the Blood Type Diet?

(If applicable) Have your partner and your children also tried the Blood Type Diet? If so, what has been their experience?

Have you come up with any terrific recipes or alternative foods that have made the Blood Type Diet work for you? If possible, please enclose them.

Have you found good ways to balance the needs of family members with different blood types? Please share them.

Do you have any final observations about the value of the Blood Type Diet that you would like to share? I welcome comments that might lead me to further clarify my work.

(optional)
Name:_____
Address:_____
City:_____State:_____Zip_____
Phone: _____

Would you be willing to be contacted about your experiences with the Blood Type Diet? Yes___ No___

Would you like to be put on a mailing list to receive updated information on blood type research and therapies? Yes___ No___

Are you interested in receiving information on ordering home blood-testing kits? Yes___ No___

Thank you!

Return this survey to:
PETER D'ADAMO, N.D.
Survey
P.O. Box 2106
Norwalk, CT 06852-2106

Spis treści

Ukazały się też inne książki dr. Petera J. D'Adamo i Catherine Whitney pt:

Gotuj zgodnie ze swoją grupą krwi

Żyj zgodnie ze swoją grupą krwi

Grupa krwi 0

Grupa krwi A

Grupa krwi B

Grupa krwi AB

Jedz zgodnie ze swoją grupą krwi
Encyklopedia zdrowia

zawierająca prawie 1000 haseł na temat leczenia objawów i chorób za pomocą diety odpowiedniej dla grupy krwi;

Jedz zgodnie ze swoją grupą krwi
dla kobiet w ciąży i niemowląt

Jedz zgodnie ze swoją grupą krwi
Cukrzyca – zwalcz chorobę dietą zgodną z grupą krwi

Jedz zgodnie ze swoją grupą krwi
Nowotwór – zwalcz chorobę dietą zgodną z grupą krwi

Wydawnictwo poleca także następujące książki:

Sandra Cabot,
Dieta oczyszczająca wątrobę

Bernard Jensen,
Soki dla zdrowia

Stephen Cummings, Dana Ullman,
Medycyna homeopatyczna

Witaminowa rewolucja doktora Jensena

e-mail: mada@life.pl